Das Buch

Donald Miller führt ein Leben, von dem man nur träumen kann. Mit seiner wohlhabenden Frau Sammy und seinem kleinen Sohn Walt bewohnt er ein luxuriöses Anwesen in der kanadischen Provinz. Donald kennt keine Geldsorgen, er liebt seine Familie, er ist umgeben von netten Leuten. Doch mit einem Schlag zerbricht diese heile Welt. Als er seinen abgeschlachteten Hund findet, ahnt Donald, dass etwas in sein Leben getreten ist, das ihn für immer zeichnen wird. Seine bösen Vorahnungen werden schnell zur bitteren Wahrheit. Während eines Schneesturms wird Sammy entführt: Kurz darauf findet man ihren brutal zugerichteten Leichnam. Mit der Präzision eines Uhrwerks zieht sich eine namenlose Bedrohung um Donald zusammen: Er gerät zusammen mit seinem Sohn in die Gewalt eines Feindes, der scheinbar jede Menschlichkeit hinter sich gelassen hat ...

Der Autor

John Niven, geboren in Ayrshire im Südwesten Schottlands, spielte in den Achtzigern Gitarre bei der Indieband The Wishing Stones, studierte dann Englische Literatur in Glasgow und arbeitete schließlich in den Neunzigern als A&R-Manager einer Plattenfirma, bevor er sich 2002 dem Schreiben zuwandte. 2006 erschien sein erstes Buch, die halbfiktionale Novelle *Music from Big Pink* über Bob Dylan und The Band in Woodstock; 2008 landete er mit dem Roman *Kill Your Friends* – einer rabenschwarzen Satire auf die Musikindustrie – einen internationalen Bestseller. Es folgten die Romane *Coma*, *Gott bewahre* und *Straight White Male*. John Niven schreibt außerdem Drehbücher. Er lebt in der Gegend von London.

JOHN NIVEN

DAS GEBOT DER RACHE

Aus dem Englischen
von Stephan Glietsch

WILHELM HEYNE VERLAG
MÜNCHEN

Die Originalausgabe erschien unter dem Titel
COLD HANDS
bei William Heinemann, Random House, London

Unter www.heyne-hardcore.de finden Sie das komplette
Hardcore-Programm, den monatlichen Newsletter sowie
unser halbjährlich erscheinendes CORE-Magazin mit Themen
rund um das Hardcore-Universum.

Weitere News unter *www.facebook.com/heyne.hardcore*

Verlagsgruppe Random House FSC® N001967
Das für dieses Buch verwendete
FSC®-zertifizierte Papier *Holmen Book Cream*
liefert Holmen Paper, Hallstavik, Schweden.

Vollständige deutsche Taschenbuchausgabe 07/2014
Copyright © 2012 by John Niven
Copyright © 2013 der deutschsprachigen Erstausgabe
by Wilhelm Heyne Verlag, München,
in der Verlagsgruppe Random House GmbH
Printed in Germany 2014
Redaktion: Thomas Brill
Umschlaggestaltung: Nele Schütz Design, München,
unter Verwendung eines Motivs von Shutterstock
Satz: Schaber Datentechnik, Wels
Druck und Bindung: GGP Media GmbH, Pößneck
Printed in Germany

ISBN: 978-3-453-67675-6

www.heyne-hardcore.de

Für Linda, meine Schwester.
Eine wahre Frau.

»Hätt' ich auch deine Brüder hier, ihr Leben
Und deines wär' nicht Rache mir genug.
Ja, grüb' ich deiner Ahnen Gräber auf
Und hängt' in Ketten auf die faulen Särge,
Mir gäb's nicht Ruh' noch Lind'rung meiner Wut.«

Heinrich der VI., 3. Teil

Prolog

Es ist warm hier in Coldwater.

Wenn man, wie die meisten von uns Schotten, Schottland und England als eigenständige Nationen betrachtet, habe ich bisher in vier verschiedenen Ländern gelebt. Aber hier ist es zum ersten Mal warm. Die Wärme soll gut sein für das, was von meinem Bein noch übrig ist.

Florida ist eine einzige lange Einkaufsmeile: endlose Straßen, gesäumt von riesigen Parkplätzen, gerahmt von Schnellrestaurants und Drogerien, die mit ihren Gängen voller Zahnbürsten, Wänden aus Shampoo-Flaschen und unzähligen Mundwassersorten größer sind als selbst die größten Supermärkte an den Orten meiner Kindheit. Alle hundert Meter grinst ein Colonel Sanders oder Ronald McDonald auf einen herab. Nicht gerade der Ort, den ich mir einst zum Leben erträumt habe. Aber als ich vor etwas über einem Jahr hier ankam, war mir das ziemlich egal.

Meine Psychologin Dr. Tan ist der Meinung, es würde mir vielleicht ganz guttun, alles niederzuschreiben – jetzt, wo sich das Ganze bald zum zweiten Mal jährt. Ich müsste es ja niemandem zeigen, sondern nur zu Papier bringen.

Sie hofft, es würde mir dabei helfen, »bestimmte Abschnitte« zu rekonstruieren, an denen ich bei unseren Sitzungen arbeiten wollte. »Immerhin«, sagte sie, »waren Sie ja mal Autor, nicht wahr?« Dieser Satz rang mir ein schiefes Lächeln ab.

Ich sitze am Schreibtisch des kleinen Büros, das ich mir im Erdgeschoss eingerichtet habe. Eigentlich komme ich nur zum Lesen hierher. Das Haus ist im Kolonialstil gehalten. Es ist lichtdurchflutet und geräumig, die Möbel sind überwiegend aus hellem Eichenholz. Aus meinem Fenster blicke ich in den üppigen Garten und auf den kleinen, ovalen Pool. Ich kann die Azaleen und das Meer riechen. Cora, die Haushälterin, kommt jeden Tag, um zu kochen und aufzuräumen. Sie ist schwarz, klein, drahtig und immer gut gelaunt.

Ich schreibe mit einem Füllfederhalter, da meine rechte Hand beim Tippen immer noch zu sehr schmerzt. Sie ist von einer monströsen Narbe entstellt, die rot wird, wenn ich eine Faust balle, und sich langsam weiß färbt, wenn ich sie wieder öffne. Ich bin erst dreiundvierzig, fühle mich aber so alt, wie ich aussehe. Als hätte ich tatsächlich zwei Leben gleichzeitig geführt. Mein Haar ist an den Schläfen von grauen Strähnen durchzogen. Meine Tränensäcke verkünden meinen Schlafmangel so anschaulich, dass ich es fast als Kompliment begreife, wenn wieder mal ein Taxifahrer sagt, ich sähe müde aus. Aufgrund der mangelnden Bewegung habe ich in den letzten zwei Jahren an Bauch und Hüfte kräftig zugelegt. Als ich mich neulich in der Badewanne nach dem Wasserhahn streckte, war ich von der Anstrengung ganz kurzatmig.

Dr. Tan sagte zwar, ich bräuchte es niemandem zu zeigen, aber für irgendwen muss ich es doch schreiben. Man schreibt immer *für* irgendwen. Für wen schreibe ich also? Wer ist mein *idealer Leser*? Walt? Sammy? Craig Docherty vielleicht? Seltsamerweise habe ich das Gefühl, es ist für *sie*. Für Gill. Weil ich es ihr schulde. Doch wo fange ich an? Was war das *auslösende Ereignis*? (Voller Wehmut erinnere ich mich an die Leitfäden zum Drehbuchschreiben – Raymond G. Frensham, Syd Field, Denny Flinn – und die Widmungen darin: »Herzlichen Glückwunsch zum Geburtstag, Donnie. In Liebe, S xXx PS: Du schaffst das!« Relikte aus besseren Tagen.) Vermutlich wäre Schottland ein guter Ausgangspunkt. Aber den ganz großen Schritt, all diese Jahre zurückzublicken, wage ich momentan einfach noch nicht. Besser, ich fange mit jenen Ereignissen an, die zu dieser Nacht führten. Was dann wohl hieße, mit dem Hund zu beginnen.

Genau. Beginnen wir mit dem Hund.

1

Saskatchewan, Kanada, zwei Jahre zuvor

»Daddy, ich kann Herby nicht finden.«

Mit einer dampfenden Kaffeetasse stand ich auf der Terrasse vor unserem Haus. Ich steckte das Handy zurück in die Tasche und drehte mich nach Walt um, der seine Augen mit erhobener Hand gegen die vom Schnee reflektierte, gleißende Sonne schützte. Er trug seine mit Pelz abgesetzte, beigefarbene Daunenjacke. Auf seinem blauen Ralph-Lauren-Schal leuchtete ein kleiner, gestickter Teddybär. Seine Handschuhe baumelten von seinen Ärmeln wie Gehängte – Geisterfäustchen, im Novemberwind pendelnde Wiedergänger seiner kleinen Hände. Walts dichter teefarbener Pony fiel ihm in die Augen. Mein Sohn, der bald neun Jahre alt werden sollte, hat Gott sei Dank das Haar seiner Mutter geerbt, fein und seidig, von Natur aus anmutig gescheitelt. Nicht die trockene schottische Stahlwolle wie auf dem Kopf seines Vaters. Nur die Farbe ist ein Amalgam aus meiner – schwarz wie verbrannter Toast – und dem Honigblond seiner Mutter.

»Er wird schon irgendwo in der Nähe sein, Walt«, sagte ich. Der Schnee knirschte wie Styropor unter meinen Stiefeln, als ich auf ihn zuging. »Vermutlich ist er bei einem der Nachbarn.«

Womit ich alles andere als aufrichtig war, denn ich hatte sowohl die Franklins als auch Irene Kramer angerufen. Herby, unser karamellfarbener Labrador, war definitiv bei keinem von ihnen. Ich war keineswegs so optimistisch, wie ich Walt glauben machen wollte. Obwohl Herby schon früher bei verschiedenen Gelegenheiten davongelaufen war (»Saskatchewan ist so flach«, witzelten die Einheimischen, »wenn einem der Hund wegläuft, kann man ihm tagelang dabei zusehen«) und durchaus die Möglichkeit bestand, dass er sich irgendwo auf dem zwei Hektar großen Grundstück herumtrieb, war er noch nie zu dieser Jahreszeit verschwunden. Der kanadische Winter war noch nicht angebrochen – die Temperatur lag knapp über dem Gefrierpunkt –, aber die Wettervorhersage ließ für die kommenden Wochen das Schlimmste befürchten. Schon bald erwarteten uns die ersten Minusgrade, und wenn mit Einbruch des richtigen Winters die Blizzards kamen, konnte die Temperatur sogar bis auf fünfzehn oder zwanzig Grad unter null fallen.

»Das hat Mommy auch gesagt«, sagte Walt. Hinter ihm konnte ich durch die Glastür sehen, wie Sammy in der großen Küche ihre Kaffeetasse ausspülte, penibel wie immer. »Aber was ist, wenn ...?«

Der entscheidende Grund für Sammy, das Haus genau hier zu bauen, war die Aussicht von der Terrasse gewesen: Von der Hügelkuppe aus blickte man hinunter ins Tal und in der Ferne auf den Lake Ire, einen silbrig glitzernden Spiegel mit einem Rahmen aus Pinien. Das

Franklin-Anwesen und Irenes Haus befanden sich an-
derthalb Meilen zur Rechten. Das alte Farmhaus der
Bennets, unserer nächsten Nachbarn, lag eine halbe
Meile links von uns.

Doch weit und breit war kein Hund zu erkennen.
Wenn ich jetzt zurückdenke, versucht meine Erinnerung, dem Bild etwas hinzuzufügen: schwarze Schatten
am Himmel, Krähen, die am Ende unserer Wiese, in der
Nähe der Tamora Road, der Hauptroute in die Stadt,
über etwas kreisen. Aber ich kann nicht mit Sicherheit
sagen, ob ich das damals wirklich gesehen habe.

Ich bugsierte Walt durch die gläserne Schiebetür in
der Fensterfront entlang der riesigen Küche zurück ins
Warme, wo uns heimeliger Frühstücksduft empfing:
Es roch nach Toast, Kaffee und Haferflocken, von denen
Sammy gerade eine Schüssel leerte, während sie zu
dem kleinen Flachbildfernseher über der Kochinsel in
der Mitte des Raumes hinaufblickte. Sie hockte an einer
Ecke des Tisches aus unbehandeltem Eichenholz, die
Beine an den Knöcheln übereinandergeschlagen. Sammy
war zwar drei Jahre älter als ich, sah aber um einiges
jünger aus, was ich gerne meinen elenden schottischen
Genen zuschrieb. Mir ist wohl bewusst, dass man vor
allem dann sein Erbgut verantwortlich macht – Klischee oder nicht –, wenn man die Schuld eigentlich bei
sich selbst sucht. Sammy war keine Schönheit im klas-
sischen Sinne und konnte einem ohne zu zögern ihre
vermeintlichen größten Makel aufzählen: Sie hatte vor-
stehende Zähne, ein Merkmal, das sie rührend zu ver-
bergen versuchte, indem sie die Hand vor den Mund
hielt, wenn sie – was sie häufig tat – spontan lachen

musste. Da waren leichte Spuren von Akne-Narben und die verästelten Furchen auf ihrer Stirn, wenn sie sich konzentrierte oder ärgerte. Mit gut einsachtzig war sie sogar ein paar Zentimeter größer als ich und empfand sich als schlaksig. Als Teenager hatte sie, um das zu kaschieren, eine leicht gekrümmte, vornübergebeugte Haltung entwickelt, in die sie immer noch gelegentlich verfiel. Früher war sie eine leidenschaftliche Sportlerin gewesen – in der Schule hatte sie Netball und Lacrosse gespielt – und sah auch jetzt noch athletisch-burschikos aus. Beim Tennis im Urlaub, im Klub von Alarbus oder auf dem Platz ihrer Eltern war ich für sie kein ernst zu nehmender Gegner: Elegant ging sie in Position, hielt kurz inne, bevor sie zum Schlag ausholte, und scheuchte mich dann mit ihrem Topspin die Grundlinie entlang, bis ich schließlich erschöpft aufgab.

An diesem Morgen in der Küche glänzten ihre Lippen vom Honig auf ihren Haferflocken. Das Haar hatte sie zu einem kurzen Pferdeschwanz zurückgebunden. Sie trug einen dunkelgrauen Wollanzug zu einem schwarzen Pullover mit V-Ausschnitt – ein Ensemble vom peppigeren Teil ihrer Businessgarderobe. Ich besaß keine Geschäftskleidung. Mein Arbeitsplatz war unser Zuhause, wo ich mich in Bademantel oder Freizeitklamotten vor dem Fernseher oder dem Laptop hinlümmelte.

»Hör dir dieses verlogene Arschloch an«, sagte Sammy und nickte Richtung Bildschirm, wo gerade irgendein Politiker interviewt wurde.

»Mommy hat geflucht.« Walts Bemerkung war eine reine Feststellung, völlig wertfrei.

»Du siehst gut aus. Hast du ein Meeting heute?«

»Ein Geschäftsessen mit Anzeigenkunden. Scheiß-nervig.«

»Schon wieder«, kommentierte Walt.

»Hast du was rausgefunden?«, fragte Sammy mit ge-runzelter Stirn. Sie hatte mein Telefonat auf der Ter-rasse beobachtet. Ich schüttelte den Kopf.

»*Was* rausgefunden?«, fragte Walt.

»Brauchen wir noch irgendwas?« Ich ignorierte Walt und öffnete den Kühlschrank, eine mannshohe Kühl-Gefrier-Kombination mit glänzenden Türen aus gebürs-tetem Edelstahl. »Ich fahre heute Nachmittag in die Stadt. Ich dachte, ich kaufe etwas Fisch, besorg was fürs Abendessen und ...«

»Wir haben noch Entenbrust«, sagte Sammy, wäh-rend sie den Mantel überzog. »Und im Schrank ist noch Wildreis. Wär doch ganz lecker.« Sammy, ganz die Her-ausgeberin, immer alles im Blick.

»*Was* rausgefunden?«, fragte Walt erneut.

»Haben sie im Wetterbericht gesagt, ob die Straßen frei sind?«

»Alles bestens. Du und deine übertriebene Sorge, Donnie.«

Sie hatte recht. Fünfzehn Jahre lebte ich nun schon hier, und es machte mich immer noch fassungslos, dass die Kanadier bei einem Wetter Auto fuhren, das in Großbritannien die Armee mobilisiert hätte.

»*Was denn rausgefunden?*«, fragte Walt zum dritten Mal.

»Gar nichts! Himmel, Walt, wenn ...« Ich versuchte, mich zu beherrschen. »Hör mal, vielleicht ist Herby ja irgendwo im Haus und hält ein kleines Nickerchen. Ich seh mich noch mal um, wenn du in der Schule bist, okay?«

»Er wird schon wieder auftauchen, Schatz«, beruhigte ihn Sammy. »Komm her ...« Die Autoschlüssel in der Hand, kniete sie sich hin, um ihn zu umarmen.

»Genau«, sagte ich und erwiderte hinter Walts Rücken ihren besorgten Blick.

»Also gut, Männer. Ich sehe euch dann heute Abend«, sagte Sammy und stand auf. »Und denk dran, Donnie. Wir brauchen die Kritik heute Mittag.«

»Geht klar, Chefin.«

Sie gab mir einen flüchtigen Kuss auf die Wange und flüsterte dabei: »Überprüf die Nebengebäude und ruf bitte noch mal alle Nachbarn an, ja?«

Ich nickte, drehte mich zu Walt und klatschte in die Hände. »Dann mal los, Soldat. Auf in den Kampf, sonst verpassen wir noch den Bus.«

Rückblickend erscheint mir gerade das Alltägliche dieses Morgens – wir drei in der Küche, mit unseren kleinen Abschiedsritualen, Instruktionen für den Tag, halb verspeisten Buttertoasts – als das pure Glück.

2

Walt und ich winkten Sammys anthrazitfarbenem Range Rover hinterher, bis dieser hinter dem Pinienhain am Ende der Zufahrt verschwand. Dann gingen wir wie immer den kleinen Pfad hinunter, der am Waldrand entlang der Grenze zum Grundstück der Franklins verlief – eine Abkürzung zur Bushaltestelle an der Tamora Road. Mit unseren Schnürstiefeln stapften wir knirschend durch den knöcheltiefen Schnee, und unser Atem kondensierte zu dichten Wölkchen in der kristallklaren Luft, die so kalt war, dass sie die Lunge mit Hunderten von Nadelstichen zu traktieren schien. Walts heiße, kleine Hand lag in meiner, und vor uns erstreckten sich die Schneewehen bis zum Horizont.

Auch mich hatte es hierhergeweht. Erst von Schottland nach England, dann nach Toronto und schließlich bis nach Saskatchewan. Immer weiter nach Norden und Westen hatte es mich getrieben, immer weiter weg von meiner Heimat. Mit einer Ausdehnung von über 300 000 Quadratkilometern, aber nur einer Million Einwohnern beherbergt Saskatchewan in etwa so viele Menschen wie Birmingham, jedoch verteilt auf ein Gebiet, das doppelt so groß ist wie Großbritannien. Bewegt man sich von Regina oder Moose Jaw nach Süden, landet man schon bald auf amerikanischem Boden in Montana oder North Dakota. Nach Norden hin, über den Prince-Albert-Nationalpark hinaus, erreicht man die glitzernden Eislandschaften der Northwest Territories, den subarktischen Teil des Landes, wo mit minus 57 Grad die kälteste Temperatur Kanadas gemessen wurde.

»Land des lebendigen Himmels« steht in Saskatchewan auf den Nummernschildern. Mir schien der Himmel weniger lebendig als endlos zu sein. Unter ihm fühlte ich mich winzig und irrelevant, wie Plankton, wie Krill in diesem abgrundtiefen Atlantischen Ozean, der mich nun von zu Hause trennte. In den ersten Jahren, bevor ich schließlich Sammy kennenlernte, fuhr ich im Sommer manchmal in meinem alten Nissan aus Regina raus und über Land nach Norden in Richtung Saskatoon. Dort hielt ich irgendwo am Straßenrand, parkte auf dem staubigen Seitenstreifen und legte mich auf die Motorhaube in den lauen Chinook-Wind. Umgeben von Weizenfeldern oder Viehweiden blickte ich zu den vorbeiziehenden Wolken hinauf und folgte ihnen in Gedanken weiter nordwärts, wo die Felder, das Vieh und der Chinook-Wind allmählich verschwanden und der leeren Weite der Northwest Territories wichen. Dahinter Grönland. Die Arktis. Lemminge, Moschusochsen und Karibus. Der Nordpol. Permafrost. Einsamkeit.

Ich lag einfach nur da – die Wölbung der Motorhaube im Rücken, die Wärme des Blechs unter meinem Hemd – und blickte nach Norden.

Später erzählte mir Sammy von den Inuit, den furchterregenden Stämmen jener Krieger und Jäger, deren Heimat die Tundra war. Bis nach dem Zweiten Weltkrieg hatten sie dort ein Leben unbehelligt von der Zivilisation geführt. Dann tauchten wir auf und brachten ihnen das, was wir immer bringen: Alkohol, Drogen und Fernsehen. Heute leben die meisten der verbliebenen Inuit in Grönlands Hauptstadt Nuuk. Sie hausen in Sozialbauten, und die einzigen Kämpfe, die ihre Krieger jetzt noch führen, gelten ihren Depressionen, ihrem Alkoholismus und ihrer Drogenabhängigkeit.

Laut Sammy glaubten die Inuit einst, Selbstmord würde die Seele reinigen und sie auf ihre Reise ins Jenseits vorbereiten. Die Alten, die für den Stamm zur Belastung geworden waren, baten deshalb häufig darum, sich das Leben nehmen zu dürfen. Sie mussten dreimal fragen, und die Familienmitglieder konnten versuchen, sie davon abzubringen. Doch wenn sie das dritte Mal fragten, durfte ihrer Bitte nicht mehr widersprochen werden. Sie drehten ihre Kleidung auf links, schafften ihre Besitztümer herbei, damit sie zerstört wurden, und erhängten sich vor aller Augen. Ich habe oft versucht, mir diese dritte Konversation vorzustellen. Den Gesichtsausdruck eines Menschen, wenn dessen Mutter oder Vater mit solch einer Bitte an ihn herantritt. Wie er zuhört, mit geneigtem Kopf, in dem Bewusstsein, nun einwilligen zu müssen.

Ich bemerkte, dass Walt an meiner Hand zog, offenbar in Erwartung einer Antwort. »Was ist denn, Walt?«

»Dad, ich hab dich gefragt, ob du schreiben wirst, dass der Film gut war ...«

Walt hatte gerade erst begonnen, mit »Dad« zu experimentieren. Ich war erschüttert, wie sehr ich mich herabgesetzt fühlte, wenn er mich so nannte. Wie erwachsen ihn diese drei Buchstaben machten und wie alt sie mich erscheinen ließen. Welchen Verlust an Unschuld sie darstellten. Ich vermisste »Daddy«. Seine Mutter war für ihn immer noch »Mommy«.

»Ja, ich glaube schon.«

»Hat er dir wirklich gefallen?« Walt sprach von dem Film, den wir uns am Abend zuvor auf DVD angesehen hatten und den ich für die Zeitung besprechen sollte: eine 100-Millionen-Dollar teure Aneinanderreihung von Kampfszenen, Unglaubwürdigkeiten und hölzernen Dialogen. Er war begeistert davon, bis auf die letzte Schlacht, die er offensichtlich als ein wenig traumatisch empfand.

»Nein, Walt, nicht wirklich.«

Ich dachte über den Film nach, über seinen widerwärtig grellen Farb-Overkill, darüber, wie er jeden Zentimeter der Leinwand bis zum Bersten ausfüllte. Über das grausame, schablonenhafte Spiel der Darsteller, die dumpfe Rahmenhandlung. »Also«, sagte ich, »ich schätze, ich mochte die Charaktere nicht besonders.« Ich erinnere mich, dass ich den Arm um Walt legte, um ihn ein paar vereiste Stufen hinaufzuführen. *Da ist es dir zum ersten Mal aufgefallen. Aus dem Augenwinkel. Der farbige Klecks. Die Vögel.*

»Aber«, sagte Walt und sah mich immer noch fragend an, »warum willst du dann schreiben, dass er gut ist?«

»Na ja ...« Wie erklärt man einem Achtjährigen die Lügen und Kompromisse der Erwachsenenwelt? Der *Regina Advertiser*, die Zeitung, für die ich schrieb und die seine Mutter herausgab, ist im Grunde ein beschissenes Anzeigen- und Lokalnachrichtenblatt. Die Artikel der Zeitung haben starken Regionalbezug, es sind Storys über Hockeyteams, lokalpolitische Begebenheiten und persönliche Schicksale. Am Tag von Obamas Wahl war der Aufmacher eine Story über ein großes staatliches Förderprogramm für Viehbauern, und die Schlagzeile NEUER US-PRÄSIDENT! schmückte einen viertelseitigen Kasten rechts unten. Wie sollte ich ihm erklären, dass die Zeitung auf das Wohlwollen der Studio-Pressebüros angewiesen war, die uns mit Rezensionsexemplaren der DVDs und Trips zu den Pressevorführungen in Calgary und Toronto versorgten? Die mir gelegentlich Telefon-Interviews mit drittklassigen Filmsternchen organisierten, deren Niederschriften dann zu hysterischen »Filmstar spricht exklusiv mit dem *Advertiser*!«-Artikeln aufgebauscht wurden, die schamlos jeden Film anpriesen, den der Star gerade bewarb? Dass, kurz gesagt, der *Advertiser* nicht die *New York Times* und ich alles andere als ein Starkritiker auf der Höhe seiner Schaffenskraft war?

»Mommys Zeitung druckt eigentlich über gar keinen Film schlechte Kritiken.«

Er dachte einen Moment darüber nach. »Dann *lügst* du also?«

»Es sind keine besonders großen Lügen, Walt.«

»Hat dir denn die Stelle nicht gefallen, wo ...«

Walt redete weiter, den Blick auf seine Füße gerichtet, aber ich hörte schon nicht mehr zu.

Etwas Rotes leuchtete im Schnee, ungefähr zwanzig Meter links von mir. Drumherum stolzierten weihevoll drei Krähen, die schwarzen Schwingen wie Arme steif hinter dem Rücken verschränkt.

»Und dann die Stelle, als sie den Angriff auf ...«

Noch hatte Walt nichts gesehen. Wir waren jetzt fast an der Straße, und ich erkannte Jan Franklins grau-blauen BMW. Zusammen mit ihren beiden Jungs, Ted und Andy, saß sie im Wagen und wartete auf den Bus, der just in diesem Moment die Tamora Road herauf-kam. Strahlendgelb schälte er sich aus dem endlosen Weiß heraus.

»Los, komm schon, Walt!«, rief ich. »Da ist der Bus!« Ich hob ihn hoch und drückte ihn an meine Brust, so-dass sein Gesicht in meinem Hals vergraben war, weg von dem roten Fleck im Schnee. Walt gluckste vor Ver-gnügen, als ich auf die Bushaltestelle zurannte. Ted und Andy stiegen nun aus dem Auto aus. Ich setzte Walt ab und drückte ihm einen Kuss auf die Wange – während der Bus zum Stehen kam, lief er bereits seinen Freun-den entgegen. Von dem Sprint ganz außer Puste, hob ich die Hand zum Gruß, als Jan davonfuhr. Ich konnte Walt gerade noch ein atemloses »Bis später!« zurufen, da schloss sich auch schon die Tür hinter ihm.

Ich wartete einen Moment und winkte dem Bus hin-terher, bevor ich mich auf den Rückweg machte. Die Krähen erhoben sich gemächlich in die Luft, als ich mich ihnen näherte, und ließen sich dann in einiger Entfernung nieder, um mich zu beobachten.

Ich schlug mir die Hand vor den Mund, um nicht zu schreien. Unser Hund lag rücklings in seinem eigenen Blut. Dort, wo es im Schnee versickert war, hatte es die-sen rosa gefärbt. Herbys haarloser Bauch war von den Genitalien bis zur Schnauze aufgeschlitzt, das Tier re-gelrecht ausgeweidet worden.

Die Wunde sah aus, als hätte sie jemand aufgestemmt: Aus dem aufgebrochenen Brustkorb ragten die Rippen wie die Pfeifen einer grotesken Orgel in die Höhe. Die Eingeweide waren aus der Bauchhöhle gerissen und ergossen sich in den Schnee. Beim Anblick von Herbys Kopf biss ich mir in den Handschuh, um die aufsteigende Übelkeit und die Tränen zu unterdrücken. Die Augenhöhlen waren schwarz, leer und blutumrandet – die Krähen hatten ganze Arbeit geleistet –, und seine Kiefer zu einem grimmigen, gequälten Fletschen erstarrt. Seine Zunge hing an einigen wenigen Sehnen zwischen den Zähnen heraus, als hätte er sie sich im Todeskampf abgebissen. Ich torkelte, meine zitternden Beine gaben nach, und ich kniete mich in den Schnee.

Urplötzlich bewegte sich der Hund, sein linkes Hinterbein fing an zu zucken und zu treten. Zu Tode erschrocken kroch ich rückwärts.

Der Kopf einer Ratte schob sich oberhalb der Genitalien aus dem Schlitz im Bauch. Blut tropfte von ihren Schnurrhaaren, als sie sich im Sonnenlicht schüttelte. Rasend vor Wut trat ich mit dem Stiefel nach ihr, doch sie tat einen gewaltigen Satz, wieselte davon und hinterließ eine klebrige, rote Spur.

Ich rollte mich herum und gab meinen gesamten Mageninhalt von mir, Toast und Kaffee, der erst in meiner Kehle brannte und mir dann aus der Nase spritzte, um schmutzig braune Löcher in den Schnee zu schmelzen. Punkte und Sternchen tanzten vor meinen Augen – und mit dem sauren Geschmack des Erbrochenen, dem Anblick des blutgetränkten Schnees, stieg eine seit Ewigkeiten verschüttete Erinnerung in mir auf.

3

Wir befinden uns auf einer Lichtung im Wald, unser Eimer ist voller Frösche und Kröten. Es sind Dutzende, aus dem Teich oben in Fox Gate. Sie winden sich in dem blauen Plastikeimer, krabbeln übereinander, springen hoch, versuchen zu entkommen. Winzige Frösche, nicht größer als ein Daumen, und aufgeschwemmte, schmierige Kröten von der Größe einer Männerfaust. Tommy wirft sie Richtung Banny, der mit angewinkeltem Bein — wie ein Baseballspieler — sein Vierkantholz schwingt. Immer wieder schlägt er ins Leere, und wir drei machen uns vor Lachen fast in die Hose, als die verwirrten Tiere mit ausgestreckten Beinen durch die Luft fliegen, ihre Silhouetten dunkle Sterne vor dem hellen Sommerhimmel.

»Verdammter Mist!«, schimpft Banny. »Schmeiß sie nicht so fest!« Und Tommy tut ihm den Gefallen. Eine der größten, fettesten Kröten fliegt in sanftem Bogen direkt in Bannys Schlagweite. Dessen Knüppel saust herab und trifft. Als die Kröte zerplatzt, geht ein Regen aus zerfetzten Organen auf mich nieder, bespritzt mein Gesicht mit stinkendem Blut und Gedärm. Tommy und Banny johlen auf, während ich blinzelnd auf die Knie gehe und mich auf den warmen Waldboden übergebe.

Wieder halbwegs bei Atem, hebe ich den Kopf und sehe nur einen Meter entfernt die Überreste der Kröte, Kopf und Vorderbeine, die sich immer noch bewegen. Als ich erneut würgen muss, höre ich die anderen im Hintergrund lachen. Tommy sagt: »Oh, verdammt! Hast du das gesehen? Die arme Sau hat sich ja die Seele aus dem Leib gekotzt!« Und Banny feixt: »O Mann, das darf ja nicht wahr sein! Was für'n beschissenes Weichei!«

»Ihre frühesten Grausamkeiten«, heißt es später in einem Bericht, »verübten sie an Tieren.«

4

Nachdem ich Herbys grausam verstümmelte Überreste in eine grüne Abdeckplane gepackt und im Poolhaus unter frischem Schnee deponiert hatte, damit Walt sie nicht sah, wenn er nach Hause kam, ging ich unter die Dusche. Während mein Blut unter dem warmen Wasser kribbelnd in meine ausgekühlten Extremitäten zurückkehrte, ging mir immer wieder diese eine Frage durch den Kopf: Wer oder was ist zu so etwas fähig?

Im Wald traf man häufig auf Damwild, doch die Vorstellung, ein Hirsch würde Herbys weichen Bauch mit seinem Geweih aufreißen, war einfach absurd. Ein Bär? Aber wann war hier in der Gegend zuletzt ein Bär gesichtet worden? Und dann fiel mir plötzlich eine halbwegs plausible Erklärung ein: Wölfe. Hatte Ben Dorian nicht mehrfach von großen grauen Wölfen gesprochen, die gelegentlich die Mülltonnen hinter seiner Bar durchwühlten? Dieselben Wölfe, deren Rudel die Jäger manchmal während der Hirsch-Saison in den High Pines sichteten? Na klar: Wölfe, was sonst. Ich drehte meinen Kopf in den Wasserstrahl und ließ mir Stirn, Schläfen und Hals massieren.

Nachdem ich mich angezogen hatte, rief ich in Sammys Büro an. Eine freundliche Stimme teilte mir mit, sie sei in einer Besprechung. Immer noch feucht von der Dusche, tigerte ich in Jeans und T-Shirt durchs Haus und wartete auf ihren Rückruf.

Der erste Entwurf für unser Haus stammte von Lewis Foster, Kanadas führendem zeitgenössischem Architekten, gebaut wurde es vor fünf Jahren jedoch exakt nach Sammys Vorstellungen. Vierhundert Quadratmeter Wohnfläche verteilten sich auf zwei Etagen. Im oberen Stockwerk, dem eigentlichen Erdgeschoss, gruppierten sich fünf Zimmer, drei Badezimmer und die Küche um einen riesigen zentralen Wohnbereich. Im Untergeschoss befanden sich ein Freizeitraum mit Bar, antikem Billardtisch, Musikbox und Tischtennisplatte, außerdem eine Waschküche, ein Hauswirtschaftsraum, eine geräumige Garage mit vier Stellplätzen und Sammys Arbeitszimmer. Die Konstruktion bestand weitgehend aus dunklem Holz und Glas. Die blaue Tönung der Fenster (von denen es so viele gab, dass die Rechnung des Glasers sechsstellig war) schützte vor dem grellen Sonnenlicht, das gut die Hälfte des Jahres vom Schnee reflektiert wurde.

Auf dem Außengelände gab es einen beheizten Swimmingpool mit dazugehörigem Poolhaus inklusive Werkstatt sowie einen Tennisplatz. Die Winter in Süd-Saskatchewan sind gnadenlos, die Sommer dagegen warm und trocken. Im Juli und August, der Zeit der Poolpartys und Barbecue-Abende, erreichen die Temperaturen häufig fast dreißig Grad. Diverse Wirtschaftsgebäude – Ställe, eine Meierei und eine Gartenhütte – stammten noch von der alten Farm, die wir für das Haus abgerissen hatten.

Wir hatten auch immer noch die Stadtwohnung in Regina: ein Zweizimmerapartment im sanierten Warehouse District. Die eigentliche Idee dahinter war, dort zu übernachten, wenn wir ins Theater, zum Essen oder zu einem Football-Spiel der Roughriders gingen. Was wir aber alles eher selten taten. Sammy nutzte das Apartment gelegentlich, wenn sie lange arbeiten musste oder frühmorgens eine Besprechung hatte.

Das Ganze wurde natürlich nicht von meinen Filmkritiken für die Lokalzeitung finanziert. Nein, ich hatte es gut getroffen. Schwein gehabt, sozusagen. Das große Los gezogen. Wie immer man es ausdrücken will.

Ein Klingeln schreckte mich aus meinen Gedanken, und ich griff nach dem nächsten schnurlosen Telefon. Auf dem LCD-Display leuchteten die Worte »Sams Büro«.

»Und?«, fragte Sammy knapp, ganz im Arbeitsmodus.

»Herby ist tot.«

Eine Pause. »O nein. O Gott. So eine *Scheiße*.«

»Ich weiß. Tut mir leid.«

»Was ist passiert?«

»Ich hab ihn unten am Trampelpfad gefunden, in der Nähe der Bushaltestelle ...«

»Oh, verdammt. Hat Walt ...«

»Nein. Ich konnte ihn ablenken. Es ... irgendetwas muss ihn angefallen haben. Ein Wolf oder so was.«

»Ein Wolf? Wann hast du je einen Wolf in der Nähe des Hauses gesehen?«

»Na ja, ich weiß nicht, welches andere Tier so etwas ... es sah ziemlich schlimm aus, Sam.«

Noch eine Pause. »Und was sollen wir Walt erzählen?«

»Keine Ahnung.«

»Was hast du mit Herby gemacht?«

»Ich habe ihn in eine Plane gewickelt, das meiste von ihm zumindest, und ins Poolhaus gebracht.«

»Das meiste von ihm?«

»Wie ich schon sagte, es war ziemlich schlimm, Sammy.«

»Oh, verdammt, Donnie. Geht's dir gut?«

»Ja. Nur ... der arme Hund. Verstehst du?«

»Hör zu, du rufst besser die Polizei.«

»Die Polizei?«

»Ja. Wenn da draußen ein Wolf herumläuft, der Haustiere angreift, dann muss die Polizei informiert werden. Die Franklin-Jungs spielen ständig da unten. Du gibst Jan besser Bescheid. Und Irene auch.«

»Na gut, ich rufe sie an.«

»In Ordnung«, sagte sie mit stockender Stimme. »Ich gehe jetzt ein paar Tränen verdrücken.«

»Bis heute Abend. Ich liebe dich.«

Während ich überlegte, was wir Walt sagen würden, starrte ich aus den blau getönten Fenstern in die weiße Landschaft. Als mein Blick über den Waldrand streifte, verspürte ich ein wachsendes Unbehagen, als könnte ich die kalten Augen eines Raubtiers auf mir spüren, das immer noch dort lauerte, geräuschlos durchs Unterholz schlich, geduckt, mit hechelnder Zunge zwischen mächtigen Kiefern, aus denen dampfend der Geifer zu Boden tropfte, die Schnauze blutverschmiert, Fleischfetzen zwischen den Zähnen.

Es heißt, dass ein Kind nacheinander lernt, den Tod eines Haustiers, der Großeltern und schließlich der Eltern zu verarbeiten. »Ach ja?«, rief ich in die Leere des Hauses, während ich mit dem Daumen im Adressbuch des Telefons die Nummer der Polizeidienststelle in Alarbus suchte. »Wer zur Hölle sagt das?«

5

»Verdammt schöner Tag, was?«, sagte Officer Robertson, während wir zu der Stelle gingen, an der ich den Hund gefunden hatte. Er hatte darum gebeten, sie sich erst einmal ansehen zu dürfen.

»Allerdings.« Selbst nach so langer Zeit war ich immer wieder überrascht, wie amerikanisch respektive kanadisch ich inzwischen klang. Auch wenn ich immer noch einen Akzent hatte. Mein rollendes »R« war ein Überbleibsel meines ehemals breiten Ayrshire-Dialekts, der immer dann besonders deutlich durchklang, wenn ich aufgeregt war oder mich ärgerte. Ich hatte versucht, ihn mir abzugewöhnen, sogar ziemlich erbittert, aber es war zwecklos. Er weigerte sich einfach zu verschwinden.

Robertson war jung, Anfang zwanzig, gerade mal halb so alt wie ich. Unter seiner Mütze leuchtete buschiges, ingwerfarbenes Haar, an seinem Gürtel schaukelten Schlagstock, Taschenlampe, Handschellen und Pistole, als er über den zugeschneiten Pfad stapfte. Er war nach nur zwanzig Minuten hier gewesen. Vermutlich gab es auf der Polizeiwache von Alarbus gerade nicht viel zu tun. Ich stellte mir vor, wie die vier oder fünf Beamten, die dort arbeiteten, sich darum rissen, den Anruf entgegenzunehmen, hier rauszufahren und etwas Abwechslung in ihren Tag zu bringen. Alarbus ist ein wohlhabender Vorort von Regina, ein Haustiermord zählt dort vermutlich zu den spannenderen Ereignissen. Ich hatte die Wartezeit genutzt, um die Hälfte meiner DVD-Besprechung zu schreiben. (»Dieser vor Spezialeffekten nur so strotzende Blockbuster ist ein Nervenkitzel für die ganze Familie.« Keine besonders große Lüge, Walt ...)

»Also«, sagte ich, als wir über die Anhöhe kamen. »Genau dort habe ich ihn gefunden.«

Im Schnee war immer noch der Abdruck von Herbys Körper zu sehen. Ein rosafarbener Blutfleck.

»In Ordnung.« Robertson schob sich die Mütze aus der verschwitzten Stirn. Die Hände in die Hüften gestemmt, blickte er sich um, schätzte die Entfernung zur Baumgrenze ab. »Ziemlich nah am Wald. Gut möglich, dass Ihre Vermutung richtig ist und es ein Wolf war. Könnte aber auch sein«, er blickte über seine Schulter zur Bushaltestelle, »dass er von einem Auto angefahren wurde und sich bis hierher geschleppt hat. Dann wären die meisten Verletzungen wohl post mortem. Vögel, Ratten und was es hier sonst so gibt.«

»Wirklich?« Ich dachte an Herbys toten Körper, an den klaffenden Schlitz in seinem Bauch.

»Durchaus vorstellbar.«

»Kommt es häufig vor, dass Wölfe so etwas tun?«

»Hin und wieder. Allerdings eher im Sommer. Um diese Jahreszeit bleiben sie eigentlich in den Bergen. Nördlich von hier haben sie mal jemanden getötet, so vor drei oder vier Jahren. Einen Jäger. Oben, Richtung Saskatoon. Aber so was passiert ... nun ja, ausgesprochen selten.« Robertson ging in die Hocke. Offenbar war da etwas, das er sich genauer ansehen wollte. Er nahm ein Taschenmesser aus seiner Gürteltasche, bohrte damit im Schnee herum und hielt plötzlich eine von Herbys Nieren in die Höhe.

»O Gott«, stöhnte ich.

»Schrecklich«, sagte er, erhob sich und ließ die Niere zurück in den Schnee fallen. »Ich schätze, wir werfen besser mal einen Blick auf den Kadaver, was?«

»Er liegt im Poolhaus. Möchten Sie einen Kaffee, Officer?«

»Ein Kaffee wäre klasse.«

Wir machten uns auf den beschwerlichen Rückweg durch den Schnee. »Ich muss schon sagen«, erklärte Robertson, »Sie haben es wirklich verdammt nett hier, Mr. Miller. Wirklich verdammt nett.«

»Danke.«

»Und Ihre Frau ist die Herausgeberin des *Advertiser*?«

»Das ist richtig.«

»Womit Sam Myers Ihr Schwiegervater wäre?«

»Jep.«

Robertson pfiff leise durch die Zähne, was zugleich Bewunderung wie auch ein unausgesprochenes »Sie armes Schwein« auszudrücken schien.

»Jep«, sagte ich noch einmal, und wir beide lachten.

Der gute alte Sam. Wahrscheinlich der einzige Mann, der die Eier besaß, seine *Tochter* nach sich zu benennen. Es gab nicht viele Menschen in der Gegend, die noch nie von Sam Myers gehört hatten.

Mein Schwiegervater war ein Selfmademan, wie er im Buche steht. Ein echter Held der Arbeit. Bettelarm geboren, machte er in den späten Siebzigern seine erste

Million im Baugewerbe. Mit seinem Kapital wurde draußen vor der Stadt die erste Shopping-Mall von Regina gebaut. Dann noch eine. Etwa zehn Jahre später, als das Stadtzentrum fast vollständig brachlag, weil sämtliche Einzelhändler Sams Geld in die Außenbezirke gefolgt waren, kaufte er in der Innenstadt günstige Immobilien auf, die er sanierte und in Eigentumswohnungen verwandelte ... so wie unser Apartment im Warehouse District. Er verdiente sich dumm und dämlich. Er investierte auch in die lokalen Medien, und Ende der Achtziger kaufte er den *Advertiser* – gerade als seine Tochter ihr Journalismus-Studium abschloss.

Anfangs wollte Sammy nicht für ihren alten Herrn arbeiten. Sie verließ die Stadt und verdiente sich ihre ersten Meriten als Kriminalreporterin für den *Calgary Star*. Sie war gut. Aber am Ende ließ sie sich von ihrem Vater beknien, der ihr dafür Unsummen bot und die einmalige Chance, mit gerade mal dreißig Jahren Herausgeberin zu werden. Sammy nahm die Herausforderung an, und zum Erstaunen diverser skeptischer Redakteure und Ressortleiter war sie ausgesprochen erfolgreich in ihrem Job. In nur fünf Jahren steigerte sie die Auflage um zwanzig Prozent und verhalf der Zeitung aus den Achtzigern in die Hightech-Ära der Neunziger – nicht ohne auf dem Weg dorthin kräftig zu heuern und zu feuern.

Ich lernte Sammy 1998 auf dem College in Regina kennen, wo ich mich für einen Aufbaustudiengang in Journalismus eingeschrieben hatte. Damals lebte ich seit etwa fünf Jahren in Kanada und war gerade von Toronto hier raus nach Saskatchewan gezogen. Sammy dozierte eines Tages vor meinem Kurs, und obwohl sie nur wenige Jahre älter war als ich, wirkte sie unglaublich erfahren und selbstsicher. Sie besaß das Auftreten einer waschechten Journalistin – von jemandem, der das lebte, was ich anstrebte. Sie sprach über die alltäglichen Anforderungen beim Schreiben für eine Lokalzeitung, die Rolle der Redakteure und des Herausgebers und über das, was eine gute Story ausmacht. Sie machte ihre Sache wirklich gut, war witzig und konnte über sich selbst lachen. Nach ihrem Vortrag gab es bei Kaffee und Kuchen die Möglichkeit, mit ihr ins Gespräch zu kommen. Ich ergriff die Gelegenheit, um sie verlegen zu fragen, ob ich ihr ein paar Artikel von mir schicken dürfte. (Monate später erzählte sie mir im Bett, dass sie mich sofort mochte, weil ich so unaufdringlich gewesen sei und mich nicht – wie so viele andere Studenten, die sie getroffen hatte – für eine Reinkarnation von Tom Wolfe zu halten schien.) Sie gab mir ihre E-Mail-Adresse und war ausgesprochen geduldig mit meinem überambitionierten, mit Adjektiven überladenen Geschreibsel. Schnell fügten wir unseren Mails kleine Witze hinzu, gaben uns Lese-Empfehlungen oder fragten den anderen nach seiner Meinung zu Filmen oder Büchern. Schon bald bedurfte es keiner Arbeitsproben oder Anmerkungen mehr im Anhang als Vorwand, uns zu schreiben, und sie beauftragte mich mit ersten Buch-, DVD- und Plattenkritiken.

Wir küssten uns zum ersten Mal in der Bar gegenüber der Redaktion.

Und dann kam der Abend, an dem ich ihre Eltern traf. »Wow«, staunte ich, als wir in Sammys Auto die

Zufahrt hinauffuhren, die sich wie eine gefühlte Ewigkeit hinzog. Lakeview, das Zuhause der Familie Myers, war ein Vierzehn-Schlafzimmer-Anwesen im edwardianischen Stil, versteckt hinter einem Ulmenhain. Solche Ausmaße kannte ich bis dahin nur von Hotels oder College-Gebäuden. »Lass dich nicht einschüchtern«, ermutigte mich Sammy mit einem Kuss auf die Wange, als sie an der Tür klingelte.

Das war leichter gesagt als getan. Zu viert speisten wir in einem eichengetäfelten Esszimmer am Ende eines Tisches, an dem locker noch zehn weitere Personen Platz gehabt hätten. Ein Hausmädchen trug die verschiedenen Gänge auf, und ich bemühte mich, trotz der flackernden Kerzen, der Kristallgläser und des schweren Porzellans entspannt und weltmännisch zu erscheinen.

Doch Sammys Vater war die Liebenswürdigkeit in Person – während des Essens und auch später, als wir in seinem Arbeitszimmer mit einer Karaffe Single Malt am Kamin saßen. Mit den Worten »Ein Schotte dürfte das zu schätzen wissen« reichte er mir einen Tumbler, der gut und gerne zwei Pfund wog und in dem ich mir die Hände hätte waschen können. Er stellte einige dezente Fragen zu meinem Werdegang sowie zu meiner Familie in Schottland, erkundigte sich, was mich nach Toronto und schließlich nach Saskatchewan geführt hätte, und bat mich, mit meinen neunundzwanzig Jahren, sogar um eine Einschätzung bezüglich eines Radiosenders, den er zu kaufen erwog. Er wirkte umgänglich und gastfreundlich. Unser Gespräch schien nicht im Geringsten das zu sein, was es eigentlich war: ein Verhör.

Erst sehr viel später sollte ich begreifen, dass der gute alte Sam das, was ich ihm an jenem Abend anvertraut hatte, nutzte, um sich umfassend über meine Vorgeschichte zu informieren. Und zwar so umfassend, wie man sich über die Vorgeschichte von Donald R. Miller überhaupt informieren konnte.

Was zugegeben nicht sonderlich erschöpfend gewesen sein dürfte.

Robertson und ich gingen mit unseren Kaffeetassen zum Poolhaus, einem eingeschossigen Betonsteingebäude, das etwa zweihundert Meter vom Haupthaus entfernt lag und sich in zwei Hälften teilte: eine Umkleidekabine mit Duschen, Toiletten und Holzbänken sowie eine Werkstatt, die auch als Abstellraum für Garten- und Sportgeräte diente. In der Werkstatt, die wir nun betraten, standen ein alter Grill und der große Rasenmäher, den Danny, unser Gärtner, im Sommer benutzte. An der Wand waren Regale und Haken voller Werkzeuge angebracht. Darunter lehnten diverse Baseball- und Tennisschläger. Auf der Tiefkühltruhe lagen die schneebedeckten Überreste von Herby. In dem unbeheizten Gebäude war es so kalt, dass unser Atem kondensierte. Ich starrte auf die Wand, um mir den grausigen Anblick zu ersparen. Robertson setzte seinen Kaffee ab, hob die grüne Plane an und pfiff durch die Zähne.

»Junge, Junge. An dem armen Kerlchen hat aber jemand ganze Arbeit geleistet.«

»Allerdings. Glauben Sie, dass ein Wolf dafür verantwortlich ist? Oder mehrere?«

»Tja, schon möglich. Oder er wurde angefahren, aber das hier … gottverdammt!«

Als Robertson den Kadaver wieder mit der Plane bedeckte, erhaschte ich ungewollt einen flüchtigen Blick auf das Gesicht des Hundes, diese leeren, schwarzen Augenhöhlen, das blutverkrustete blonde Fell. »Ich schätze, ich informiere besser die Nachbarn über den Vorfall. Alle sollten ab jetzt ein Auge auf ihre Tiere und Kinder haben.«

Wir schüttelten uns die Hände, als er in den Wagen stieg. »Darf ich fragen, aus welchem Teil Schottlands Sie stammen?«

»Oh, aus einem kleinen Ort in der Nähe von Glasgow.«

»Ich habe selbst Verwandtschaft da drüben. In Motherwell. Sind Sie schon mal dort gewesen?«

»Ein-, zweimal.«

»Ich wollte immer mal rüber, zu Besuch. Aber Sie wissen ja, wie das ist. Reisen Sie häufiger hin?«

»Nein. Eher nicht.«

Ich sah dem Wagen nach, wie er zwischen den Bäumen verschwand und einen Augenblick später auf der Tamora Road wieder auftauchte. Die Sonne stand jetzt hoch am wolkenlosen Himmel, ihr Licht schimmerte golden auf der Seite des Polizeiwagens, als er um die Kurve fuhr. Dann war er weg. Aus der Ferne durchschnitt das Kreischen einer Kettensäge die Stille. Jemand schlug Holz. Bereitete sich auf den Winter vor.

6

»Schaut her! Hier kommen wir, die coolsten Säue«, protzte jeder unserer Schritte, als wir in der großen Pause durch die Halle marschierten: ich, Derek Bannerman alias Big Banny und Tommy McKendrick. Meine besten Kumpels. Meine einzigen Freunde. Hunderte Schüler lungerten herum – Ravenscroft war eine große Schule –, aßen Süßigkeiten, tranken Limo. Ein paar Winzlinge aus der ersten Klasse rannten an uns vorbei. Opfer. Beschissene Opfer, Mann. Verängstigte kleine Hasen in der Löwengrube. Tommy streckte ein Bein aus, und einer von ihnen stolperte mit fliegenden Büchern darüber. Wir bepissten uns vor Lachen. Wir waren selbst erst in der zweiten Klasse der Oberschule: Tommy und ich waren dreizehn, Banny vierzehn. Er war einmal sitzen geblieben. Aber er war groß, einer dieser Vierzehnjährigen, die schon früh wie Männer aussahen. Einmal hatte er in der Kneipe sogar ein Bier gekriegt. Die Hälfte aller Dritt- und Viertklässler schiss sich vor Banny in die Hose. Er war völlig durchgeknallt. Jeder Depp hier wusste das.

»He«, Banny stupste mich an. »Sieh dir den an.«

In der Ecke neben dem Schwarzen Brett vor der Aula stand er, studierte ein Poster und versuchte, möglichst nicht aufzufallen: Craig Docherty, Professor Oberschlau in Person.

Den Reißverschluss seines dämlichen Parkas hatte er bis oben hin zugezogen, auf der Nase thronte seine Streberbrille. Er trug sogar die Schuluniform mit Krawatte und allem, was dazugehörte. Auf seiner Adidas-Tasche war nicht eine Kritzelei und kein einziger Bandname zu sehen. Weder Madness noch The Jam. Und schon gar kein »Skinheads«-Schriftzug. Er hatte im Unterricht immer als Erster den Finger oben, war in allen Fächern der Beste und wohnte in einem der großen Häuser in der Kilwinning Road. »Gekaufte Häuser« nannten wir sie. »Büchsenfleischhausen« hieß die Gegend bei meinem Vater, womit er sagen wollte, dass Leute, die so blöd waren, sich ein eigenes Haus zu kaufen, statt eine billige Sozialwohnung zu mieten, sich wohl nur noch Büchsenfleisch leisten konnten, um ihre Hypothek abzuzahlen. Dochertys Eltern hatten sogar ein Auto. Seine Mutter setzte ihn damit manchmal vor der Schule ab. Sie sah verdammt gut aus. Groß. Blond. Interessierte sich für Schauspielerei und so. Sie spielte in der Laienspielgruppe, die manchmal im Kulturzentrum unten am Hafen auftrat. »He, Professor«, riefen wir, wenn sie wegfuhr. »Ich besorg's deiner Mutter mal richtig. Mach ihr einen Sohn, der keine Schwuchtel ist!«

Der Professor redete auch anders als wir. Er rollte das »R« nicht vorne auf der Zunge, bei ihm hieß eine Hose »trouser«, nicht »trooser«, und er verschluckte keine Vokale. Wenn er etwas gefragt wurde, dann tat er nicht so, als hätte er gerade nicht zugehört oder die Frage falsch verstanden. Er sagte nie »Was denn, Miss?«, zuckte nie mit den Schultern und machte keine blöden Bemerkungen zu seinen Kumpels – die er sowieso nicht hatte. Er beantwortete die Frage. Meistens korrekt und ungefragt um einige

Informationen ergänzt. Er stand in den Pausen nicht rauchend und auf den Boden spuckend bei den Mülltonnen herum. Er ging in die Bibliothek und las bescheuerte Bücher. Bei ihm war nicht jedes zweite Wort »Scheiße« oder »Wichser«. Er war weder Celtic- noch Rangers-Fan. Er benutzte im Unterricht Wörter, die wir nicht verstanden. Er unternahm keinen Versuch, seine Intelligenz zu verstecken. Sein ganzes Wesen war uns ein verrücktes, nicht zu bestimmendes Mysterium.

O ja, der Professor war in nahezu jeder Beziehung der ideale Prügelknabe. Wie gemacht dafür ...

... ihm die Bücher aus den Händen zu schlagen.

... ihm Pimmel und Eier in die Hefte und auf die Tasche zu schmieren.

... ihn mit Eisbeinen und Pferdeküssen zu malträtieren.

... ihm ein paar auf die Fresse zu hauen.

... ihm in die Nüsse zu treten.

Der Professor war erst seit ein paar Monaten bei uns auf der Schule. Vorher hatte er irgendeine Privatschule besucht. Eines Morgens — er war gerade neu bei uns — kam er Banny und mir auf dem rappelvollen Flur vor den Kunsträumen entgegen. Als er auf unserer Höhe war, drehte sich Banny zu ihm um und spuckte ihm einen dicken, gelben Flatschen Rotze direkt ins Gesicht. Die Miene des Professors, als der Flur vom Gelächter der übrigen Schüler widerhallte, drückte weder Wut aus noch Scham oder Schmerz. Er wirkte einfach nur perplex. Überrascht, dass eine Welt wie diese existierte und er darin leben musste.

Trotzdem schaffte es Docherty, eine gewisse Haltung zu bewahren. Eine Haltung, die nicht unbedingt Selbstvertrauen, aber doch eine gewisse Würde ausstrahlte. Im

Gegensatz zu uns Gleichaltrigen schien er zu wissen, dass die Schmach der Schulzeit eines Tages vorbei sein und sein wahres Leben beginnen würde, ein Leben im Licht der Sonne und der Vernunft, weit weg von diesem schrecklichen Ort voller willkürlicher Gewalt und Grausamkeit. Und vielleicht war es diese Haltung, die Banny mehr als alles andere wahnsinnig machte.

»Komm mit«, zischte Banny und schob sich durch das Gedränge auf den Professor zu. Die Muskeln seiner Oberschenkel spannten sich unter der engen, changierenden Sta-Prest-Hose, zu der er wie immer eine schwarze Harrington-Bomberjacke trug. *Unsere* Uniform.

Banny schlich sich von hinten an, hob den rechten Arm und schlug dem Professor mit der flachen Hand auf den Hinterkopf, woraufhin dieser mit dem Gesicht gegen das Schwarze Brett knallte und seine Brille verlor. Wortlos bückte er sich, um sie aufzuheben. Banny riss das Plakat herunter, das Docherty betrachtet hatte. »Schulorchester? Was für ein Instrument spielst du denn, Professor? Die Schwanzflöte vielleicht, du beschissene Schwuchtel?!« Tommy und ich lachten. Ein paar andere in der Nähe ebenfalls. Der Professor schluckte nur und blickte an seinem Peiniger vorbei, als gäbe es da etwas Interessanteres zu sehen. »He!«, brüllte Banny und schubste ihn. »Kannst du mich hören, du schwules Weichei?«

Docherty nickte.

»Na dann los. Sag uns, dass du die Schwanzflöte bläst.«

Docherty setzte sich die Brille auf, schob sie mit dem Zeigefinger die Nase hoch und sagte nichts.

Banny packte ihn bei der Krawatte und zog ihn zu sich heran. Er überragte ihn um mehr als einen Kopf. »Docherty, du Tunte, erzähl den Arschlöchern hier sofort, dass du ihnen die Flöten blasen willst, oder ich stopf dir dieses beschissene Poster ins Maul.«

»Lass mich in Ruhe«, murmelte Docherty.

»Du unverschämter kleiner Wichser.« Banny schlug ihm das Poster ins Gesicht, packte ihn am Hals und stopfte ihm die gelb-violette DIN-A4-Matritze in den Mund.

»Los, wehr dich!«, riefen ein paar Leute.

»Friss! Friss das, du blöder, kleiner Hinterlader, du!«, brüllte Banny.

»BANNERMAN!«

Als wir uns umdrehten, sahen wir Adventure Kit Fulton, unseren Werkkunde-Lehrer, der als harter Hund galt, auf uns zustiefeln. Adventure Kit wurde er wegen seines Gürtels genannt, an dem er alles Mögliche mit sich herumschleppte: ein Maßband, Schlüssel, eine Kneifzange und diverses anderes Zeug. Fulton packte Banny an der Jacke und zog ihn vom Professor weg. »Alles in Ordnung, Craig?«, fragte er Docherty.

»Ja, Sir.«

»He, Hände weg, Mann«, rief Banny und schlug nach Fultons Hand. Die Gaffer hielten den Atem an. Oha, Banny war also verrückt genug, sich mit Fulton anzulegen.

Der verpasste ihm eine schallende Ohrfeige und zog ihn zu sich heran. »Was hast du gesagt, Söhnchen?«, fragte er Banny mit zusammengebissenen Zähnen.

So war das 1982 in Schottland.

Die beiden – ungefähr gleich groß – starrten einander feindselig in die Augen. Auf dem Flur herrschte Stille. Banny hielt Fultons Blick stand, bis der Gong das Ende der Pause ankündigte und die Spannung sich löste. Fulton ließ Banny los, bohrte ihm einen Finger in die Brust und sagte: »Mr. McMahons Büro. Sofort. Und der Rest von euch geht bitte in die Klasse.«

Als Banny Fulton zum Büro des Direktors folgte, drehte ich mich um und sah dem Professor nach. Er war bereits am anderen Ende des Ganges. Ohne sich umzublicken, eilte er durch das Meer aus Harringtons, Parkas und Dufflecoats davon.

7

Nachdem Robertson gegangen war, saß ich in meinem Büro und dachte einen Moment lang darüber nach, ein wenig an meinem Drehbuch zu arbeiten. Diesem Ding, das ich ab und an hervorkramte, um mir einzureden, dass mehr in mir steckte als bloß ein popeliger Lokalzeitungs-Kritiker. Dass eines Tages ein erfolgreicher Film nach diesem Stückwerk gedreht werden würde. Es war eine Art Science-Fiction-Katastrophen-Story, angesiedelt in einer dystopischen Zukunft, einer postapokalyptischen Welt, in der die Gesellschaft quasi ins Mittelalter zurückgefallen ist. Aber ich hatte das Teil schon seit ein paar Wochen nicht mehr angefasst, also verwarf ich den Gedanken recht schnell. Stattdessen beendete ich die DVD-Besprechung und versuchte mich an einem dezenten Anstrich von Kritik, in der vagen Hoffnung, er würde die redaktionelle Bearbeitung überstehen (»... auch wenn manche die Vorgeschichte womöglich ein wenig plump finden mögen ...«).

Mein Büro war im Prinzip ein gläserner Kasten, der aus der östlichen Seite des Hauses herausragte, von der man auf das etwa eine halbe Meile entfernt gelegene Bennet-Farmhaus blickte, das seit gut einem Jahr von Mrs. Kramer – Irene – gemietet wurde. Mein

Schreibtisch stand direkt am Fenster. Ich hatte schon den einen oder anderen spektakulären Sonnenuntergang von dort beobachten dürfen. Auf dem Tisch standen gerahmte Fotografien: Walt und ich, lachend, draußen am Pool, aufgenommen vor ein paar Jahren. Sammy und ich, beide in Abendgarderobe, fotografiert auf einer der Weihnachtsfeiern ihrer Eltern. Walt, der Herby – damals noch ein Welpe – knuddelt, die lange, schlabbrige Zunge des Hundes regelrecht um seinen Hals geschlungen. Ich nahm das Foto und steckte es in die obere Schublade, um es nicht mehr sehen zu müssen.

Ich spielte mit meinem Text herum, kürzte ihn, verschob einzelne Sätze, setzte neue Absätze. Und ehe ich mich versah, starrte ich ins Leere, versunken in Erinnerungen an Schottland.

Plötzlich wurde mir bewusst, wie oft ich in letzter Zeit an meine Kindheit gedacht hatte. Jedoch nicht auf eine allgemeine Art und Weise, wie wir alle uns ständig an sie erinnern, sondern an ganz bestimmte Momente und Menschen. Warum tat ich das auf einmal? Die Antwort lag auf der Hand. *Weil du den Hund gefunden hast, mit aufgerissenem Bauch, als wäre er seziert worden. Weil du den Ruf der Gewalt gehört hast, oder etwa nicht?* Und noch bevor mir klar wurde, was ich da eigentlich tat, hatte ich den Namen bei Google eingegeben. Ohne große Erwartungen überflog ich die Suchergebnisse. Immerhin war er kaum das, was man eine Berühmtheit nennen konnte. Dementsprechend hielt ich es für relativ unwahrscheinlich, dass einer der Links auf meinem Bildschirm tatsächlich auf ihn verweisen könnte:

Folge PCArdew auf Twitter ...
Paul Cardew ist bei Facebook ...
Paul Cardew, Präsident der Virginia Loan and Savings ...
Teile deine Spotify-Playlist mit Paul Cardew, indem du ...

Und dann, ganz unten, als vorletztes Suchergebnis auf der ersten Seite, fand ich die Worte »Mann aus Rutherglen stirbt bei Hausbrand« und einen Link zur Internetseite der Glasgower Tageszeitung *Evening Times*.

Mein Unterarm spannte sich an. Widerstrebend klickte ich auf den Link, wobei ich mir immer noch einredete, dass es in Glasgow sicher unzählige Paul Cardews gab.

Als sich die Seite öffnete, erschien erst oben links das rot-weiße Logo der *Evening Times* und dann darunter das Foto – ein silberhaariger Mann mit diesem Lächeln, an das ich mich nur allzu gut erinnerte. Der dazugehörige Artikel war anderthalb Jahre alt:

Polizei, Feuerwehr und Ambulanz wurden am späten Samstagabend zu einem Hausbrand in Rutherglen gerufen. Am Ort des Geschehens in der Mount Street 14 entdeckten Feuerwehrmänner die Leiche des 66-jährigen Paul Cardew. Als Ursache des Feuers wird eine Zigarette vermutet.

Sergeant Malcolm Thompson von der freiwilligen Feuerwehr in Strathclyde sagt: »Dieser Unfall zeigt auf tragische Weise die Gefahren des Rauchens im Bett auf. Weiterhin sagt er ...«

Ich klammerte mich an den Schreibtisch, die Sonne schien plötzlich unerträglich hell durch die Fensterfront. Ich ging hinüber zu den Bücherregalen und fand schnell, wonach ich suchte: zwei Bücher, die ganz unten nebeneinander standen. Eines war eine vom häufigen Lesen ganz zerfledderte Taschenbuchausgabe von Robert Tressells *Die Menschenfreunde in zerlumpten Hosen*. Das andere war deutlich schwerer, ein gebundener Foliant der gesammelten Werke William Shakespeares – allerdings eine billige Ausgabe, die Sorte, die man überall auf der Welt in den Discount-Buchhandlungen findet, mit einem kleinen dreieckigen Loch unten auf der Innenseite des Schutzumschlags, wo zuvor der Preis gestanden hatte. Es war die Sorte Buch, die jemand kauft, der die Kultur zwar liebt, sie sich aber eigentlich kaum leisten kann. Ich schlug die Titelseite auf und las die Widmung, die dort vor über zwanzig Jahren mit sehr akkurater Handschrift hineingeschrieben worden war.

> Für Donnie,
> Du erfüllst mich mit Stolz. Nun geh und mach Dich selbst stolz.
> Alles Gute für Deine Zukunft,
> Paul
> 28. August 1989

Ich fuhr mit dem Finger über die Worte, folgte den Linien der Schrift und erinnerte mich. Dann lehnte ich mich, die Arme vor der Stirn verschränkt, gegen das Bücherregal und weinte.

»Hallo«, sagte er. »Ich bin Mr. Cardew.«

Es war ein warmer Morgen im Spätsommer des Jahres 1982. Ich saß an einem Tisch im Versammlungsraum des Instituts für junge Straftäter in Auchentiber. An den grauen Metallbeinen, die mit dem Boden verschraubt waren, damit niemand den Tisch als Waffe missbrauchen konnte, blätterte der Lack. Die Holzplatte war bedeckt von einem irrwitzigen Gemälde aus Graffitis, manche von ihnen mit Tinte gekritzelt, andere eingeritzt, wieder andere eingeritzt und dann mit Tinte gefüllt. Einige von ihnen stammten noch aus den Sechzigern, und alle brüllten sie: »Ich war hier!«

Skins. UDA. Rab McPherson ist eine Schwuchtel. IRA. Would you like to try a cheeseburger, Bobby Sands? UK Subs. Anarchy. Nigger, verpisst euch. Stevie 12/3/72. Wer einen geblasen haben will: um 16:30 hinterm Gewächshaus. Celtic. Fickt die Bullen. National Front.

In eine Ecke hatte jemand ein Gedicht geschrieben:

Sid ist tot
Aber nicht für mich
Denn ich bleibe
Anarchist

Die Wände waren schiefergrau lackiert. Dort wo die Farbe abblätterte, sah man die schmutzig-roten Ziegel. Durch die vergitterten Fenster hinter ihm schien die Sonne, als er seine Krawatte lockerte und sich mir gegenüber auf einen orangefarbenen Plastikstuhl setzte. »Was für ein herrlicher Tag«, sagte er. Dann drehte er sich zu dem Aufseher um, der am hinteren Ende des Raumes an einem Tisch saß und den *Daily Record* las. »Archie, denken Sie, wir könnten vielleicht ein Fenster öffnen?«

Er war eloquent. Gut gekleidet. »Ein feiner Pinkel«, hätte mein Vater gesagt. Er zog einen blauen Ordner hervor, den er auf dem Tisch platzierte. Dann kramte er ein Päckchen Zigaretten aus der Hemdtasche – Capstan, die starken, ohne Filter – und legte es oben auf die Mappe. Ich erinnere mich daran, wie er roch, an sein Rasierwasser – Old Spice, wie ich später herausfand –, das sich mit dem abgestandenen Gestank Tausender Zigaretten verband, die in diesem Raum gequalmt worden waren. Mr. Cardew trug einen schweren, dunklen Anzug, dem selbst ich ansah, dass er altmodisch war. Sein Haar, das an den Schläfen ergraute, hatte er mit Frisiercreme zurückgekämmt. Sein Gesicht war fleckig, mit geplatzten Äderchen auf den Wangen und schweren Tränensäcken unter den müden Augen. »Also, William«, gähnte er, »erzähl mir ein wenig von dir.«

Daran erinnere ich mich sehr deutlich. Denn darum hatte mich noch nie jemand gebeten. »Ich ... meine Kumpels und ich ...«, meine Stimme war ein dünnes Flüstern, »wir, wir ...« Ich schluckte.

»Nein, mein Junge.« Er beugte sich vor und tippte auf den Ordner. »Ich weiß, was du getan hast. Ich will, dass du mir von dir erzählst.«

Zum ersten Mal sah ich ihm in die Augen. Ich spürte, wie mir die Hitze ins Gesicht stieg, denn ich hatte wirklich keine Ahnung, was er meinte. »Was denn von mir?«, fragte ich schließlich.

»Na ja, was machst du denn gerne? In deiner Freizeit?« Ich starrte auf die Tischplatte. Bob Marley. King Kenny. Ein Schwanz mit Eiern, borstigen Sackhaaren und drei

Spermaspritzern über der Eichel. Ein Strichmännchen mit riesigen Brüsten und krakeligem Busch. Scheiß Bullenschweine ...

»Weiß nich«, erwiderte ich. »Vor der Glotze hocken. Filme gucken und so'n Zeug.«

Wenn die dumpfe Trivialität meiner Antwort Mr. Cardew deprimierte, dann zeigte er es nicht. Er nickte bloß. »Was ist dein Lieblingsfilm?«, fragte er.

Ich zappelte herum. Rieb mir die Nase. Suchte nach der richtigen Antwort. Dachte an all die Stunden, Tage, Wochen, die wir bei Banny rumgegangen hatten, auf dem Videorekorder ein Stapel VHS-Kassetten: *Ich spuck auf dein Grab, The Boogeyman, Brennende Rache, Freitag der 13., The Driller Killer, Die Rache der Kannibalen, Die Boys von Kompanie C., Die* ...

»Schon gut«, lachte er. »Dann eben irgendein Film, der dir gefällt.«

Die ... Wie hieß noch mal der Film, den Tommy ausmachen wollte, weil die Figuren alle nur »Dünnschiss labernde Schwuchteln« waren? Der, der so lahmarschig angefangen hatte und sich am Ende als richtig gut rausstellte? Mit dem Typen, der auch in diesem anderen Fi...

»*Die durch die Hölle gehen*«, sagte ich. »Der war gut.«

Eine Pause. Er nickte, schien beeindruckt zu sein. Ich war immer schon geschickt darin, den Leuten zu erzählen, was sie hören wollen.

»Mmm«, brummte Mr. Cardew. »War er dir nicht ein bisschen zu sehr Walt Disney?«

Ich sah ihn an. Ich hatte keine Ahnung, was er meinte. Walt Disney? Ein Kinderfilm? »Ich ... nö. Eigentlich nicht«, sagte ich.

»Ach, komm schon.« Er lehnte sich vor, verschränkte die Hände. »Alles, was noch laufen kann, versucht, aus Saigon zu verschwinden. Aber der gute De Niro schmuggelt sich nicht nur hinein, er schafft es auch noch, seinen Kumpel in dieser Russisch-Roulette-Spelunke aufzutreiben. Das läuft doch alles etwas zu glatt, oder?«

Ein Gespräch wie dieses hatte ich noch nie über einen Film geführt. Das war etwas anderes als der starre Vortrag eines Lehrers. Anders als das »Ich fand die Stelle super, als der Typ ...«-Gelaber meiner Kumpels. Damals war es mir noch nicht bewusst, aber ich führte gerade meine erste kritische Konversation.

»Und was liest du so?«, wollte Mr. Cardew wissen.

»Nur die Bücher, wo es hier in der ...«

»Die.«

»Hä?«

»Die Bücher, *die* es hier gibt. Nicht *wo*.«

»Wenn Sie meinen. Nur die Bücher, *die* es hier in der Bücherei gibt und so.« Das Angebot der Gefängnisbücherei beschränkte sich weitestgehend auf Abenteuer-Schwarten von Jim Hunter sowie zerfledderte Taschenbücher von James Herbert und Stephen King.

»Und so?«

»Was?«

»Meinst du damit, dass es in der Bücherei auch noch andere Sachen als Bücher gibt?«

»Äh, nee.«

»Nein.«

»Nein.«

»Gut. Dann kannst du auf das *und so* verzichten. Der Satz sollte nach *die Bücher, die es hier in der Bücherei gibt* enden.«

Ich glotzte ihn entgeistert an. Offensichtlich war dieser Mann nicht ganz richtig im Kopf.

»Ich sehe, da kommt einiges an Arbeit auf mich zu«, sagte Mr. Cardew.

»Sind Sie mein Lehrer?«, fragte ich.

»Dein Sozialarbeiter, William«, antwortete er und griff in seine Jackentasche. Er zog ein Taschenbuch heraus und reichte es mir. *Die Menschenfreunde in zerlumpten Hosen.* Der Titel war mir ein Rätsel. »Aber ich werde dir trotzdem etwas beibringen.«

Lange Zeit saß ich einfach nur da und starrte hinaus in den Schnee. Ich hatte seit Jahren nicht mehr an Mr. Cardew gedacht. Bevor mir klar war, was ich eigentlich tat, hatte ich die Schreibtischschlüssel aus der Ramones-Tasse gefischt und die untere rechte Schublade geöffnet. Diejenige, die immer abgeschlossen war.

Ich strich über die vernickelte Ruger Automatik. Die Waffe war ein Geschenk, ein etwas kauziges Präsent zum Einzug. Mike Rawls, der Sicherheitschef meines Schwiegervaters, hatte sie mir mit einem gut gemeinten Ratschlag überreicht: »Wer am Arsch der Welt lebt, Donnie, der schläft deutlich besser, wenn er eine Wumme im Haus hat.« Mike ging mit mir nach draußen in den Wald und gab mir einen kleinen Einführungskurs, indem er mich auf Papierbögen schießen ließ, die er an Bäume gepinnt hatte. Sammy war gegen die Waffe, und aus Sicherheitsgründen bewahrte ich das Magazin in einer anderen Schublade auf. Manchmal, wenn ich tagsüber hier herumsaß und mit der Arbeit nicht vorankam, nahm ich die ungeladene Waffe heraus, zielte mit zugekniffenem Auge durch das Fenster, verschoss imaginäre Salven auf Steine, Bäume und Vögel und genoss das Gewicht des tödlichen Metalls in meiner Faust.

Jetzt holte ich die Waffe hervor, öffnete die andere Schublade und griff nach dem Magazin. Acht fette Messingpatronen schmiegten sich darin aneinander. Ich schob das Magazin in den Griff der Pistole und spürte mit wohligem Schaudern das leise Klacken, als die perfekt gearbeiteten Teile ineinanderrasteten. Ich hätte nicht wirklich sagen können, warum genau ich das tat. Die geladene Waffe, die nun ein wenig schwerer war, legte ich zurück in Schublade und schloss diese wieder ab.

Gerade als ich die fertige Filmbesprechung abschicken wollte, klingelte es an der Tür. Statt auf »Senden« klickte ich auf »Speichern« und eilte zur nächstgelegenen Gegensprechanlage. Das blau-graue Bild von Irene auf dem kleinen Bildschirm war unscharf. Sie blickte sich unsicher um – die typische Reaktion eines Menschen, der weiß, dass er von einer Kamera beobachtet wird. »Hallo, Irene. Kommen Sie rein«, sagte ich ins Mikrofon, während ich den Türöffner drückte. Ich rieb mir die Augen, atmete tief durch und ging in Richtung Küche.

Irene trocknete sich die Tränen mit einem Taschentuch. »Der arme Herby. Das arme, arme Tier«, sagte sie zum wiederholten Mal in ihrem süßlich-klebrigen Georgia-Akzent, den Sammy für aufgesetzt hielt. »Ein Wolf?«

»Sieht so aus. Oder er wurde auf der Tamora Road angefahren und hat versucht, sich nach Hause zu schleppen.«

»Oje.« Wir saßen in der Küche, im Hintergrund lief
lautlos der kleine Fernseher. »Würde mich nicht wun-
dern, wenn es so war, Donnie. Manchmal kann ich
nachts diese großen Lastwagen hören, die rasen wie die
Verrückten. Wenn er sich frühmorgens da unten rum-
getrieben hat, als es noch dunkel war ... vielleicht war
die Straße auch noch vereist.«

»Möglich. Da ist nur ... wie er aussah. Sein Körper war
regelrecht aufgerissen, Irene. Es war grauenhaft.«

»O Gott. Er war so ein süßer Hund.«

»Weiß der Himmel, wie Walt es aufnehmen wird.«

»Das arme Kerlchen. Was werden Sie ihm sagen?«

»Ich schätze, wir halten uns an die Theorie, dass er
überfahren wurde. Es ist besser für Walt, wenn er glaubt,
dass Herby nicht gelitten hat.«

»Da haben Sie recht. Oje. Um dieses Gespräch be-
neide ich Sie nicht, das kann ich Ihnen sagen.«

»Ich weiß«, sagte ich und wollte gerade aufstehen,
weil der Wasserkessel pfiff.

»Lassen Sie schon, Donnie. Ich mach das«, kam mir
Irene zuvor. »Ihr Tag war hart genug.« Sie ging rüber
zum Gasherd und nahm den dampfenden Kessel von
der Flamme, dann weiter zum Kühlschrank, um die
Milch herauszuholen. Sie schloss die Tür mit der Hüfte
und öffnete dabei die Schublade mit den Löffeln. Irene
kannte sich bestens in unserer Küche aus – vielleicht
sogar besser als Sammy.

»Noch gestern haben Walt und ich bei uns im Garten
mit ihm gespielt.«

»Ich weiß. Es ist einfach ... schrecklich.«

»Wirklich schrecklich.« Sie goss kochendes Wasser in die Kaffeetassen.

Irene hatte kupferrotes, toupiertes Haar. Sie war Anfang sechzig, vielleicht ein wenig jünger, in ihrer Jugend vermutlich eine waschechte Südstaatenschönheit, aber alles andere als zimperlich – eine große, kräftige Frau. Manchmal sah man sie vor dem Haus beim Holzhacken. Im Frühjahr und im Sommer joggte sie fast jeden Tag ihre vier Meilen. Sie hatte das Farmhaus nebenan seit etwas über einem Jahr gemietet, war verwitwet und als leidenschaftliche Malerin der Landschaft wegen hierhergezogen. Sie entsprach so gar nicht dem Bild von der alten Nachbarswitwe, der man ständig zu Hilfe eilen musste. Ganz im Gegenteil. Irene legte enormen Wert auf ihre Unabhängigkeit und war uns eine wesentlich größere Stütze als wir ihr. Abgesehen davon, dass sie regelmäßig auf Walt aufpasste (ohne jemals etwas dafür haben zu wollen), gab sie uns häufig von ihrem Kaminholz, wenn sie mal wieder zu viel geschlagen hatte, und fragte uns immer, wenn sie in die Stadt fuhr, ob wir irgendetwas bräuchten. Wenn sie gebacken hatte, brachte sie uns sogar hin und wieder einen Kuchen vorbei – eine Geste, von der ich bis dahin glaubte, dass es sie nur noch in Filmen gibt. Wie ich war auch sie eine Zugezogene, und die Härte des letzten Winters, ihr erster Kontakt mit der erbarmungslosen kanadischen Kälte, war eine völlig neue Erfahrung für sie gewesen.

Der Kaffeedampf wehte durch die sonnendurchflutete Küche, als sie die Tassen herübertrug. »Als ich noch ein kleines Mädchen war, ist mir auch mein Hund überfahren worden.« Sie setzte sich mir gegenüber. »Es war fürchterlich. Ich schwöre, ich habe tagelang geweint.«

»Ja, das wird verdammt hart für Walt.«

Wir nippten an unserem Kaffee. »Apropos hart. Wie kommen Sie mit den Vorbereitungen für den Winter voran?«, fragte ich, um das Gespräch auf ein anderes Thema zu lenken.

»Besser als letztes Jahr, immerhin weiß ich jetzt, was mich erwartet. Ich meine, natürlich war mir klar, dass es kalt werden würde. Ich hatte nur nicht ...«

»Ging mir die ersten zwei Jahre genauso, Irene. Sammy und ihre Familie finden das völlig normal. Unglaublich, bei was für einem Wetter die noch Auto fahren ...«

»Ich habe sämtliche Fensterläden erneuert. Letzte Woche war der Klempner da und hat die Rohre überprüft. Die Schneeketten habe ich auch schon aufgezogen. Laut Wetterkanal geht's übernächste Woche los.« Sie nickte Richtung Fernseher.

»Stimmt.«

»Oh, da fällt mir ein: Steht der Termin für Walts Hockeyspiel am Samstag noch? Ich habe ihm versprochen, ihn anzufeuern.«

»Jep. Um zehn Uhr an der Schule.«

»Prima. Und am fünften komme ich zum Babysitten, oder?«

»Das wäre toll. Ich bin auch früh wieder zurück. Sammy wird allerdings in Regina bleiben.«

»Das hat sie mir auch erzählt. Eine Party bei ihren Eltern, richtig?«

»Richtig. Der König und die Königin laden an den Hof ein, bevor sie sich über den Winter verabschieden.«

»Oh, so ein Leben müsste man führen!«, seufzte sie.

Wir tranken unseren Kaffee und blickten durch die Panoramafenster der Küche hinaus in das im Sonnenlicht gleißende Weiß, das sich um uns herum erstreckte. »Von diesem Ausblick kann ich einfach nicht genug kriegen«, sagte sie. »Ich schwöre, ich habe keinen Schimmer, wie Sie hier jemals etwas geschafft kriegen.«

Manche von Irenes Formulierungen, zum Beispiel dieses »Ich schwöre«, mit dem sie ständig ihre Sätze begann, klangen so klischeehaft, dass Sammy und ich uns darüber schlapplachten, wenn Irene nicht da war. Als wäre sie Blanche aus *Endstation Sehnsucht*. Sammy hegte die Vermutung, dass dies einem Gefühl von Heimweh entsprang, der unbewussten Angst, hier im Nirgendwo von Saskatchewan einen Teil ihrer Identität zu verlieren.

»Ich auch nicht. Oh«, ich blickte auf meine Uhr. »Wo wir gerade darüber sprechen. Ich muss gleich einen Artikel abliefern.«

»Du meine Güte, natürlich. Tut mir leid, Donnie. Ich möchte Sie nicht länger von Ihrer Arbeit abhalten. Kann ich sonst noch etwas für Sie tun?«

»Nein, alles in Ordnung. Aber danke für das Angebot, Irene.« Wir standen auf. Irene war genauso groß wie ich.

»Viel Glück nachher mit Walt. Das arme Lämmchen.«

»O ja«, seufzte ich. »Allerdings.«

Als wir Walt an diesem Abend erzählten, dass Herby von einem Wagen überfahren und getötet worden war, sah es einen Moment lang so aus, als hätten wir mit dieser Lüge ein übles Eigentor geschossen. »Aber wer hat das getan, Daddy?!« Der Junge war außer sich. »Ihr müsst ihn einfangen!«, brüllte er. »Holt die Polizei! Holt Opa zu Hilfe!« Nachdem wir ihm erklärt hatten, dass es Dinge gibt, die nicht in unserer Macht stehen, dass Herbys Tod ein Unfall war und dass die Polizei keine Großfahndung nach jemandem einleiten könne, der einen Labrador getötet und dann Fahrerflucht begangen hatte, schien er das grausame Ereignis zu akzeptieren, und seine Wut verwandelte sich in Trauer. Schluchzend warf er sich an Sammys Brust. Wir trösteten ihn damit, dass Herby jetzt im Hundehimmel Knochen verbuddelte (*es ist keine besonders große Lüge, Walt*), und erinnerten uns gemeinsam daran, was für ein braver Hund er gewesen war, wobei sogar Sammy in Tränen ausbrach.

Später brachte ich ihn in seinem Spiderman-Pyjama ins Bett. Einige Zeit danach hörte Sammy ihn wieder weinen und ging zu ihm. Walt kauerte in der Ecke, in der Hand ein Foto von ihm und Herby beim Herumtollen am Pool.

»So eine Schande«, sagte Sammy traurig, als sie in unser Bett zurückkam, und gab mir das Foto. Es schmerzte, dem treuen Blick des Hundes zu begegnen. Seine rote Zunge – nach der Kamera schlabbernd – hatte nichts mit diesem dunklen, geschwollenen Etwas gemein, das zwischen seinen toten Zähnen gebaumelt hatte. Als hätte er sie sich abgebissen. *Diese schwarzen*

Löcher, die mal seine Augen waren. Ich verdrängte das Bild – auch aus Furcht vor den anderen, die hinter ihm im Dunkel lauerten – aus meinem Kopf und zog Sammy zu mir unter die warme Decke, während hinter den dicken Fensterscheiben leise der klagende Wind vorbeistrich.

»Stimmt irgendetwas nicht?«, fragte sie. »Ich meine abgesehen von Herby?« Ich ließ mein Buch, in dem ich ohnehin nicht gelesen hatte, auf die Brust sinken und räusperte mich. Ich konnte es ihr nicht sagen – nicht so, wie ich es gerne getan hätte. *Ich bin Donald Miller.*

»Ich habe heute noch eine schlechte Nachricht erhalten«, sagte ich, ohne sie dabei anzusehen.

»Was?«

»Mein ehemaliger Tutor, damals auf der Uni ... ich habe im Internet gelesen, dass er vor über einem Jahr verstorben ist.«

»Das tut mir leid, Donnie. Hast du ihn gut gekannt?«

»Ich hatte seit Jahren keinen Kontakt mehr zu ihm. Aber damals, da ... er war ein guter Lehrer. Ich habe schon länger nicht mehr an ihn gedacht, und heute habe ich seinen Namen gegoogelt.«

»Warum das?«

Meine Kindheit. Die blutigen Orgelpfeifen im Brustkorb des Hundes.

»Nichts Bestimmtes. Bloß so ein flüchtiger Gedanke.«

»Was für eine Woche«, seufzte Sammy und legte den Kopf auf meine Brust, ihr Haar weich unter meinem Kinn. Ich streichelte ihren Arm.

»Allerdings.«

»Wie ist er gestorben?«, fragte Sammy, ganz Journalistin. *Wer? Wo? Wie? Warum?*

»Er war alt«, antwortete ich.

Ich lag lange Zeit wach. Zum ersten Mal, seit wir hier lebten, wurde unser Glück bedroht. Und das wirklich Beunruhigende daran war, dass ich das dumpfe Gefühl hatte, als hätte ich so etwas … erwartet. Nicht genau das, was geschehen war, aber etwas in der Art. Als hätte ich unterschwellig ständig mit dem Schlimmsten gerechnet, weil ich wusste: Mein Glück war nur erschlichen, und früher oder später musste der Schwindel auffliegen. *Du hast das große Los gezogen. Den Sechser im Lotto. Hast du wirklich geglaubt, das würde immer so weitergehen? Dass das Karma so etwas zulassen würde? Aber du glaubst ja nicht an Karma. Greise Nazi-Kriegsverbrecher liegen in Südamerika an ihren Swimmingpools, während anderswo Babys von Lastwagen überrollt werden. Nichts als wirre nächtliche Gedanken, allein der Übermüdung geschuldet. Eine totale Überreaktion auf den Tod eines Haustiers, das von einem Wolf gerissen wurde. Was hast du denn erwartet, als du hier raus in die Wildnis gezogen bist?* Ich verkroch mich so tief wie möglich im Bett, schmiegte mich ganz dicht an Sammy und spürte die Wärme ihres Körpers, das sanfte Auf und Ab ihres Atems. Ich hielt ihre Hand, während sie schlief, und ihr korallenroter Nagellack schien im Mondlicht zu leuchten.

Eine Stunde verging. Unruhig wälzte ich mich hin und her. Egal auf welcher Seite ich lag, immer spürte ich mein Herz gegen das Laken hämmern, hörte es in meiner Brust. Ich stand auf und ging in die Küche. Obwohl mir eigentlich viel mehr nach einem Glas Whisky war, machte ich mir einen Kamillentee, setzte mich an den großen Eichentisch und blickte hinaus in die schwarze, frostklirrende Nacht.

Dort draußen war nichts als Wind, Schnee und Dunkelheit.

Und die Angst.

Wölfe im Wald.

―――――――

Heutzutage nennt man das wohl Trinkkultur. Damals soff man. Jeder soff. Einmal an Heiligabend hatte mein Dad sich ordentlich die Kante gegeben. Als er in den frühen Morgenstunden des ersten Weihnachtstages nach Hause kam, torkelte er ins Wohnzimmer, wo meine Mutter die hübsch verpackten Geschenke aufgestellt hatte, verspürte Lust auf »'ne Kleinigkeit zum Naschen« und durchwühlte die Geschenke nach einer Selection Box – einer Geschenkpackung mit verschiedenen Schokoriegeln, die in der Weihnachtstüte schottischer Kinder unentbehrlich ist. (Manchmal versuche ich mir Sammys Gesicht vorzustellen, wenn sie dabei zusehen müsste, wie Walt jene Massen von Süßkram verdrückt, die damals den Großteil unseres Speiseplans ausmachten.) Ein paar Stunden später kamen wir nach unten und fanden ihn besinnungslos unter dem Weihnachtsbaum. Sein Gesicht war mit Schokolade verschmiert, und überall um ihn herum lagen ausgepackte Geschenke. Ich fing an zu weinen. Meine Mutter trat auf meinen Vater ein, um ihn zu wecken, und die beiden brüllten einander an, während ich heulend nach oben lief.

Und an Silvester, auf einer Party der Nachbarn, war die ganze Episode schon zur komischen Anekdote geworden. Mein Dad, der »sternhagelvoll« über die Süßigkeiten der Kleinen hergefallen war. »Hahaha, das gibt's doch nicht, so was bringt auch nur der fertig!«, belustigte sich die Partygesellschaft. Meine Mutter, ebenfalls betrunken, blickte ihn längst wieder liebevoll an, wie er das nachsichtige Gelächter seiner Kumpels mit einem verharmlosenden Schulterzucken quittierte. »Sternhagelvoll«, »blau«, »beschwipst«, »angeheitert«. Was für unglaubliche Untaten mit der Beschwörung eines dieser Wörter entschuldigt wurden. (Und wieder komme ich nicht umhin, mir vorzustellen, was passieren würde, wenn einer unserer Freunde an Weihnachten mit zehn Humpen Bier und einer halben Flasche Whisky intus nach Hause käme, das Wohnzimmer verwüsten und die Geschenke der Kinder auspacken würde. Die teure Entziehungskur, die zwangsläufig folgen würde. Die tränenreichen, wöchentlichen Besuche beim Familientherapeuten. Die Trennung auf Probe.)

Jedenfalls war es die Sauferei, die meine Freundschaft mit Banny und Tommy überhaupt erst ermöglichte. Banny hatte mich bei einer unserer ersten Begegnungen verprügelt. Ich sage zwar verprügelt, aber es war nichts im Vergleich zu den Schlägen, die ich ihn im Verlauf unserer Freundschaft regelmäßig austeilen sehen sollte. Ich war ihm eines Morgens während der Pause im Flur begegnet und hatte den Fehler begangen, ihn anzusehen. Seine unvermeidbare Reaktion lautete: »Was glotzt du so blöd, Kleiner?«

»Ich hab gar nicht geglotzt.«

Bumms. Er rammte mir seine Faust in den Magen. Mir blieb die Luft weg, und ich klappte am Boden zusammen. »Werd bloß nicht frech!«, rief er mir über die Schulter zu, während er seelenruhig davonschlenderte. Im Jahr darauf, wir waren inzwischen dreizehn, trafen wir uns auf Craig Hamiltons Party. Er war im Jahrgang über uns und hatte sturmfreie Bude. Seine Eltern waren in Urlaub gefahren und hatten ihrem vierzehnjährigen Sohn die Verantwortung für das Haus überlassen. Dreißig bis vierzig Teenager kippten literweise Merrydown Cider, Bier, Whisky und Wodka in sich hinein. Ich hatte drei Dosen Skol getrunken und war zum ersten Mal in meinem Leben besoffen. Ein paar von uns hingen gerade im Garten rum, als wir Licht sahen und das Sirren von Speichen hörten – auf der Gasse hinter dem Haus näherte sich ein Fahrrad. »He, seht ihr das«, sagte jemand, vielleicht war es Tommy. »Da kommt diese Schwuchtel Kenny Morrison.« Ein Junge von einer anderen Schule. Und je näher das Fahrrad kam, desto diabolischer wurde Bannys Grinsen. Daraus las ich, dass er den Jungen wohl nicht sonderlich mochte. »Lasst uns den Arsch mit Dosen bewerfen«, schlug er vor, während er eine grüne Kestrel-Büchse in seiner Faust zerquetschte. Unweit der Stelle, wo wir herumlungerten, rauchten und soffen, befand sich ein kleines Gemüsebeet. Darin steckte eine Reihe von Bambusstangen, wohl als Rankhilfe für Kletterbohnen oder Ähnliches. Einer plötzlichen Eingebung folgend, zog ich eine der Stangen aus der Erde. Kaum war das Fahrrad auf der Höhe des Gartens, flog ihm eine Flut von Beschimpfungen und Bierdosen entgegen. Morrison begriff erst im letzten Augenblick, was passierte. Er stemmte sich hoch, trat wie wild in die Pedale, riss den

Lenker nach rechts und versuchte, so schnell wie möglich abzuhauen. Ich trat mit erhobener Hand einen Schritt vor, und gerade als Morrison zurückbrüllte: »Leckt mich doch, ihr blöden W...«, schleuderte ich den Bambusstab wie einen Speer geradewegs in sein Vorderrad. Es war ein absoluter Glückstreffer. Der Stab bohrte sich direkt zwischen die Speichen und zersplitterte. Das Rad kam so abrupt zum Stehen, als wäre es gegen eine Mauer gefahren, und Kenny Morrison – das »W« von »Wichser« noch auf seinen Lippen – wurde über den Lenker hinweg mehrere Meter durch die Luft geschleudert. Sein großes, violettes Bonanza-Rad rutschte scheppernd über den Asphalt, bevor er unsanft auf dem Beton des Bürgersteigs landete.

Hinter mir brach schallendes Gelächter aus.

Alle bepissten sich. Wirklich alle. Und ganz besonders Banny. Er krümmte sich vor Lachen, ging auf die Knie und schnappte nach Luft. Tränen liefen ihm über die Wangen. »Habt ... habt ihr das Gesicht von diesem blöden Pisser gesehen?« Er stand auf und legte mir den Arm um die Schulter. »Alle Achtung, Kleiner. Das war unfassbar! Der absolute Hammer!« Morrison ergriff derweil sein ramponiertes Angeberrad und humpelte ins Dunkel davon, nicht ohne uns ein weinerliches »Ihr Wichser seid so gut wie tot!« zuzurufen.

Big Bannys Arm. Auf meiner Schulter.

Noch heute, fast dreißig Jahre später, frage ich mich manchmal, was geschehen wäre, wie anders die Dinge sich wohl für mich entwickelt hätten, wenn dieser Bambusstab sein Ziel verfehlt hätte. Wenn er, ohne Schaden anzurichten, vom Reifen abgeprallt oder hinter dem Rad auf dem Asphalt gelandet wäre. Wenn ich in dieser Nacht allein nach Hause getorkelt wäre, statt zurück in die hell erleuchtete Küche der Hamiltons zu gehen und die Dose Kestrel zu trinken, die Banny mir von seinem privaten Vorrat anbot.

»Prost, Kleiner.«

»Aye. Prost, Banny.«

8

In den Wochen nach Herbys Tod gingen wir mit Walt behutsamer um als sonst. Seine Launen wurden akzeptiert, seine Wutanfälle besänftigt – auch wenn ich manchmal dachte, dass es vielleicht ein Fehler war, allzu nachgiebig zu sein. Aber seit Walts Geburt hatte Sammys Wort in Erziehungsfragen immer mehr Gewicht gehabt als meins. Immerhin hatte sie sich diese Position hart erarbeitet, wie der turmhohe Bücherstapel auf ihrem Nachttisch (*Hör auf dein Kind*, *Die Arbeit einer Mutter*) und die geöffneten Seiten im Browser ihres Laptops (mit Überschriften wie *Die Ernährung deines Kindes*, *Schlafmuster*, *Ermutigen statt Kritisieren*) bewiesen.

Und unser Leben ging weiter. Ein Leben, das mir, wenn ich es gelegentlich mit dem Blick eines Außenstehenden, dem Blick meiner Kindheit betrachtete, immer noch fantastisch erschien. Die Elternsprechtage und Kinderfeste. Die Dinner-Partys und Benefizveranstaltungen. Die letzte Spenden-Aktion für Walts Schule hatte über 40 000 Dollar für eine neue Bücherei eingebracht. Etwa einhundert Paare hatten im Schnitt mehrere Hundert Dollar gestiftet. Allein Sammy hatte einen Scheck über zweitausend Dollar ausgestellt. Auf der Heimfahrt versuchte ich, mir diese Situation für meine ehemalige Schule vorzustellen. Im Kopf überschlug ich die Summen: Jener Faustregel folgend – die ich von Sammys Vater so oft eingetrichtert bekam –, dass sich der Wert des Geldes unter Zugrundelegung einer durchschnittlichen Inflationsrate etwa alle fünfzehn Jahre halbiert, hätten zweitausend Kanadische Dollar Mitte der Neunziger ungefähr eintausend Dollar entsprochen, in den späten Siebzigern noch knapp fünfhundert Dollar, nach dem damaligen Umrechnungskurs ungefähr zweihundert Britische Pfund. Ich versuchte, mir also auszumalen, wie meine Eltern meiner Schule einen Scheck über zweihundert Pfund ausstellten. Noch absurder als die involvierte Summe war die Vorstellung des Schecks selbst. Die Handschrift meiner Mutter, die Schreibfehler, das kindliche Durcheinander aus Groß- und Kleinbuchstaben – »ZWEI HunDerT FuNT«. Die groteske Zeremonie anlässlich des Vorgangs: Onkel, Tanten und sonstige Familienmitglieder, die feierlich um den Tisch herumstehen, während der Scheck ausgestellt wird, und den großen Moment fotografieren. An damals zu denken, entlockt mir nicht oft ein Lächeln. Dieser Gedanke allerdings schon.

Bei einem Spenden-Dinner wie diesem traf sich die High Society von Regina und Umgebung. Darunter Ray Glad, der Nachrichtensprecher von CBKT, und seine Gattin Charlie, eine Rechtsanwältin. Alan Becks, Geschäftsführer des Ölkonzerns Federated Co-op, und seine Gemahlin Hope, eine »Hausfrau«. Jimmy Green, Linebacker der Saskatchewan Roughriders, und seine Frau Gail. Sammy, mit ihrem Status als Herausgeberin und dem Geld ihres Vaters im Rücken, bewegte sich auf dem Parkett dieser Veranstaltungen wie ein Fisch im Wasser. Sie schwebte von einem zum anderen, die linke Hand über dem Brustbein, während sie im sanften Licht der Kronleuchter mit konspirativ geneigtem Kopf ihren Gesprächspartnern lauschte und über deren Scherze oder Indiskretionen lachte, nicht ohne mit der rechten Hand ihre Zähne zu bedecken. Dank Sammy – oder seltener aufgrund des briefmarkengroßen Fotos neben der Autorenzeile meiner wöchentlichen Review-Kolumne – wussten die Leute, wer ich war. Und sie fragten mich Sachen wie: »Haben Sie diesen oder jenen Film schon gesehen?« Oder sie schmeichelten: »Ich muss Ihnen sagen, mir hat der Film auch sehr gut gefallen.« Gelegentlich versuchte jemand, sich von mir bestätigen zu lassen, dass der alte Sam ein neues Immobiliengeschäft plante: »Ich habe gehört, Ihr Schwiegervater hat ein Auge auf die Grundstücke rund um North Central geworfen ...« Aber meistens war ich der Typ, der in der Ecke saß und die Dips verspeiste. Der Typ, der nickte und »Ach wirklich?«, »Aha« und »Wie interessant« sagte.

Der Typ, der sich fragte, ob sie nicht in Wirklichkeit alle dachten: »Da kommt ihr Gatte, der *Hausmann*.«

Das alles dominierende Gesprächsthema bei diesen Veranstaltungen waren die Kinder. Immerzu ging es um sie: ihre Nannys, ihre Lehrer, ihre Ärzte. Ihre Medikamente, ihre Ernährung und sogar ihre Psychiater. Man erörterte die beste Uni für gerade mal Vierjährige.

Kinder, die überallhin chauffiert wurden, in riesigen, polierten SUVs hockend, in Designerklamotten gesteckt, auf ihre BlackBerrys und iPhones starrend, wenn sie zum Ballettunterricht, zum Eishockeytraining oder zum Spielen bei ihren Freunden gekarrt wurden. Manchmal führten Geburtstagspartys beide Gruppen zusammen: die Kinder im riesigen Wohnzimmer oder dem Freizeitraum im Keller bei Videospielen, Apps und Online-Chats, die Erwachsenen in der Küche bei Sauvignon blanc, Pouilly Fumé und Canapés. Die Küchen und Wohnzimmer sahen alle mehr oder weniger gleich aus. Große Flächen aus unbehandeltem Bioholz und lokalem Naturstein, vollgestopft mit technischen Spielereien: Gastro-Spülmaschinen, versteckten Gefrierkombinationen und Wasserhähnen, die sofort kochendes Wasser spuckten. All diese Annehmlichkeiten, von denen wir gar nicht mehr wussten, wie wir ohne sie zurechtkommen sollten. Und der Genuss des teuren Weißweins hielt sich natürlich in Grenzen. Niemand trank mehr, als schicklich war. Jeder musste noch fahren. Jeder hatte eine Karriere. Jeder hatte Kinder.

Mir fiel es schwer, mich zwischen diesen Männern zu bewegen, mit ihrem Gerede über Aktien und Anleihen, Börsengänge und Goldpreise. Von Gewinnmargen, Portfolios und Renditen. Natürlich hatten auch wir all dieses Zeug und beschäftigten uns damit. In erster Linie natürlich Sammy. Jedes Vierteljahr hatte sie ein Meeting bei Baker & Kenning, den Wirtschaftsberatern der Familie. Posten wurden verschoben, Steuerpositionen optimiert, Kapital abgesichert. Sie sprach nie mit mir über diese Dinge, und ich nahm ihr das alles andere als übel. Was hätte ich schon dazu beitragen können? Diese Leute waren mit Geld aufgewachsen. Für sie war es selbstverständlich, viel davon zu haben. Und genauso selbstverständlich war es, dass ihr Reichtum ihnen nur noch mehr Reichtümer einbringen würde. Mit welchen finanziellen Weisheiten war ich denn aufgewachsen? Mein Onkel Bert, dessen Artikulation nach einer Tracheotomie eingeschränkt war, hatte mir mal gesagt: »'efer 'eute ein 'enny als mo'n ein 'und.« Besser heute einen Penny als morgen ein Pfund. Die Wirtschaftsseiten in der Zeitung hätten meinetwegen auch in Mandarin oder Sanskrit verfasst sein können.

Wenn also bei jenen Zusammenkünften das Gespräch auf dieses Thema kam und jemand »Da sollten Sie unbedingt mal drüber nachdenken« oder »Da sollte Ihr Anlageberater Sie wirklich reinholen« sagte, dann nickte ich zustimmend, nippte an meinem Drink und entgegnete »Tatsächlich?« oder »In der Tat«. Vielleicht auch »O ja, davon habe ich schon gehört« oder »Hochinteressant«. Und dann erfand ich rasch eine Ausrede, um mich ans Buffet zu verdrücken oder nach den Kindern zu sehen.

Ich liebe Sammy und Walt von ganzem Herzen. Aber manchmal, wenn ich die beiden bei einer dieser Partys beobachtete – Sammys bemühtes Lächeln oder den gelangweilten Ausdruck in Walts Gesicht, das im Licht des Handys oder Videospiels bläulich schimmerte –, dann erschien mir das alles seltsam fremd, und ich dachte bei mir ... ja, was eigentlich?

Vor einiger Zeit war ich in John Updikes *Rabbit in Ruhe* auf diese Passage gestoßen, in der Harry Angstrom die Landung eines Flugzeugs beobachtet, in dem sein Sohn und seine Enkel sitzen. »Er stellt sich vor, dass das

Flugzeug im Augenblick, da es den Boden berührt, entzündet von einem seiner Glitzerpunkte, explodiert: ein roter Feuerball, schwarz umschattet, wie man es dauernd im Fernsehen sieht, und er ist schockiert, wie wenig ihn diese Vorstellung berührt, da ist bloß der kalte Nervenkitzel, Zeuge dieser Katastrophe zu sein, eine Art trostloses Staunen ob der zerstörerischen Kraft von Chemikalien, und die Erleichterung, nicht selbst an Bord dieses Flugzeugs gewesen zu sein.«

Auf dem College in Toronto hatte ich Updike in Amerikanischer Literatur durchgenommen und die gebundene Ausgabe des Buches gekauft, als es 1990 erschien. Ich weiß noch, wie ich zögerte, bevor ich das Geld auf den Kassentresen der Buchhandlung des Studentenwerks blätterte: nach der Formel von Sammys Vater heute immerhin gut dreißig Dollar. Damals war ich Anfang zwanzig. Den Zeilen nun zwanzig Jahre später wieder zu begegnen, führte zu einem Furcht einflößenden Déjà-vu, gefolgt von einer bangen Frage, die jedem Familienvater meines Alters wohlbekannt sein dürfte, ganz gleich, wie gut die Karten sind, die das Leben einem zugeteilt hat. Wie bin ich hierhergekommen? Immer begleitet von diesem Drang – blass und vergänglich, nie verwirklicht, aber dennoch wirklich –, alles wegzuwischen und von vorne zu beginnen.

In jenen Wochen im November und Anfang Dezember brach allmählich der Winter herein. Es wurde Tag für Tag kälter, die Temperaturen fielen so rapide wie noch nie in diesem Jahr, von zehn Grad Ende Oktober auf minus fünfzehn Anfang Dezember. Die durchschnittliche Schneehöhe im Dezember lag bei fast sechzig

Zentimetern. Danny, der Gärtner, der auch für Reparaturen und Instandhaltung zuständig war, überprüfte die Nebengebäude auf ihre Winterfestigkeit. Er montierte die schweren Schneeketten an Sammys Audi und dem Familien-SUV. Im Norden sah man am Himmel große graue Wolkenwirbel. Man spürte förmlich, wie die Luft dichter und schwerer wurde, als trüge sie den Schnee bereits in sich. Als wäre er nur noch nicht zu sehen.

9

»Verdammt nochmal, Walt. Jetzt reicht's aber!«, rief ich und schlug mit der flachen Hand gegen das Lenkrad, selbst überrascht von der Heftigkeit meines Wutausbruchs. Ohne mich umzudrehen, wusste ich, dass der Blick, mit dem Walt mich vom Rücksitz aus ansah, nun eher noch unverfrorener war. Ich spürte seinen Fuß in meinem Rücken, verstärkte meinen Griff ums Lenkrad und konzentrierte mich auf die Straße, deren schwarzes Band das uns von allen Seiten umgebende Weiß durchschnitt. Zur Rechten tauchte die Highschool von Alarbus aus dem dichten Schneetreiben auf. Im Rückspiegel sah ich, wie Walt sich auf die Lippe biss, während er aus dem Fenster starrte. Seine großen, braunen Augen glänzten tränenfeucht.

»Hatten wir nicht besprochen, dass wir später darüber reden, Walt?«, sagte Sammy leise.

»Reden? Was gibt's da zu bereden?«, fragte ich. »Er geht völlig verantwortungslos mit seinen Sachen um.«

An diesem Morgen war mir in der Küche Walts Smartphone aufgefallen, das oben auf seiner Jacke auf einem der Hocker am Frühstückstresen lag. Das Display hatte einen Sprung, die Risse bildeten ein Wabenmuster. Es war dieses Jahr bereits das zweite Handy, das er ramponiert hatte. »Walt?« Ich hielt das Handy in die Höhe. »Was ist diesmal passiert?«

»Das war nicht meine Schuld.« Seine Antwort kam wie aus der Pistole geschossen. Ohne aufzublicken fuhr er damit fort, Schlittschuhe, Helm und Protektoren in seiner großen, rot-weißen Sporttasche zu verstauen. Sein Eishockeyschläger lehnte hinter ihm an der Fensterscheibe.

»Es ist nie deine Schuld«, sagte ich. »Was ist passiert?« Ich fuhr mit dem Daumen über das Display des Handys. Es schien noch zu funktionieren.

»Tommy hat mich beim Spielen geschubst ...«

»Tja, du wirst wohl damit zurechtkommen müssen.«

»Ich kann nächsten Monat eh ein Upgrade auf ein neues Handy machen.«

Etwas in mir protestierte, revoltierte entschieden dagegen, dass ein Achtjähriger das Wort *Upgrade* benutzte. Und gegen die Art, mit einem nachlässig eingeworfenen »eh« einen Anspruch zu postulieren. »Gratis?«, fragte ich.

»Klar. Na ja, nicht ganz ... es kostet höchstens hundert Dollar.«

»Dann tut es mir leid für dich, Kumpel. Denn du wirst wohl noch mindestens ein Jahr mit diesem hier auskommen müssen.«

»Aber Mom hat gesagt ...«

»Ist mir egal, was ...«

In diesem Augenblick kam Sammy in die Küche.

»Hast du das gesehen?«, fragte ich und zeigte ihr das Handy. Sammy seufzte nickend. »Das ist das zweite

Handy innerhalb von sechs Monaten. Dann muss er halt mit dem hier zurechtkommen.«

»Das Display ist zersprungen, Donnie. Er wird sich verletzen.«

Ich hatte mir tatsächlich gerade an einer winzigen Glasscherbe den Daumen geschnitten, auf dem nun ein stecknadelgroßer Blutstropfen erschien. »Wir haben sicher noch irgendwo durchsichtiges Klebeband«, erwiderte ich. »Wir kleben das Display einfach.«

»Mom!«, jammerte Walt.

»In meinem Büro fliegt auch noch irgendwo ein altes Nokia rum. Das könnte er haben.«

»Ein *Nokia*?«, fragte Walt entsetzt.

»Bitte«, sagte Sammy, »können wir das nicht später diskutieren? Wir kommen noch zu spät zum Spiel.«

Aber ich ließ mich auch im Auto nicht davon abbringen, bis ich schließlich wutentbrannt aufs Lenkrad einschlug. Als wir auf dem Parkplatz hielten, riss Walt die Tür auf, knallte sie hinter sich zu und rannte zu seinen Freunden, noch bevor ich den Motor ausgestellt hatte. Überall setzten Eltern ihre achtjährigen Kinder ab. Sie stiegen aus Mercedes-, Audi- und BMW-SUVs, beladen mit riesigen Sporttaschen und Eishockeyschlägern. Mein Herz raste.

»Was ist dein Problem?«, fragte Sammy, kaum dass die Tür geschlossen war.

»*Mein* Problem?«, sagte ich. »Du machst Witze, oder? Das beschissene Handy hat vierhundert Dollar gekostet, und es hat nicht einmal ein Jahr gehalten. Er muss lernen, den Wert von Dingen zu schätzen. Verantwortung zu übernehmen.«

»Er ist acht, Donnie.«

»Eben! Ich habe nicht den leisesten Schimmer, wofür ein Junge in seinem Alter ein Handy wie dieses überhaupt braucht! Er ...«

Sammy seufzte. Das alles war nicht neu für sie.

Kürzlich hatte sie mir von einem von Walts Schulfreunden erzählt, einem dicken, sommersprossigen Jungen namens Grady. Vor ein paar Monaten hatte Grady das Limit seines Handy-Tarifs um *sechshundert* Dollar überzogen. Seine Eltern machten ihm die Hölle heiß, sein Vater kündigte den Vertrag, und der Junge bekam ein Prepaid-Handy. Daraufhin hatte sich Grady bei seiner Mutter beschwert, dass ihm ständig das Guthaben ausginge und er nicht mehr telefonieren könne. Was wäre, menetekelte er, wenn es zu einem Notfall käme und er sie nicht anrufen könne? Also ging die Mutter hin und reaktivierte den Handyvertrag, ohne es mit dem Vater zu besprechen. Prompt verlor der Junge die Kontrolle über all die Internetseiten, Chatrooms und Gott weiß was noch alles, weshalb sich die Rechnung diesmal auf stolze *siebenhundert* Dollar belief.

»Siebenhundert Dollar im Monat?«, fragte ich.

»Exakt«, lachte Sammy.

Ich hatte es versucht. Ich hatte wirklich versucht, mir die Reaktion meines Vaters auf eine solche Offenbarung auszumalen. Sein Gesicht, wenn er erfuhr, dass er über vierhundert Pfund auftreiben musste, um die Telefonrechnung seines achtjährigen Sohnes zu bezahlen. Es wollte mir einfach nicht gelingen. Ein derartiges Szenario war einfach unvorstellbar. »Und was ist dann passiert?«, hatte ich Sammy gefragt. Ihre Antwort war ein resigniertes Schulterzucken gewesen: *Was soll man machen?*

Jetzt saß sie da und blickte durch die Windschutzscheibe auf die anderen Autos, die dichten Wolken kondensierter Auspuffdämpfe, die Jungs mit ihren Taschen. »Wir haben jetzt keine Zeit für so was«, erklärte sie und zerrte am Griff der Autotür. Mit einem schweren, dumpfen Geräusch fiel sie hinter ihr ins Schloss. Seufzend trabte ich hinterher.

Eishockey war als Jugendsport ungeheuer beliebt. Die Kinder hier lernten Schlittschuhlaufen, sobald sie sich auf den Beinen halten konnten. Walts Mannschaft, die Alarbus Eagles, spielten an diesem Tag gegen die Saskatoon Blades. Ein Ligaspiel. Wir schoben uns in die Eishockeyhalle hinter der Highschool. Auf den Tribünen rechts und links der Eisbahn drängelten sich bereits Dutzende von Elternpaaren, gekleidet in schwarze, rote und marineblaue North-Face-Jacken, Gore-Tex- und Timberland-Stiefel. Hier drinnen war es kaum wärmer als draußen. Dampfwolken stiegen von ihren Lippen und den Styropor-Kaffeebechern auf, bildeten Nebelschwaden über ihren Köpfen.

Sie hatten Picknickkörbe mit Sandwiches, Light-Bier und Kartoffelchips dabei. Plaudernd standen sie in Grüppchen herum. Wir erwiderten High-Fives und Hallo-Rufe, während wir uns zu unseren Plätzen neben Jan Franklin, den Marshes und den Krugers begaben. Auf dem Eis wärmten sich die Jungs bereits auf, testeten die Bahn, fuhren Kreise und Achter. Laut klappernd traktierten die Schläger den Puck, im Hintergrund dudelte »Baby Elephant Walk« vor sich hin.

In meiner Heimatstadt hatte es ebenfalls eine Eisbahn gegeben, im Magnum-Vergnügungszentrum, einem riesigen Gebäude aus gewelltem Stahlblech, in dem es auch ein Schwimmbad, Bowlingbahnen, Basketball- und Squashfelder gab. Außerdem ein Kino. Es war in den Siebzigern am Hafen erbaut worden, als ich etwa in Walts Alter war. Schlittschuhlaufen hatte ich allerdings nie gelernt. Ich stolperte immer nur am Rand entlang und krachte in die Bande. Während meine geliehenen Plastikschlittschuhe – wir nannten sie Purple Panthers – unter mir willkürlich in sämtliche Richtungen ausbrachen, als hätten sie einen eigenen Willen, pöbelten uns die größeren Jungs in ihren Eishockeyschuhen lauthals an und bespritzten uns bei vorsätzlichen Bremsmanövern mit eiskaltem Tauwasser. Derweil dröhnte in ohrenbetäubender Lautstärke Musik durch die riesige, zugige Halle. ELOs »Mr. Blue Sky« und Elvis Costellos »Oliver's Army« sind mir im Gedächtnis geblieben, weil sie damals, Ende der Siebziger, auf Dauerrotation liefen.

Zu den Schlittschuhläufern gehörte auch Banny, allerdings kannte ich ihn zu diesem Zeitpunkt nur vom Hörensagen. Er galt als einer der härtesten Jungs in dieser harten Stadt. Ich erinnere mich, wie ich ihn vorbeirasen sah. Manchmal glitt er rückwärts, wenn er mit den Mädchen sprach, dann brauste er wieder davon, kam wirbelnd zum Stehen und schickte irgendeinen Jungen mit einem kräftigen Ellbogenstoß auf das knochenharte Eis. Slush Puppies, Space Invaders und Pac-Man.

Mein Blick schweifte über die Tribünen, über das Meer aus Einheitsklamotten von Abercrombie & Fitch,

Hollister und Ralph Lauren. Und ich kam nicht umhin, an all die verschiedenen Gruppierungen und Stämme zu denken, die die Flure meiner Schule bevölkert hatten.

Mods. Punks. Teds. Skins. Die Heavy-Metal-Fraktion mit ihren Kutten über den Motorradlederjacken. Voll mit Aufnähern von Judas Priest, Saxon und Iron Maiden – letztere häufig ergänzt durch kunstfertige Darstellungen des Maskottchens Eddie und seiner skelettartigen Fratze. Der Mief von Patschuli-Öl. Die Gothic-Welle hatte unsere Schule noch nicht wirklich erreicht, obwohl es in der fünften Klasse ein paar wenige Kids mit schwarzen Klamotten und toupiertem, schwarz gefärbtem Haar gab, auf deren Rucksäcken seltsame Bandnamen wie Bauhaus, The Birthday Party oder Alien Sex Fiend prangten. Da er jüngere Eltern hatte, war Banny mehr an Mode interessiert als ich oder Tommy. Als wir uns kennenlernten, rangierte er irgendwo zwischen Mod und Skin: Fishtail-Parka, aber die Haare deutlich kürzer geschoren, als Paul Weller sie trug, dazu Desert Boots und Sta-Prest-Hosen. Später tendierte sein Stil immer mehr in Richtung dessen, was wir »casual« nannten: Pique Sweater, Loafer mit weißen Socken, stonewashed Jeans, Harrington-Jacke. Der Pony fiel ihm in einer breiten Strähne übers rechte Auge. Wenn er mit einem sprach, blies er sich immer das Haar aus dem Gesicht.

»Hallo, Donnie.« Ich drehte mich um, blickte auf und sah Irene. Sammy stand noch und unterhielt sich mit den Krugers hinter uns.

»Hallo, Irene. Sorry, ich war gerade ganz woanders.«

»Darf ich?« Sie wies auf den leeren Platz neben mir.

»Natürlich, hier ...« Ich nahm unsere Mäntel und Schals zur Seite. Irene setzte sich, löste ihren Schal, schälte sich aus ihrer Daunenjacke und strich ihr dickes, rotes Haar über die Schulter. Sie verließ das Haus nie ungeschminkt – bloß ein bisschen Make-up, Mascara, Lippenstift –, und der Duft ihres Parfüms erfüllte nun die kalte Luft. Sie kam oft zu Walts Spielen, eine Geste der nachbarschaftlichen Unterstützung und Solidarität, die wohl eher schlichter Einsamkeit entsprang. Eine Witwe mit der Aussicht auf ein langes, unerfülltes Wochenende.

»Brrr«, sagte sie und rieb sich die Hände. »Wo steckt denn unser kleiner Superstar?« Ich deutete auf Walt. »Alles in Ordnung? Sie wirken ein wenig, nun ja, abgelenkt?«

»Oh, alles bestens, es ist bloß ...« Ich schielte nach rechts. Sammys Hintern war nur einen halben Meter von meinem Gesicht entfernt, sie war mit Stephanie Kruger in ein Gespräch vertieft. »Ich weiß nicht, Irene. Die Kids heutzutage, sie scheinen zu glauben, sie könnten alles haben, was sie ...« Ich hielt inne. *Die Kids heutzutage? Himmel, hörst du dich eigentlich reden?*

Irene schien meine Gedanken zu erraten und lachte. »Befürchten Sie etwa, allmählich wie ein alter Sack zu klingen?«

Ich beobachtete Walt, der mit ein paar von seinen Freunden sprach, die Schläger vor ihnen gekreuzt. Ihre Hände, die in den dicken gepolsterten Handschuhen steckten, sahen aus wie die Fäuste von Transformer-Robotern, von gepanzerten Samurai-Kriegern. Für einen Augenblick überrollte mich eine heftige Welle des Bedauerns, weil ich kurz vor einem Spiel so hart mit ihm umgesprungen war. Ich musste gegen den Impuls ankämpfen, zur Bande herunterzugehen und ihm viel Glück zu wünschen. Die Jungs hatten allmählich das Alter erreicht, in dem sie es als peinlich empfanden, wenn ein Elternteil sie in Gegenwart ihrer Freunde ansprach.

»Nun, ich *bin* eine alte Schachtel«, sagte Irene. »Und ehrlich gesagt, scheinen mir alle Kids heutzutage – nicht nur Walt – schrecklich viel teuren Kram zu bekommen. Ich könnte wetten, dass das in Ihrer Jugend in Schottland ganz anders war.«

»Machen Sie Witze?«, sagte ich. »Als ich in Walts Alter war?« Ich lachte. »Das können Sie mir aber glauben.«

»Ich nehme an, in dieser wundervollen Landschaft hätten Sie auch nicht viel mehr benötigt, stimmt's? Ich würde für mein Leben gerne mal dorthin reisen.« Sie fummelte an ihrer Brosche herum.

»Ja sicher, Irene. Wir haben den lieben langen Tag in der herrlichen Landschaft gespielt. Mehr haben wir zu unserem Glück nicht gebraucht.«

Ich musste lachen. Einmal mehr war ich erstaunt darüber, was für Klischees die Vorstellung der Leute von Schottland prägten. In den Augen der Menschen hier war meine Heimat ein endloses, traumhaft schön fotografiertes Tourismusplakat – das idyllische Kyle of Lochalsh, das sich entlang irgendwelcher Hebridenstrände bis in die Berge von Glencoe zieht. Ich dachte an Ardgirvan, die Sozialbauwohnungen mit ihrem braunen Kratzputz: erst nach dem Krieg errichtet und Ende der Sechziger, als ich geboren wurde, bereits baufällig. Ich dachte an die leer stehenden Gebäude der Zementfabrik an der Umgehungsstraße, die 24-Stunden-Auto-werkstatt, die Sägemühle und die räudigen Pubs auf der Highstreet. An die Millionen Tonnen von Beton rund um den Ort: die Kreisverkehre, Ring- und Umge-hungsstraßen, die einzig und allein dazu dienten, diese triste Stadt möglichst schnell und bequem umfahren zu können. Richtung Norden. Richtung Glasgow. Dahin, wo es besser war.

»Machen Sie sich etwa über mich lustig, Donnie?« Sie lächelte und tat so, als wäre sie gekränkt.

»Nein, entschuldigen Sie. Aber weite Teile von Schott-land entsprechen nicht ganz dem Bild, das die Leute sich davon machen.«

Der Gong ertönte und kündigte den baldigen Beginn des Spiels an. Die beiden Mannschaften segelten über das Eis aufeinander zu. Walt glitt rückwärts und nahm seine Position in der Verteidigung ein. »Dann mal los, macht sie fertig, Eagles!«, rief Sammy und klatschte in die Hände, als sie sich neben mich setzte. »Oh, hallo, Irene! Entschuldigung, ich habe Sie gar nicht gesehen.«

»Hallo, Sammy.«

»Hör mal, Stephanie möchte sich unseren Samowar ausleihen«, sagte Sammy und wandte ihre Aufmerk-samkeit jetzt mir zu. »Ich habe ihr gesagt, dass du ihn morgen im Laufe des Tages vorbeibringst.«

Ich blickte zu Stephanie Kruger, die mich aus der hinteren Reihe anlächelte.

»Stell ihn einfach auf die Veranda, wenn wir nicht zu Hause sind, Donnie«, sagte sie. »Vielen Dank auch.«

»Er ist irgendwo in der Garage«, sagte Sammy.

»Aber morgen muss ich ...«

Sie sah mich eindringlich an.

»Also gut, kein Problem.«

Ich hatte immer noch den Autoschlüssel in der Hand und drückte die Spitze in meine Handfläche, als der Schiedsrichter in seine Trillerpfeife blies. Mit dem Klappern der Schläger und dem Kratzen der Kufen erwachte unter uns das Spiel zum Leben.

10

Als Walt an jenem Abend im Bett war, machten wir ein einfaches Abendessen aus Pasta und Salat. Ich ließ die Pasta abtropfen und rührte das Pesto ein, während Sammy Kirschtomaten halbierte und sie in eine Schüssel mit Rucola und Brunnenkresse füllte. Bei ihr schien alles Stunden zu dauern. Wie so viele Frauen räumte sie beim Kochen auf, spülte jeden Löffel, jede Schüssel und packte alles sofort in die Spülmaschine, wischte jeden Zentimeter Arbeitsplatte und jedes Schneidebrett, verstaute sämtliche nicht genutzten Zutaten wieder ordentlich in den Schränken. Ich war schneller, aber in meinem Kielwasser hinterließ ich ein rauchendes Waterloo, ein mittelalterliches Schlachtfeld voller Gemüseschalen und blutbeschmierter Messer. Wenn Sammy mit dem Kochen fertig war, ließ sich nur noch aufgrund der Gerüche erahnen, dass sie überhaupt hier hantiert hatte.

Wir aßen schweigend. Sammy blätterte in einem Magazin, ich verfolgte mit einem Auge die Nachrichten auf dem kleinen Fernseher. Kaum dass sie ihren letzten Rest Salat gekaut und sich den letzten Tropfen Olivenöl von der Lippe getupft hatte, blickte sie auf und sagte: »Also, was sollte das Theater heute?«

»Bitte?«, fragte ich völlig verdutzt und legte die Gabel beiseite.

»Walt so zur Schnecke zu machen.«

»Ich habe ihn nicht *zur Schnecke gemacht*.«

»Das ist jetzt nicht dein Ernst, oder? Er war völlig durch den Wind. Und das auch noch direkt vor seinem Spiel. Wirklich nett.«

Das war typisch Sammy. Sie wartete ab, unterdrückte ihren Ärger, bereitete sich vor – und schlug immer dann zu, wenn man längst nicht mehr damit rechnete.

»Och, ich bitte dich. Er muss einfach lernen, den Dingen mehr Respekt entgegenzubringen. Er soll doch bloß ...«

»Und das ausgerechnet jetzt, nach all dem, was er in den letzten paar Wochen durchzustehen hatte – ich meine, nach Herbys Tod.«

»Und was sollen wir deiner Meinung nach tun, wenn er ständig Sachen verliert und kaputtmacht? Was sollen wir sagen? *Geht schon in Ordnung, kein Problem, hier hast du einen Scheck*? Welche Botschaft würde ihm das vermitteln?«

»Es ist doch bloß ein Handy. Du solltest dir besser überlegen, worüber es sich zu streiten lohnt.«

»Das höre ich von dir nicht zum ersten Mal, Sammy. Und offenbar lohnt es sich nie. Davon abgesehen: Dieses Handy kostet ...«

»Verdammt, Donnie«, sagte sie und erhob dabei zum ersten Mal die Stimme. »Du kannst das, was du damals hattest, nicht ständig als Maßstab dafür nehmen, was Walt haben sollte.«

Ich sah sie an. »Was soll das jetzt wieder heißen?«

»Es ist schon spät«, wich sie aus und erhob sich.

In diesem Moment hätte ich die Sache auch einfach auf sich beruhen lassen können. Aber das tat ich nicht. Stattdessen sagte ich: »Wenn hier irgendjemand allen Grund hat, sauer zu sein, dann bin das ja wohl ich.«

Die Arme vor der Brust verschränkt, das Gewicht auf einer Hüfte, blickte sie mich herausfordernd an.

»Krugers mal eben anzubieten, dass ich ihnen dieses Ding vorbeibringe, ohne mich überhaupt zu fragen.«

»Was ist daran bitte so schlimm?«

»Das ist ein halbe Stunde Fahrtzeit von hier. Dieser kleine Gefallen kostet mich also anderthalb Stunden meines Arbeitstages.«

»Mir war nicht bewusst, dass du dermaßen beschäftigt bist.«

War da irgendein Unterton? »Es wäre einfach nur schön, wenn du mich vorher fragen würdest, statt mich zu behandeln wie einen … einen beschissenen … ach, was weiß ich.«

»Ich hätte nur nicht gedacht, dass dich das stören würde. Du fährst nachmittags öfter mal nach Alarbus, es liegt auf dem Weg. Wenn es dir zu viele Umstände bereitet, dann rufe ich Stephanie an und sage ihr, sie soll den Samowar abholen kommen.«

»Nein, schon gut. Ich mache es ja.« Ich griff nach der Fernbedienung.

»Himmel, jetzt sei bitte nicht eingeschnappt, Donnie.«

»Ich bin nicht eingeschnappt.«

»Prima. Wie du meinst. Ich gehe ins Bett.«

Ich blieb noch eine Weile sitzen und zappte durch die Kanäle, bevor ich den Fernseher ausmachte und den langen Flur zu meinem Büro hinunterging. Ich schaltete das Licht nicht an. Das Mondlicht, das durch die drei Panoramascheiben fiel, war hell genug, um etwas sehen zu können. Ich schloss die untere Schreibtischschublade auf, wühlte unter einem Ausdruck meines Drehbuchs herum und fischte eine Flasche Malt-Whisky heraus, einen fünfundzwanzig Jahre alten Talisker, ein Weihnachtsgeschenk von Sammys Vater. Auf dem Tisch stand ein Glas mit abgestandenem Mineralwasser. Ich schüttete das Wasser in den Papierkorb und schenkte mir einen großen Schluck Whisky ein. Ich hielt mir das Glas einen Augenblick lang unter die Nase – die starken Dämpfe ließen meine Augen tränen –, bevor ich daraus trank. Dankbar genoss ich das Brennen in der Kehle und spürte, wie mir das Blut und die Hitze ins Gesicht schossen. Der Whisky war weit gereist, er kam von der Insel Skye vor der schottischen Westküste – knapp hundert Meilen von dem Ort entfernt, an dem ich aufgewachsen war. Ich war nie dort gewesen. »25 Jahre gereift.« Von 1986.

Mr. Cardews nikotingelbe Finger, mit denen er die Seiten umblätterte und auf bestimmte Sätze hinwies, die er unterstrichen hatte, bevor er einen fragte, was man davon hielt. Um zu sehen, ob man auch alles verstanden hatte.

Meine Liebe zu Büchern zu entdecken war eine befremdliche und ungewöhnliche Erfahrung gewesen.

Mein Vater hatte nie etwas anderes als sein Boulevardblatt gelesen. Meine Mutter ertappte man gelegentlich
über einem eselsohrigen Groschenheftchen, das ihr
eine Freundin geliehen hatte, oder einem dieser Liebes-
romane aus der Bibliothek, deren reißerische Umschläge
immer mit glänzender Schutzfolie beklebt waren. In
dem Haus, in dem ich aufgewachsen war, hatten Bücher schlicht nicht existiert. Und wer in der Schule
außerhalb des Unterrichts Bücher las, gehörte zu den
Freaks. So etwas taten nur Schüler wie Docherty. Der
Professor. Umso überraschender war es also für mich,
als ich, ermutigt von Mr. Cardew, entdeckte, dass etwas,
was ich bis dahin als Synonym für Langeweile und Quä-
lerei empfunden hatte, mir unvorstellbare Ausblicke
und Fluchten in ganz neue Welten ermöglichen konnte.
(*Und damals wollte ich nichts mehr als einfach nur
flüchten.*) Dass die Zeit, wenn man die Seiten umblätterte, eben nicht stillstand, sondern man irgendwann
auf die Uhr sah (*diese Uhr in ihrem Gitterkäfig*) und
feststellte, dass der endlose, bleierne Nachmittag, der
eben noch vor einem gelegen hatte, plötzlich vergan-
gen war.

Ich dachte an Robert Louis Stevensons Gedicht *Des
Schotten Heimkehr aus der Fremde*, in welchem Ste-
venson schreibt: »Der König der Getränke, so seh ich
es / Talisker, Islay oder Glenlivet.«

*Was hattest du eben zu Sammy gesagt? »Statt mich
zu behandeln wie einen ... einen beschissenen ... ach,
was weiß ich.« Aber du wusstest es ganz genau: »einen
beschissenen Lakaien«. Das waren die Worte, die dir auf
den Lippen gelegen hatten. Aber sie auszusprechen hätte*

bedeutet, an der Vergangenheit zu kratzen, und keiner
von euch beiden wollte das. Nein – du ganz gewiss nicht.
Dieser Schotte würde sicher nicht heimkehren. Niemals
mehr.

————————

Meine Mutter hatte ich Ende November 1982 zum letzten Mal gesehen, als der Medienrummel um den Prozess
gerade an seinem Höhepunkt angelangt war. Draußen
schüttete es, und sie musste eine beschwerliche Anreise
mit Zug und Bus auf sich nehmen, um mich zu besuchen.
Ihr Gesicht war nass, und ihr Mantel dampfte in der An-
staltshitze des Besucherraums. Wir saßen im gnadenlo-
sen Licht der Neonröhren und teilten uns den Schokoriegel,
den sie mitgebracht hatte.

»Ihm geht es in der letzten Zeit nicht gut«, sagte sie, um
die Abwesenheit meines Vaters zu rechtfertigen. »Und er
hat Ärger gehabt.« Ihre Lippen bebten.

»Was für Ärger?«

»Ein Mann ... neulich hat ihn ein Mann mitten auf der
Straße geschlagen.« Sie warf mir einen Blick zu. Noch
bevor ich nach dem Grund fragen konnte, sagte sie: »Weil
du sein Sohn bist.« Sie begann leise zu weinen. Den Kopf
beim Sprechen gesenkt, schluchzte sie die Worte wie bei
einem Schluckauf hervor. »Diese Sachen, die sie in der Zeitung schreiben, die Sachen, die du und deine Freunde diesem Jungen angetan habt. Sind sie ... habt ihr das wirklich
getan?«

Wie betäubt starrte ich zu Boden, ohne zu antwor-
ten.

»Oh, William. Oh, dann gnade dir Gott. Gnade dir Gott ...«

Immer wieder sagte sie das. Immer wieder und wieder. Wenige Wochen später, kurz vor Weihnachten, erhielt ich ein Päckchen mit einigen Geschenken (einem Pullover, einem Kartenspiel, einem Airfix-Modellbausatz) und einen Brief. Er war kurz und in diesem für meine Mutter typischen Mix aus Groß- und Kleinbuchstaben geschrieben:

Lieber William,
frohe WeihNachten. Hier Einpaar kLeine GeSchenke für diCh. Es ist nich viEl. Wir sInd ein wenig Knapp miT dem GelD.

Es Macht mich sehr traUrig dieSen Brief zu Schreiben. Dein Vater und Ich haben beschlossen dich nicHt meer zu sEhen. Was du Getan haSt ist unverZeihlich. Ich HofFe das Gott dir eines Tages verGibt ABER wir können es NichT. Ich will Versuchen dicH als den lieBen JungeN in ErinnRung zu behalten Der du warSt und nicht So, wie die ZeiTungen über dich SchreiBen. Ich werde Immer an dicH denken. Aber du Bist nicht mEHr unser Sohn.

Es tut Mir Leid.
Kuss, Mum

Ich hörte nie wieder von ihnen. Ich war dreizehn.

Ich leerte das Glas, legte die Flasche zurück in die Schublade und schloss sie wieder ab. Als ich aufstand, sah ich, dass bei Irene noch Licht brannte. Etwa eine halbe Meile entfernt leuchtete ein gelbes Quadrat in der

Dunkelheit. Für einen Sekundenbruchteil löste sich ein Schatten aus dem Dunkel. Doch kaum hatte ich ihn bemerkt, erlosch das Licht, und der Horizont wurde schwarz.

Ich ging zu Bett.

11

Mehrere Hundert Gäste bewegten sich durch das riesige, hell erleuchtete Anwesen an der Elm Street – die Männer in Anzug oder Smoking, die Frauen in festlichen Roben. Kellner in weißen Jacketts schoben sich durch das Gedränge, füllten aus beschlagenen Champagnerflaschen Gläser auf. Sogar die Flaschen sahen mit ihren weißen Tuchmanschetten aus, als trügen sie Abendgarderobe. In der Halle standen Eisskulpturen, im Salon musizierte ein Streichquartett. Ich hielt mich wie immer am Buffet auf, knabberte Crudités und trank Club Soda. Zu Hause in Schottland nannten wir das Zeug einfach nur Sprudelwasser. Noch einige Jahre, nachdem ich nach Kanada gezogen war, hielt ich Club Soda für einen speziellen nichtalkoholischen Drink, dessen Zubereitung mit der »Bar« oder eben dem »Club« variierte, in dem man ihn orderte. Quasi Soda nach Art des Hauses.

In den letzten Jahren waren Sammys Eltern dazu übergegangen, sich Mitte Dezember nach Hawaii abzusetzen, wo sie auf Maui in einer Suite des Ritz-Carlton mit Blick auf Ananasfelder und das Meer residierten – angeblich war das milde Klima der Grund, da Sammys Mutter unter Arthritis litt. Doch ich vermutete, dass die beiden einfach nur ihren Reichtum auskosten wollten. In der Regel blieben sie dort bis Ende März und entgingen so den schlimmsten Monaten des kanadischen Winters. Wir flogen üblicherweise ein paar Tage vor Weihnachten zu ihnen rüber, spannten dort vierzehn Tage aus und waren kurz nach Neujahr wieder zu Hause. Der alte Sam hatte es sich zur Gewohnheit gemacht, vor ihrer Abreise eine große Weihnachtsparty zu veranstalten, ein Termin, der inzwischen in Stein gemeißelt war. Es war eine gute Gelegenheit, wichtigen Anzeigenkunden, dem Bürgermeister und Konsorten Honig um den Bart zu schmieren. Sammy war hier ganz in ihrem Element.

Ich spießte mir gerade eine Garnele auf die Gabel, als ich hinter mir eine tiefe Stimme sagen hörte: »Hältst du dich wieder an das harte Zeug?«

»Hallo, Mike«, sagte ich und drehte mich um. Mike Rawls, der einsneunzig große und neunzig Kilo schwere Sicherheitschef von Sammys Vater, grinste und deutete auf mein randvolles Glas Sprudelwasser.

»Ich muss noch fahren.«

»Das macht uns beide zu den einzigen nüchternen Menschen hier.«

Von unserem Platz am Buffet betrachteten wir das Gewimmel. Mike mit den geübten Augen eines Mannes, der es gewohnt ist, Menschenmengen auf Anzeichen drohenden Ärgers abzusuchen. Nach jemandem, der einem zu nahe kommt, sich zu schnell bewegt oder zu intensiv starrt. »He«, sagte er, »das mit eurem Hund tut mir wirklich leid.«

»O ja.«

»Was ist eigentlich genau passiert?«

Ich erzählte ihm die ganze Geschichte, die ich inzwischen routiniert runterspulen konnte. »Es war schrecklich. Hat das arme Tier regelrecht zerfetzt. Die Polizei hat sogar eine Niere im Schnee gefunden. Sie werden ...«

»Das ist seltsam, oder?«

»Was ist seltsam?«

»Man würde doch denken, dass sie so etwas zuerst fressen, nicht wahr? Ein hungriges Rudel Wölfe? Die Nieren, die Leber? Wie auch immer ...« Auf das Signal eines anderen Sicherheitsmannes hin, der auf der gegenüberliegenden Seite der Eingangshalle an der Tür stand, hob Mike die Hand. »Ich muss los. Sieht so aus, als wäre der Gouverneur eingetroffen. Wir sehen uns später, Donnie.«

Ich blickte ihm nach und hatte plötzlich das Bedürfnis, mit Walt zu sprechen. Noch auf dem Weg durch den Salon, in dem das Streichquartett eben erneut mit den *Vier Jahreszeiten* begann, wählte ich die Nummer. Beim dritten Klingeln ging Irene dran, gerade als ich auf die rückwärtige Veranda hinaustrat.

»Hallo, Donnie. Wie ist die Party?«

»Alles bestens. Wir werden bald aufbrechen. Wie geht es Walt?« Ich zitterte, als der kalte Dezemberwind durch meinen Smoking fuhr.

»Es geht ihm gut. Er hat mir gezeigt, wie dieses Videospielgerät funktioniert. Und jetzt gleich wird es Zeit für ihn, ins Bett zu gehen. Nicht wahr, Walt?« Im Hintergrund hörte ich so etwas wie Protest. »Unseretwegen müsst ihr euch nicht beeilen.«

»Nein, nein, ich bin hier ohnehin fertig. Ich hab lang genug mein Gesicht gezeigt. Kann ich mit ihm sprechen?« Gedämpftes Rascheln, dann Walts Stimme in der Leitung: »He, Dad.«

»He, mein Sohn. Wie läuft's denn so?«

»Ganz gut. Ich habe Irene bei *Medal of Honor* geschlagen. Sie ist ziemlich gut. Besser als du!«

»Ach, wirklich? Na gut, Großer. Es ist halb zehn. Zeit, ins Bett zu gehen.«

»Wann kommt ihr nach Hause?«

»Ungefähr in einer Stunde. Aber dann schläfst du schon tief und fest, stimmt's?«

»Ja, Dad«, lautete seine pflichtschuldige Antwort.

»Prima. Dann gute Nacht, Walt.«

Ich legte auf und blickte hinaus über die Baumwipfel. Die Luft war jetzt so kalt, dass man beim Einatmen ein stechendes Brennen auf der Nasenschleimhaut und ein winterliches Knistern in den Lungen verspürte. Der schwarze Himmel über mir schien bleischwer zu sein. Wie aufgebläht von der Last des bevorstehenden Schnees.

Man würde doch denken, dass sie so etwas zuerst fressen, nicht wahr?

Ich hörte, wie hinter mir die Tür geöffnet wurde, und als ich mich umdrehte, sah ich den alten Herrn höchstpersönlich herauskommen. Er hatte einen dicken Mantel um die Schultern und eine große Zigarre zwischen den Zähnen. Mit jedem Zug, den er nahm, plusterten sich seine Wangen auf, ein dichter Kranz parfümierten Rauchs umwölkte seinen kahlen Kopf. »Donnie«, grüßte er mich mit einem Nicken.

»Hallo, Sam«, sagte ich und hielt das Handy in die Höhe, da ich mich wie so häufig in seiner Gegenwart irgendwie ertappt fühlte. »Hab kurz mit Walt geredet.«

»Wie geht's dem kleinen Mann?«

»Bestens. Er wird gerade ins Bett gebracht.« Ich musste daran denken, wie Walt nach Herbys Tod instinktiv nach seinem Großvater gerufen hatte. *Holt Opa zu Hilfe!*

»Willst du eine?«, fragte Sam, hielt die Zigarre in die Höhe und tastete dabei nach seiner Brusttasche.

»Nein, danke. Tolle Party. Hab gehört, der Gouverneur ist auch hier.«

»Ja, na ja.« Er gähnte, streckte sich und blickte auf seine Uhr. »Hat sich ganz schön bitten lassen. Wird eh bald Zeit, dass ich das Schnorrerpack vor die Tür setze.« Der Alte war Ende sechzig, hatte sich aber gut gehalten. Er war schlank und drahtig, und seine Glatze schien das einzige Zugeständnis an sein fortgeschrittenes Alter zu sein. Seine Augen waren hart und klar, von der Sorte, deren Blick man meidet, wenn man Mist gebaut hat. Ich hatte einmal mit angesehen, wie ein Betrunkener in einem Restaurant den Mund zu weit aufriss und Sam zu nah auf die Pelle rückte. Mit nur einem Schlag hatte er den Kerl auf die Bretter geschickt. Natürlich kostete ihn das am Ende ein beträchtliches Sümmchen. »Wenn dein Bild ab und an in der Zeitung ist«, hatte er danach gesagt, »meinen die Leute, sie könnten alles zu dir sagen.«

»Wann fliegt ihr morgen?«, fragte ich.

»Um 5:50 Uhr mit dem Morgenflug nach Winnipeg und von dort aus weiter nach L. A.«

»Ich schätze, du willst langsam ins Bett?«

»Ach, in meinem Alter braucht man nicht mehr so viel Schlaf.« Er paffte an seiner Zigarre. Wir blickten hinaus auf den Rasen, die Ulmen, das Mondlicht, während aus dem Haus hinter uns die Klänge der Party ertönten: Gläserklirren, Gesprächsfetzen und gedämpfte Musik. »Ist vielleicht das letzte Mal, dass wir so eine Gesellschaft geben«, sagte er.

»Wie kommt's?«

»Tja, ich bin fast siebzig, Donnie. Da verliert *das letzte Mal* allmählich seinen bedrohlichen Klang.«

»Mein Gott, Sam, du hast noch ...«

»Ach komm.« Der kurze Wink mit der Zigarre signalisierte mir, dass ich mir den Rest sparen konnte, egal welche Plattitüde mir gerade auf der Zunge lag.

»Na gut«, sagte ich und musste nun ebenfalls gähnen. »Ich suche mal lieber Sammy und sage ihr gute Nacht. Wird allmählich Zeit, dass ich heimfahre.«

Er nickte. »Und Walt kommt mit der Hundesache zurecht?«

»Ich denke schon«, erwiderte ich. »Er ist ein wenig durch den Wind. Aber das sind wir alle.«

»Eine Schande ist das. Wie auch immer, du solltest dich wirklich auf die Socken machen, wenn du noch fahren musst, siehst du ...« Mein Blick folgte der glühenden Spitze seiner Zigarre, mit der er über meine Schulter deutete, wo der Schnee lautlos in großen Flocken vom Himmel fiel.

»Da hast du wohl recht«, sagte ich. »Danke für die Party.«

»Wir sehen euch alle in ein paar Tagen auf der Insel?«

»Am zweiundzwanzigsten.«

»Nacht, Donnie.« Wir schüttelten uns die Hände. »Fahr vorsichtig.«

Ich fand Sammy im großen Salon am Kamin, wo sie in ein Gespräch mit Billy Vaughan, dem Leiter der Anzeigenabteilung, und einem Grüppchen Smoking tragender Herren mittleren Alters mit Scotch-Gläsern vertieft war, die unschwer als umworbene Kunden zu erkennen waren. Sammy trug ein hautenges schwarzes Kleid, tief ausgeschnitten, mit einer kleinen, diamantenbesetzten Brosche. Das offene Haar fiel ihr über die Schultern. Auf ihren hohen Absätzen überragte sie die meisten der Männer. Als ich mich der Runde näherte, sagte sie gerade: »... um mehr Traffic für die Website zu generieren.« Ich lächelte sie an, und sie unterbrach ihren Vortrag mit den Worten: »Entschuldigt mich bitte einen Moment, Jungs.« Billy führte ihre Ansprache fort, während sie sich aus der Gruppe löste und einige Schritte zu mir herüberkam.

»Ich muss jetzt los.«

»Wirklich?«, fragte Sammy. »Es ist doch erst ...« Sie blickte auf ihre Uhr. »Mist.«

»O ja, die Zeit vergeht wie im Flug, wenn man mit seinen Kumpels rumhängt.«

Sie zog eine Grimasse und flüsterte: »Mein eigenes Gewäsch langweilt mich zu Tode. Und wenn mich das nicht umbringt, dann geben mir diese Absätze garantiert den Rest.«

»Dafür verdienst du ja auch das große Geld, mein Liebling.« Eine Floskel, die sie nicht zum ersten Mal von mir hörte. »Jedenfalls muss ich jetzt los, bevor es noch stärker zu schneien anfängt.«

»Na gut, ich … hallo, Graham«, grüßte sie einen vor-
beigehenen Smokingträger. »Ich sehe dich dann morgen. Sag Walt, ich hab ihn lieb.«

»Klar doch.« Ich hauchte ihr einen vorsichtigen Kuss
auf die Wange. Sammy mochte öffentliche Zuneigungs-
bekundungen nicht besonders.

»Fahr vorsichtig.« Sie drehte sich um und ging zurück zum Kamin. Ich blickte ihr nach und beobachtete,
wie sie mit einer zackigen Handbewegung einen der
Spaghettiträger ihres Kleides zurechtzog. Egal was Sammy
tat, immer blitzte die Sportskanone durch, immer hatten ihre Gesten etwas leicht Burschikoses.

Ich holte meinen Mantel, ließ meinen Wagen vorfah-
ren, stieg ein und drehte die Heizung voll auf, während
ich die Zufahrt hinabrollte. Schneeflocken trudelten
durch die Scheinwerferkegel. Mir ging ein Lied durch
den Kopf, das damals in Schottland sehr populär gewesen war. »Mouth is alive, with juices like wine … and I'm
hungry like the wolf.« Das große edwardianische Anwesen verschwand hinter mir, seine vielen Fenster leuchteten im Rückspiegel.

12

Das Haus, in dem ich aufwuchs: trister Nachkriegs-Rau-
putz, nikotingelbe Styroporplatten unter den Zimmer-
decken, Raufasertapeten. Der Kaminsims voller Nippes,
Flitter und billigem Zierrat wie dem Clown aus buntem
Glas, dem Porzellanpferdchen, dem weißen Aschenbecher, auf dem in goldenen Lettern *Blackpool Tower* stand.
Der klobige Fernseher mit dem Plastikgehäuse in Holz-
optik, das elektrische Kaminfeuer mit der künstlichen Glut.
An Winterabenden, wenn es bereits um halb fünf stock-
dunkel war, verbreitete es ein warmes orangefarbenes
Licht. Dann lag ich mit brennendem Gesicht und eiskaltem Rücken auf dem Teppich und schaute mir *Roobarb*
oder *Wir haben Spaß* an. Gefrorene Kondenswasser-Pfüt-
zen auf den Fensterbänken.

Meine Eltern tranken beide. Mein Dad ganz unverhoh-
len, meine Mutter eher heimlich. Mein Vater arbeitete im
Holzlager. Wenn die Arbeit nachmittags um vier vorbei
war, ging er ins King's oder ins Delta. Nach zwei Stunden im Pub und fünf oder sechs Pints kam er zum Abendessen nach Hause. Vor dem Fernseher soff er eine Dose
Tennent's nach der anderen, bis er gegen zehn aus den
Latschen kippte. In der Zeit, bis mein Vater aus dem Pub
nach Hause kam, hangelte sich meine Mutter von Martini

zu Martini. Die bestanden bei ihr nur aus süßem Wermut mit Limonade, nicht vergleichbar mit jenen Martinis, die ich in meinem späteren Leben mit Sammy kennenlernen sollte – eisgekühlte Stielgläser, glasklarer Gin, Olive. Sie begann gegen Nachmittag, versteckte die Flasche in der Speisekammer und schlürfte die Drinks in der Küche, während sie über der Bratpfanne und kochenden Kartoffeln schwitzte. Zum Abendessen hatte sie oft schon die halbe Flasche geleert, und das Essen war angebrannt oder kalt, woraufhin der Streit losging. Eines Abends kippte sie meinem Dad, torkelnd und schwankend, versehentlich den Teller in den Schoß und bespritzte ihn mit heißem Fett. Er zerschmetterte das Geschirr an der Wand, schlug sie in den Magen und brüllte: »Du versoffene, blöde Schlampe, du!«, während ich heulend in mein Zimmer rannte. Später kam sie nach oben, noch betrunkener, und erzählte mir, sie hätten bloß einen »klitzekleinen Streit« gehabt und dass alles in Ordnung sei. Ich bekam gelegentlich eine Ohrfeige oder einen Tritt in den Hintern, aber ich wurde nie richtig verprügelt. Zumindest nicht so, wie Banny verprügelt wurde. 1981, als das Holzlager geschlossen wurde, verlor mein Dad seine Arbeitsstelle, wie damals viele andere in Ayrshire (»Diese blöde Fotze von Thatcher«). In diesem letzten Jahr, das ich zu Hause verbrachte, wurde dort immer heftiger gestritten und gesoffen. Meine Mutter nahm eine Halbtagsstelle als Putzfrau in einem Bürohaus an, mein Dad ging ins Wettbüro oder jobbte gelegentlich als Tagelöhner auf dem Bau. Seine Besuche im Delta oder King's begannen nun bereits um zwei oder drei Uhr.

Inzwischen habe ich erkannt, dass meine Eltern ihren Frust aneinander ausließen und sich wahrscheinlich gegenseitig für ihr verkorkstes Leben verantwortlich machten. Sie hatten keinerlei gemeinsame Interessen, genau genommen hatten sie überhaupt keine Interessen. Da gab es nichts außer dem niemals endenden Flimmern des Fernsehers, der dicken Dunstglocke aus Zigarettenrauch, der ab und an vom Aufreißen einer Bierdose durchbrochenen Stille oder einer bemühten Unterhaltung über irgendeinen Zeitungsartikel. Später, sehr viel später, sollte einer der Therapeuten diagnostizieren, dass ich mir aufgrund der Unfähigkeit, zu meinen Eltern durchzudringen, die Aufmerksamkeit woanders beschaffte.

Banny, Tommy und ich schlugen die Zeit tot, indem wir Fenster einwarfen oder Gärten verwüsteten – alles im Rahmen des Üblichen. Nachdem wir im Fernsehen die flammenden Molotowcocktails bei den Riots in Toxteth und Brixton gesehen hatten, stahlen wir einen Gummischlauch aus dem Chemieraum und zogen eines Nachts los, um Benzin aus Autotanks in leere Milchflaschen abzuzapfen. Ich hatte den Mund voll mit bitterem, öligem Benzin, musste würgen und mich übergeben, während Banny und Tommy sich kaputtlachten. Wir stopften alte Lappen in die Flaschen, warfen sie gegen die Wand der Kirche und sahen zu, wie die Flammen den weißen Rauputz hinauffleckten. Die Brandspuren waren noch Jahre danach zu sehen. Sie waren unser Werk.

Ich warf den Frosch von der Überführung auf den Wagen darunter. Ich übte das Luftgewehrschießen an dem Jungen auf dem Rad. Ich versenkte die Schuhe des kleinen Mädchens im Teich. Ich bat die Frau in der Frittenbude um einen Blick zwischen ihre Beine. Ich sagte dem Lehrer, er solle sich verpissen. Und als ich diese Dinge tat, als ich hörte, wie die Jungs lachten und applaudierten, da spürte ich, dass sie mich akzeptierten. Ich spürte die Zuneigung in ihrem Blick.

Ja, ich spürte ihre Liebe.

———————

Ich parkte den Wagen in der großen Garage und schaltete den Motor ab. Das Licht der Scheinwerfer ruhte auf den an der Rückwand gestapelten Umzugskartons – Haushaltsgegenstände und Kleider, Zeug, das wir nicht mehr nutzten, ausrangiert für die Kleiderkammer und Benefizflohmärkte. Ich atmete tief durch. Die ganze Rückfahrt über hatte ich eine ängstliche Nervosität verspürt, sodass mir jedes Scheinwerferpaar, das im Rückspiegel auftauchte, Gefahr zu bedeuten schien. Noch während ich durch den kalten, leeren Gasbetonraum zu der Tür eilte, die zum Haus führte, blickte ich mich immer wieder nervös um.

Irene saß, die Füße unter den Po gezogen, in unserem großen Wohnzimmer im Lichtkegel der Leselampe und war in ein Buch vertieft. Als ich eintrat, hob sie den Blick. »Hallo, Donnie.«

»Na, Irene, wie hat er sich geschlagen?«

»Ganz tapfer, der kleine Engel. Er ist gleich nach Ihrem Anruf ins Bett gegangen. Seitdem habe ich keinen Mucks von ihm gehört. Waren die Straßen in Ordnung? Sieht aus, als würde da draußen kräftig was runterkommen.«

»Kein Problem. Es war bereits gestreut.«

Ich ließ mich neben ihr auf das riesige Sofa fallen und lockerte meine Krawatte.

»Und, wie war die große Party dieses Jahr?«, fragte Irene fast mädchenhaft. In ihren Augen gehörten Sammy und ich zur Lokalprominenz, sie fand unser beider Leben unglaublich glamourös. Irene hingegen ging niemals aus.

Ich zog eine Grimasse. »Diese Feiern sind einfach nicht mein Ding.«

»Wer war denn alles da?«

»Oh, die üblichen Verdächtigen – Politiker und Geschäftsleute. Wissen Sie was, ich gönne mir jetzt einen kleinen Schlummertrunk. Möchten Sie auch?«

»Bloß ein Ginger Ale, wenn Sie welches da haben.«

»Ach, kommen Sie, Irene. Gönnen Sie sich mal was.« *Dieser Song, der im Sommer 1982 immer im Radio lief, gleich nachdem alles passiert war ...*

Sie lachte. »Das ist so gar nicht meine Art, Donnie. Das wissen Sie.«

Ich ging zu der vollen Bar in der Ecke hinüber und griff unter der Spüle aus rostfreiem Stahl in den kleinen Kühlschrank, hinter dessen Glastür sich Bier, Wein und Softdrinks stapelten. Ich nahm eine Dose Canada Dry für Irene heraus. Dann öffnete ich die Doppeltür des Kabinettschranks über der Spüle. Dahinter reihte sich Spirituose an Spirituose, von Amaretto über Campari bis hin zu verschiedenen Malt-Whiskys. Hinter mir stieß Irene einen beeindruckten Pfiff aus. »Junge, Junge«, staunte sie, »damit könnten Sie ja einen Schnapsladen eröffnen.«

»Ja, Sammy sorgt dafür, dass die Bar immer voll ist«, sagte ich, während ich eine Flasche Macallan entkorkte. Ich nahm an, dass sie das von ihren Eltern übernommen hatte. Es gehörte in diesen Kreisen wohl zum guten Ton. Ich goss einen kräftigen Schuss Whisky in ein Kristallglas. Der Eiskübel war leer. »Möchten Sie Eis, Irene?«

»Nein danke, machen Sie sich nur keine Umstände.«

Ich füllte einen kleinen Krug mit Wasser, gab einen Spritzer davon in meinen Whisky und brachte die Drinks zum Sofa. »Mmm«, brummte Irene, als sie an ihrem nippte.

»Zum Wohl«, sagte ich und prostete ihr zu.

»Prost«, sekundierte Irene und hob ihr Zuckerwasser. Schon im Verlauf des letzten Jahres war mir bei verschiedenen Gelegenheiten aufgefallen – etwa wenn Irene dann und wann mal zum Grillen oder zum Essen herüberkam –, dass sie niemals Alkohol trank. Aber ich hatte sie nie konkret darauf angesprochen.

»Haben Sie nie getrunken, Irene?«

»Oh, ich hab's natürlich probiert. Macon? Meine Heimatstadt? Das ist tiefstes Schwarzbrenner-Land. Noch vor ein paar Generationen hatte dort jeder einen Destillierapparat im Garten stehen. Bei mir zu Hause hat jeder getrunken.«

»Sie allerdings nicht.«

»Na ja, die Kontrolle zu verlieren hat mir immer schon Unbehagen bereitet. Sobald mir schwindelig wurde, dachte ich: Jetzt reicht's. Und weil mir das jedes Mal nach einem Drink so ging, lohnte es sich gar nicht erst anzufangen.«

»Ich wette, bei Ihren Freunden waren Sie äußerst beliebt.«

»Bitte was?«

»Na, so hatten sie ständig einen Fahrer zur Hand.«

»O ja. Das war immer meine Aufgabe.«

Ich nahm einen großen Schluck von meinem Drink, blickte hinauf zu den Holzbalken an der Decke hoch über mir und hob das Glas bis knapp unter mein Kinn, um das kräftige Bouquet zu genießen.

»Erinnert er Sie an zu Hause?«, wollte Irene wissen.

Jetzt war es an mir, »Bitte was?« zu fragen.

»Der Whisky?«

O ja, klar. Eine Fünfzig-Dollar-Flasche Single Malt, die war in meinem Elternhaus immer zur Hand. Welche Whiskysorten mein Vater getrunken hatte? Halb- und Viertelliter-Flaschen Bell's oder Whyte & Mackay. Hin und wieder mal eine Literflasche der Supermarkt-Hausmarke.

Ich nahm einen weiteren tiefen Schluck. Der Alkohol entfaltete nun seine Wirkung. Ich entspannte mich, die Anspannung der Heimfahrt und der letzten paar Tage schmolz dahin.

»Sie reden nicht oft über Ihre Heimat, Donnie, stimmt's?«

»Nein. Wohl eher nicht.«

»Und dabei heißt es doch immer, die Schotten seien so patriotisch. Dass sie ständig erzählen, wie großartig ihr schönes, altes Land sei.«

»Vermutlich tun sie das auch. Ich schätze, da ich einfach noch sehr jung war, als ich von dort weg bin, und praktisch keine Familie mehr da drüben habe ...«

»Das klingt sehr traurig.«

»Ach, nein. Um ehrlich zu sein, verschwende ich nicht allzu viele Gedanken daran.« Was bis vor Kurzem auch der Wahrheit entsprochen hatte.

»Sie haben hier ja jetzt Ihre eigene kleine Familie.«

»Und den erweiterten Familienkreis«, sagte ich und deutete auf meinen Smoking. »So nervig der auch manchmal sein kann.« Irene lachte. Eine Pause trat ein. Ich beobachtete das kräftige Schneetreiben durch das Fenster hinter ihr. Da war noch eine Frage, die ich ihr nie gestellt hatte. Nun verlieh der Whisky mir den Mut dazu. »Dürfte ich Sie fragen, und bitte nehmen Sie mir meine Indiskretion nicht übel, wie es kommt, dass Sie selbst niemals Kinder hatten?«

»Es sollte nicht sein.« Sie zuckte mit den Schultern. »Nicht, dass Jim und ich es nicht gewollt hätten. Es hat bloß nie geklappt.«

»Das tut mir leid«, sagte ich, berührt von der Aufrichtigkeit ihrer Antwort. Sie winkte ab.

»Oh, das ist alles so lange her. Ich schätze, heutzutage würden wir von einer Befruchtungsklinik zur nächsten tingeln, und wer weiß, was dabei rauskäme. Aber damals, in den Siebzigern, Anfang der Achtziger, haben die Menschen wohl eher akzeptiert, was die Natur ihnen mitgegeben hat.«

»Sie sind wirklich gut im Umgang mit Walt, wissen Sie das?«

»Oh, er ist einfach ein lieber Junge.«

»Mmm. Wenn ihm danach ist.« Ich warf einen Blick auf meine Uhr. »Ach je, wo wir gerade davon sprechen, der kleine Teufel wird schon bald wieder aufstehen.«

»Oha, ich sollte auch längst im Bett sein.« Sie stellte das halb ausgetrunkene Glas Ginger Ale auf einen Untersetzer auf dem Beistelltisch.

»Danke noch mal fürs Babysitten.«

»Jederzeit wieder, Donnie.«

Ich brachte sie zur Tür und ging dann den Korridor hinunter, um nach Walt zu sehen. Vor seinem Zimmer hielt ich kurz inne, blickte durchs Fenster und sah die Rücklichter von Irenes Wagen im Schneetreiben verschwinden. Völlig unerwartet überkamen mich ein Anflug von Traurigkeit und ein gewisser Beschützerinstinkt, wie sie da so allein in ihr dunkles, gemietetes Haus fuhr. Ich würde mit Sammy reden und ihr vorschlagen, Irene öfter mal zum Essen einzuladen. Vielleicht gab es ja jemanden, mit dem wir sie bekannt machen konnten – einen Freund von Sammys Eltern vielleicht. Ja, ich würde mit Sammy reden.

13

»Ach, Daddy, mach doch Pfannkuchen. Bitte. *Bitte.*«

Es war der Morgen nach der Party. Walt blickte flehentlich zu mir auf, wohl wissend, dass er mit der Bettelei um eine fettige, gebratene Frühstücksleckerei an einem ganz normalen Schultag bei seiner Mutter garantiert auf Granit gebissen hätte. Draußen fiel wie die ganze Nacht schon unaufhörlich der Schnee. Ich blickte zum Fernseher hoch und sah nach der Uhrzeit – eingeblendet neben dem Lauftext mit den neuesten Nachrichten (»Ölpreis überschreitet die Grenze von 150 Dollar pro Barrel«). Es war 7:32 Uhr. Der Bus kam um Viertel nach acht. »Ich ... ach, Mist. In Ordnung, Walt. Jetzt setz dich hin und trink deinen Saft.«

»Yippiieh!«

Ich stellte die kleine, blaue Le-Creuset-Pfanne auf den Herd, holte Eier und Butter aus dem Kühlschrank und behielt den Wetterbericht im Auge. Jetzt, im morgendlichen Licht der Küche, erschienen mir die Ängste von gestern Abend – die Scheinwerfer im Rückspiegel – absolut lächerlich. Es war Freitag. Vor uns lag ein freies Wochenende: keinerlei Partys, Besucher oder Verpflichtungen. *Yippiieh!*, wie Walt es formuliert hätte. Wir würden zu Hause abhängen, vielleicht das Schneemobil rausholen. Ich schlug ein Ei in das mit Milch verquirlte Mehl – das Fett in der Pfanne fing bereits an zu rauchen – und drehte mich wieder zum Fernseher um. Die Wetterfrau deutete auf einen gewaltigen, grauen Zyklon. »Mit diesem Wolkenfeld ziehen starke Sturmböen in südlicher Richtung nach Saskatoon und erreichen am Nachmittag die Region um Regina, wo dann mit Schneestürmen zu rechnen ist ...«

»Kann ich Schokocreme auf meinen ...«

»Kommt nicht infrage, Walt. Zitrone und Honig, okay?«

»Menno.«

Das Telefon klingelte, und ich ging zum nächsten Apparat, der neben mir an der Wand hing. Auf dem Display blinkte das Wort »Stadtwohnung«. »He, Sammy«, sagte ich und griff nach der Pfanne. »Wie ist es gelaufen – autsch, verdammte Scheiße!« Die Pfanne war glühend heiß.

»Was ist passiert?«

»Ich habe mich verbrannt. Aua!«

»Daddy hat das S-Wort gesagt«, stellte Walt streng fest.

»Was tust du denn da?«

»Ich bin gerade dabei, ein paar Pfannkuchen zu backen.« Das Telefon zwischen Wange und Schulter geklemmt, hielt ich die Hand unter kaltes Wasser.

»Bitte gib ihm keine Pfannkuchen, Donnie. Er soll seine Haferflocken essen, oder meinetwegen ...«

»Ich wollte doch ... hör zu, wenn ich mit dem Scheiß hier nicht allmählich zurande komme, dann kriegt er gar nichts mehr zwischen die Zähne.«

»Schon wieder! Daddy!«

»Entschuldige! Verdammt!«

»Ist ja schon gut. Ich wollte mich nur mal kurz melden.«

»Hast du eigentlich die Wettervorhersage gesehen?«

»Ja, die läuft gerade.« Ich stellte mir vor, wie Sammy in der offenen Küche des Apartments saß, ihre Haferflocken aß und denselben Sender schaute wie ich. »Ich werde versuchen, so um die Mittagszeit hier wegzukommen. Sieht so aus, als stünde uns das Schlimmste erst am späten Nachmittag bevor.«

»In Ordnung. Hör zu, ich muss mich beeilen. Der Bus kommt gleich.«

»Gib Walt einen Kuss von mir.«

»Fahr vorsichtig.«

Ich stellte die Pfanne zurück auf den Herd. Diesmal benutzte ich einen Topflappen.

Weder seine Handschuhe noch der sanft rieselnde Schnee hinderten Walt daran, seinen zweiten Pfannkuchen auf dem Weg zum Bus zu essen. An der Stelle, wo ich Herby gefunden hatte, waren keine Spuren des Gemetzels mehr zu sehen. Alles war von frischem, jungfräulichem Schnee bedeckt. Trotzdem beschlich mich ein unbehagliches Gefühl.

Zurück im Haus fiel mir ein, dass ich bis zur nächsten Woche noch eine kitschige romantische Komödie besprechen musste: zwei große Teenie-Stars in einer Art Neufassung von Jane Austen inklusive iPods und Liebesgeflüster per SMS. Unmotiviert lag ich auf dem Sofa und spielte mit der DVD herum. Irgendwann rappelte ich mich auf und ging durch den Flur in mein Arbeitszimmer, wo ich vor dem Schreibtisch stand und mit dem Finger über das glatte Plastik des Laptops strich. Für einen kurzen Moment schwebte der Cursor über dem Symbol des Internetbrowsers – dieser flammend rote Fuchs mit Weltkugel, der Zugang zu Google, dem Todfeind eines jeden freien Schreibers, der von zu Hause arbeitet –, bevor er weiter die Toolbar entlangfuhr und über dem blauen »W« von Microsoft Word verharrte. Drauf geschissen. Die Filmkritik konnte warten. Stattdessen klickte ich das grüne Logo der Drehbuch-Software Final Draft an. Mit einem schweren Seufzen öffnete ich das Dokument *Ohne Titel*.

Die letzte Szene, an der ich gearbeitet hatte, war der Höhepunkt des ersten Aktes (ganz nach Lehrbuch ungefähr auf Seite dreißig des hundertzwanzig Seiten starken Skripts angesiedelt). Welles, der Held, schnüffelt in der Kellerruine eines alten Bürogebäudes herum und stolpert versehentlich über einen uralten Laptop – ein Gerät, das ihm völlig unbekannt ist –, dessen Akku immer noch so viel Strom hat (ein Problem, für das ich natürlich noch keine Lösung parat hatte), dass er den Rechner hochfahren kann. Mir fiel auf, dass sich die Szene fast bis auf Seite vierzig zog. Da gab es noch einiges auszudünnen. Also las ich stöhnend, was ich zuletzt geschrieben hatte – besonders plumpe Dialogpassagen entlockten mir sogar kleine Schmerzensschreie. Ich löschte einige Stellen, dachte einen Moment nach und tippte dann los:

Es ist dunkel. Durch Risse in der Mauer der Ruine fällt trübes Tageslicht. Als Welles mit der Hand über das seltsame schwarze Plastikobjekt fährt, berührt er aus Versehen den »An«-Schalter. Plötzlich erwacht der Laptop zum Leben, das sanfte blaue Leuchten des Bildschirms wirkt in dieser Welt so fremdartig und futuristisch wie der Obelisk in *2001*. Erstaunt weicht Welles zurück.

Mein Tutor im Kurs für Kreatives Schreiben hatte mir den Floh ins Ohr gesetzt, ich müsste *irgendetwas* Literarisches machen. Doch bei der Vorstellung, mich an einem Roman zu versuchen, überkam mich die blanke Panik. Drei- oder vierhundert Seiten? Sich mit Joyce, Nabokov und Proust messen? Ein Drehbuch hingegen brauchte nur knapp hundert Seiten lang zu sein. Mit vielen Dialogen. Und man maß sich mit ... ja, mit wem eigentlich genau? Joe Eszterhas? Oder dem Typen, der *Zebo, der Dritte aus der Sternenmitte* geschrieben hatte? Das erschien mir weniger einschüchternd.

Wie so viele Trottel vor mir lag ich gründlich daneben. Im Laufe der letzten fünf Jahre hatte ich mich – inspiriert durch einen ganzen Stapel Leitfäden – an drei Drehbüchern probiert und alle irgendwo zwischen dem ersten und dem zweiten Entwurf verworfen. Da war der Science-Fiction-Western: eine Art Neuinterpretation von *Rio Bravo*, angesiedelt auf dem unwirtlichen Mond eines weit entfernten Planeten. (»Man nehme die wesentlichen Elemente eines Klassikers und verpflanze sie in eine völlig andere Umgebung.«) Da war der Monster-Film: ein Horrorstreifen mit riesigen, prähistorischen Käfern in den Schächten einer verlassenen Mine. (»Gute Ideen für Low-Budget-Horrorfilme lassen sich immer verkaufen.«) Und dann gab es da noch das Roadmovie über zwei alte Freunde, die losziehen, um gemeinsam ihre College-Liebe aufzuspüren. (»Männerfreundschaften gehen immer.«) Durch die Arbeit an diesen Katastrophen hatte ich vor allem eines gelernt: dass Drehbücher nämlich in Wahrheit verdammt schwer zu schreiben sind. Dass ihre Qualität abhängig ist von Dichte, Reduktion und insbesondere, wie jede Form des fiktionalen Schreibens, von jener alles entscheidenden Lebensnähe, die einzig dadurch zu erzielen ist, dass der Autor seine persönlichen Erfahrungen in die Zeilen mit einfließen lässt.

Ich war in vielerlei Hinsicht ein guter Student. Jahrelang setzte ich alles um, was ich in den Vorlesungen lernte. Ich verordnete mir tägliche Schreibzeiten. (Wie Stephen King schon sagte: »Die Chancen, dass die Muse dich besucht, erhöhen sich, wenn sie immer weiß, wo sie dich finden kann.«) Ich hatte William Goldmans Maxime »Die drei wichtigsten Aspekte des Drehbuchschreibens: Struktur, Struktur *und* Struktur« verinnerlicht und mir Syd Fields Ratschlag »Kenne dein Ende!« zu Herzen genommen. Mehr als in allen anderen fand ich mich in David Mamets Beobachtung wieder, dass Künstler davon getrieben wären, »die Last des unerträglichen Missverhältnisses zwischen ihrem Bewusstsein und ihrem Unterbewusstsein zu verringern, um so Frieden zu finden«. Aber genau das war es, was mir nicht so recht gelingen wollte.

Denn an ebenjenem Ort, von dem ich erzählen wollte, fand ich bloß ein gähnendes Nichts. Gut, kein Nichts im eigentlichen Sinne. Es war eher eine zugesperrte Schatzkammer, meine ganz persönliche Kellerszene.

Ich las die Seite noch einmal, löschte den größten Teil und beschloss, zum Essen in die Stadt zu fahren.

14

Alarbus, Saskatchewan – Einwohnerzahl 12 000 – lag sechs Meilen südlich von uns in Richtung Regina. Ein florierendes Städtchen, an dessen Hauptstraße, der Quintus Avenue, sich Buch- und Antiquitätenläden, Designerboutiquen, ein Starbucks, Clarkes Metzgerei, Hermanns Schreibwarenladen und ein Delikatessengeschäft, in dem wir unsere Oliven und den Prosecco kauften, aneinanderreihten. Es gab eine Handvoll beeindruckender Jahrhundertwende-Gebäude wie die ehemalige Bank (in der nun das Grange residierte, ein Luxushotel mit Steak- und Seafood-Restaurant), die alte Post und das Gericht.

Ich erstand bei Hermanns einen Packen Kopierpapier und Druckerpatronen. Bei Starbucks trank ich einen Caffè Latte und las die Zeitung – es schneite noch immer, aber jetzt etwas sanfter. Die Menschen hasteten durch den Schnee, trugen in Papier geschlagene Pakete mit Fleisch aus der Metzgerei oder bummelten auf der Suche nach Kirschholzsekretären und Tiffany-Lampen die Schaufenster der Antiquitätenläden entlang. Ein Pärchen ging lachend vorbei, der junge Mann hatte seinen langen Schal um beider Schultern geschlungen. Autos parkten aus und fuhren vorsichtig an. Fast wie neugeborene Fohlen oder Kälbchen, die zitternd auf die Beine kamen, schlitterten sie unbeholfen auf die Straße hinaus und schlingerten durch den vereisten Schneematsch davon.

Ich überlegte, was ich zum Abendessen kochen könnte. Entenbrust mit wildem Reis und Spinat. Ich könnte eine Soße dazu machen, die Pfanne mit einem Schuss Rotwein ablöschen und das Ganze am Ende flambieren – Walt liebte es, wenn ich das tat. Oder sollte ich beim Metzger vorbeigehen und etwas Speck oder Pancetta besorgen, um die Entenbrust darin einzuwickeln? Der Gedanke ans Kochen weckte meinen Appetit. Es war bereits nach eins, und ich hatte seit den Pfannkuchen nichts mehr gegessen. Auf der anderen Straßenseite sah ich das rot und blau leuchtende Neonschild von Dorian's Bar & Grill und darunter, in Weiß, das Wort HAUSMANNSKOST.

Noch während ich den Mantel an die Garderobe hängte und den Schnee von meinen Stiefeln klopfte, stieg mir der Duft aus der Küche in die Nase. Dorian's war ein langer, niedriger Schlauch mit einer runden Mahagoni-Bar, die den Raum in zwei Hälften teilte. Im vorderen Bereich standen Tische mit roten Kunstlederbänken. Bunte Glasmosaik-Lampenschirme hingen über den Sitznischen und tauchten sie in grünliches Licht. Der hintere Teil bestand aus einem kleinen Tanzboden mit einer niedrigen Bühne, auf dem jetzt zwei Billardtische standen. Sie wurden zur Seite gerückt, wenn am Wochenende Bands auftraten. »Hallo, Donnie«, begrüßte mich Ben, der hinter seinen kupfernen Zapfhähnen stand. »Bin gleich bei dir.« Er stellte das frisch gezapfte Bier vor einer Gruppe von Stammgästen auf dem Tresen ab, die gerade ein Eishockeyspiel verfolgten. Ich erkannte ein paar von ihnen und nickte ihnen zu. Sammy und ich waren, nun, vielleicht nicht direkt Lokalprominenz, aber doch bekannte Gesichter. An einem Ort wie diesem brauchte es dazu nicht viel. Wenn man einen Schwiegervater wie Sam Myers hatte und der eigene Name gelegentlich in der Zeitung auftauchte, dann reichte das völlig aus. »Was darf's denn sein?«, fragte Ben, der hinter der Bar hervorgekommen war und sich die Hände an seiner Schürze abwischte. Ben war Ende sechzig, und gemeinsam mit seiner Frau Kim betrieb er das Lokal schon seit über dreißig Jahren. »Seit Hitler Gefreiter war«, pflegte er zu sagen. Ben hatte krauses, schlohweißes Haar und trug eine Drahtgestell-Brille. Er hatte etwas von einem liebenswürdigen Professor.

»Was ist denn das Tagesgericht?«

»Wildragout. Kim lässt das Fleisch schon seit dem Frühstück in Rotwein köcheln.«

»Gekauft. Und ... ähm ...« Ich zögerte, mein Blick wanderte zu den Softdrinks im Kühlschrank und wieder zurück zum Zapfhahn. »Ein Bier, bitte.«

»Wir haben von eurem Hund gehört. Schreckliche Sache«, sagte Ben.

»O ja. War nicht einfach für Walt.«

»Das glaube ich gern. Wölfe, stimmt's?«

»Sieht zumindest danach aus.«

»Sind auch schon ein paarmal an unseren Mülltonnen gewesen. Elende Quälgeister. Hier, bitte sehr ...« Er reichte mir das kalte, beschlagene Glas. »Setz dich doch schon mal, Donnie. Ich bring dir das Essen rüber.«

Da ich um diese Uhrzeit nur selten trank, stieg mir das Bier bereits nach zwei schuldbewussten Schlückchen zu Kopf und tauchte die Szenerie auf der Quintus Avenue in rosige Weihnachtsfarben. *Vielleicht ist der Keller, in dem Welles den Laptop findet, ja mit einem Generator ausgestattet, der immer noch läuft. Oder vielleicht muss ich das auch gar nicht so genau erklären. Wird der Leser diese Szene wirklich hinterfragen? Wäre es nicht möglich, dass es sich bei dieser Passage um genau das handelt, was Jonathan Demme einen »Kühlschrank-Moment« nennt? Etwas, das die Leute im Kino sehen ... und dann, ein paar Stunden später, wenn sie längst wieder zu Hause sind und den Kühlschrank öffnen, um sich was zu trinken zu holen, fragen sie sich plötzlich: »Moment mal, wie kann es sein ...?« Also ist der Akku des Laptops eben einfach noch nicht völlig leer. Warum auch nicht?* Allmählich schwand meine Unsicherheit. Unter Umständen könnte es funktionieren.

Sammy – als Mitglied des hiesigen Geldadels in Ausschüsse und Komitees der Wohlfahrtsorganisationen hineingeboren – hatte mich bis zu einem gewissen Grad als Projekt angesehen. Etwas, das es zu unterstützen, zu fördern und zu verändern galt. Als Erstes hatte das Rauchen dran glauben müssen. Ohne Wenn und Aber. Dann wurde das Trinken eingeschränkt. In meiner Heimat wurde bis zum Exzess gesoffen. Wo Sammy herkam, betrachtete man hingegen bereits den dritten Drink als üble Angewohnheit. An Drinks wurde genippt. Ein oder zwei Gläser Wein zum Essen mussten reichen. Ich sah mich selbst nie als Trinker, aber in meinen Junggesellenjahren hatte sich so manche Marotte eingeschlichen: die Flasche Wein beim Kochen, die oft schon leer war, wenn die Mahlzeit auf den Tisch kam, gefolgt von einer zweiten, die ich wiederum geleert hatte, bevor ich zu Bett ging. Es half gegen die Angstzustände, gegen das schleichende Gefühl der Furcht und Beklemmung, das mich Abend für Abend mit der Dämmerung übermannte. Für Sammy galt das Öffnen einer zweiten Flasche Wein bereits als »saufen«. Mittlerweile trank ich beim Kochen Diät-Cola oder Sprudelwasser, schenkte mir erst ein Glas Wein ein, wenn wir alle am Tisch saßen, und gönnte mir nur hin und wieder ein zweites. Ganz selten, wenn Sammy beschäftigt war und ich allein abräumte, erlaubte ich mir ein drittes Glas.

Mir schien es immer, als würde ich mich bereitwillig in ihr Optimierungsprogramm fügen. Es gab keinen Grund, ihr irgendetwas davon übel zu nehmen. Aber hin und wieder, wenn das zweite Glas Wein seine Wirkung entfaltete, überkam mich das dringende Bedürfnis, die Flasche Scotch aus dem Schrank zu holen und mir vor ihren Augen einen hinter die Binde zu gießen. *Wenn wir unser Erbgut verantwortlich machen, suchen wir die Schuld eigentlich bei uns selbst.* Manchmal konnte ich beinahe spüren, wie meine Gene sich aufbäumten, wie meine DNA ihre Ketten zu sprengen drohte und rief: »Das ist es, was wir wirklich wollen!«

In den zehn Jahren unserer Beziehung hatte es ein oder zwei kritische Situationen, Momente des Trotzes gegeben. Eines Abends war ich mit ein paar Redakteuren und einigen anderen Schreibern zum Essen verabredet gewesen. Am Ende landeten wir in einer Bar in Regina und gaben uns die Kante. Jemand bot mir eine Zigarette an, und ich griff zu. Dies löste ein so lange verschüttetes Glücksgefühl aus, dass ich eine ganze Packung geraucht hatte, bevor ich in den frühen Morgenstunden, nach Alkohol und Tabak stinkend, nach Hause getorkelt kam. Sammy hatte mir drei Tage lang die kalte Schulter gezeigt. Drei Tage, in denen wir uns beim Essen anschwiegen und – nachdem Walt im Bett war – in getrennten Zimmern vorm Fernseher saßen. In denen Sammy so weit auf ihrer Seite des Bettes schlief, wie es ohne herauszufallen möglich war. Am dritten Abend entschuldigte ich mich und versprach ihr, dass so etwas nie wieder vorkommen würde, woraufhin die Dinge allmählich zur Normalität zurückkehrten.

Dann war da noch jener Frühlingstag vor ein paar Jahren. Angesichts des angekündigten wärmeren Wetters hatte ich in der Werkstatt im Poolhaus damit begonnen, erste Vorbereitungen für den nahenden Sommer zu treffen, das Krocket-Set hervorzukramen und die Heizanlage des Schwimmbeckens wieder in Betrieb zu nehmen. Sammy und Walt waren unterwegs. Ich wühlte gerade auf einem der oberen Regalbretter herum, als ich in einer Werkzeugkiste unseres Gärtners eine Halbliterflasche Canadian Club, ein Päckchen Lucky Strike und unter dem Zellophan der Zigarettenpackung ein Streichholzbriefchen fand. Aus einem beknackten Impuls heraus goss ich einen großen Schluck Whisky in eine Plastiktasse. Ich kippte die Hälfte davon runter, zündete mir eine Zigarette an, setzte mich auf die Pinienholzbank im Umkleideraum und genoss das warme, bernsteinfarbene Brennen, den himmlischen Geschmack des Tabaks, während ich zusah, wie sich die Dämmerung über den Garten legte. Die letzten Lichtstrahlen fielen durch die staubigen Fenster, und der Rauch durchzog sie in schimmernden Strähnen. Ich nahm noch einen Schluck, steckte mir noch eine Kippe an und lag eine Weile einfach nur da, bis ich nervös wurde, den Raum lüftete und durch den Garten zum Haus lief, wo ich mich duschte, umzog, mich mit Aftershave übergoss und mir dreimal die Zähne putzte, bevor Sammy und Walt nach Hause kamen. »Du riechst gut, Daddy«, hatte Walt damals gesagt.

Das perfekte Verbrechen.

»Bitte sehr.« Bens Stimme ertönte wie aus dem Nichts, riss mich aus meinen Erinnerungen. »Genau wie bei Muttern.« Er setzte die Schüssel und ein Körbchen mit Besteck vor mir ab. »Brauchst du sonst noch was?«

»Nein, alles bestens. Danke, Ben.«

»Guten Appetit.«

Das Ragout war dickflüssig, von einem tiefen, rötlichen Braun, mit Kartoffelstücken, Erbsen und zartem Hirschgulasch. Heißer Dampf stieg davon auf und wärmte mein Gesicht. *Wie bei Muttern.* Ich versuchte mir vorzustellen, wie meine Mutter Karotten, Sellerie und Lauch fürs Suppengrün würfelte, eine Flasche Rotwein in einen Topf mit fünf Pfund Hirschgulasch schüttete, die köchelnde Soße immer wieder abschmeckte – und war kurz davor, laut aufzulachen. Nein, Monsieur Proust, das hatte nichts mit Ihrer unwillkürlichen Erinnerung zu tun. Das Essen meiner Kindheit sah anders aus: Fischstäbchen und Dosenspaghetti, Hackbraten mit Kartoffeln, Campbell's Tomatensuppe, Tiefkühl-kroketten und Erbsenpüree. Der bloße Gedanke, meine Mutter würde etwas wie dieses Ragout zubereiten, war aberwitzig. Wie die Vorstellung, dass einer dieser TV-Sterneköche mit dem Dosenöffner eine Büchse Corned Beef bearbeitet.

Nun musste ich wirklich lachen.

15

Gegen Bannys Familienleben sah meines aus wie das der Waltons. Er war damals eines der wenigen Kinder gewesen, dessen Eltern geschieden waren. Seine braune Adidas-Tasche mit ihren Edding-Graffitis (»Mods«, »1690«) über die Schulter geworfen und alle zehn Schritte auf den Boden spuckend, schien er zwischen seiner Mutter und seinem Vater hin und her zu pendeln, um immer so lange bei einem Elternteil zu bleiben, bis er lästig und zum anderen abgeschoben wurde. Mein Familienleben war steril und lieblos, aber in der Regel stand zu festen Zeiten etwas zu essen auf dem Tisch. Meine Eltern legten großen Wert darauf – auch wenn sie es nicht immer überprüften –, dass ich zu halbwegs vernünftigen Zeiten ins Bett ging, und meine Sachen wurden gewaschen. Banny hingegen lebte von Fastfood, Pizza und dem China-Imbiss. Manchmal roch er ein wenig streng.

Die Scheidung seiner Eltern wurde niemals angesprochen. Ich hatte ihn selten so ausrasten sehen wie damals, als Adam Adrian ihn im Streit einen Bastard nannte. Normalerweise warfen wir uns weitaus schlimmere Beleidigungen an den Kopf, aber die Wortwahl war in diesem Fall ziemlich ungewöhnlich. In unserem Sprachgebrauch war »Bastard« damals etwas, was man sagte, wenn man mit dem Luftgewehr auf eine Möwe oder einen tschilpenden Spatzen zielte und danebenschoss. »Du Bastard, du!«, rief man dann, wenn der Vogel davonflatterte. *Bastard* als direkte Beleidigung war eher selten. Wir nannten uns bevorzugt *Wichser, Schwuchtel, Fotze, Pisser, Missgeburt* und *Penner.* »Lahmer Bastard« sagte man schon mal, wenn jemand besonders langsam oder schwer von Begriff war. Aber es war nicht »lahmer Bastard«, was Adam in jener Pause zu Banny sagte, als wir uns hinten bei den Mülltonnen die qualmenden Kippen hin und her reichten. Ich weiß nicht mehr, worum es bei dem Streit ging, aber Adam drehte sich von Banny weg und keifte: »Du dreckiger Bastard, du.«

»Wie hast du mich grade genannt?«, fragte Banny, während wir anderen zurückwichen. Er hatte verstanden: Adam hatte ihn einen Bastard genannt, weil seine Eltern nicht verheiratet waren. Ein paar Minuten später, mit blutiger Nase, einem wackelnden Schneidezahn und dem gerade noch sichtbaren Abdruck eines Doc-Martens-Stiefels auf der Wange, nahm Adam es zurück.

Bannys Eltern waren jung. Seine Mutter hatte kurz nach ihrem sechzehnten Geburtstag geheiratet, als unter dem billigen Brautkleid bereits der kleine Banny strampelte. Sie war achtundzwanzig, als ich Banny kennenlernte, sein Dad vielleicht ein Jahr älter. Folglich taten sie Dinge, die meine Eltern niemals taten. Bis spät in die Nacht hörten sie laute Musik, es gab ständig Streitereien mit den Nachbarn, jedes Wochenende waren Partys angesagt. Besonders in der Bude seines Dads, der Kumpels hatte, die freitagabends bei ihm einzogen und erst in den frühen Morgenstunden des Montags wieder verschwanden.

Seine Mutter war die Schlimmere von beiden. Sie ging abends aus, übernachtete bei Freunden und ließ Banny mit seiner kleinen, elfjährigen Schwester allein. Was immerhin bedeutete, dass Tommy und ich zu ihm rübergehen konnten. Wenn man durch die Haustür trat, fiel einem zuerst der Geruch auf: klamm und muffig, wie feuchte Haferkekse. Auf dem abgenutzten Teppich im Flur trafen sich drei ausgetretene, deutlich sichtbare Pfade: Einer führte in die Küche, einer ins Wohnzimmer und einer zur Treppe. Die Laken und Decken auf Bannys Bett – das Tommy und ich uns teilten, während er im Bett seiner Mutter schlief – waren zerfleddert, dünn und feucht. Außerdem war es selbst im Frühjahr sehr kalt im Haus. Es gab keine Zentralheizung, sondern nur drei kleine Heizöfen, zwei im Erdgeschoss und einen im Schlafzimmer seiner Mutter. Als ich das erste Mal dort übernachtete, fragte mich Banny, ob ich eine Wärmflasche wolle. Er brachte mir eine mit kochendem Wasser gefüllte Cola-Flasche. Das Glas war so heiß, dass man nicht mit dem nackten Bein dagegenkommen durfte. Tommy und ich stimmten darin überein, dass Bannys Haus »eklig« war. Aber natürlich behielten wir das für uns.

Bannys Mutter hatte als eine der Ersten in unserem Kaff einen Videorekorder. Ihre Nachbarin, eine ausgemergelte, gebrechliche Frau, die von allen nur »die alte Joan« genannt wurde, besorgte uns bereitwillig im Schnapsladen Alkohol, meistens eine Halbliterflasche Smirnoff und ein Sixpack Kestrel. Nach ein paar Wodkas gemischt mit Cola oder Limonade und einer Büchse Bier erschien uns das Haus wärmer und heller, wenn wir es uns gemütlich machten, um *The Boogeyman*, *Ich spuck auf dein Grab*,

Brennende Rache oder manchmal auch einen Porno zu glotzen, den wir uns von Bannys Dad geliehen hatten. Dabei lachten wir und witzelten herum – außer bei gewissen Stellen in den Sexfilmen. Da wurde es dann plötzlich sehr still im Zimmer. Man hörte sich selbst atmen und spürte den klopfenden Puls im Schritt.

Sämtliche Details – die unbeaufsichtigten Teenager, der Alkohol, die gewalttätigen und pornografischen Videofilme – sollten später vor Gericht noch ausführlich dargelegt werden.

Im Gegensatz zu seiner Mutter, die uns rauswarf, wenn ihre Freundinnen zu Besuch kamen, schien Bannys Dad sich nicht an unserer Gegenwart zu stören. Wir nannten ihn beim Vornamen, Jim, nicht Mr. Bannerman. Von allen Erwachsenen war er der Einzige, der das zuließ. Als wir dreizehn waren, erlaubte er uns hin und wieder, bei seinen Partys dabeizusitzen, ein paar Flaschen Bier aus den Kästen auf dem Küchenboden abzuzweigen und im Wohnzimmer zu bleiben, wo auf dem Fernseher in Endlosschleife Pornos liefen. Manchmal kamen auch Mädchen zu diesen Partys, aber meistens waren da einfach nur ein Haufen Kerle sowie Banny, Tommy und ich.

Eines Abends ergänzten wir die paar Flaschen Bier um eine Flasche Whyte & Mackay und soffen uns richtig die Hucke voll. Bis zum Anschlag. Ich weiß noch, wie ich durch den Flur taumelte, auf der Suche nach dem Klo, auf der Suche nach irgendetwas, in das ich reinkotzen konnte. Aus dem Wohnzimmer dröhnte »Antmusic« von Adam & The Ants, übertönte den Lärm der Gespräche, das Gelächter, das Stöhnen des Pornos. Vor mir sah ich Banny aus einem der Schlafzimmer kommen. Seine Augen waren feucht und gerötet. Er schaute mich nicht an, sondern blickte starr geradeaus. Ich hastete ins Bad, eine Hand vor dem Mund, um den billigen Scotch daran zu hindern, meinen Mageninhalt vorzeitig hinauszubefördern. Da sah ich aus dem Augenwinkel zwei Gestalten in dem abgedunkelten Raum. Es war nur ein sehr flüchtiger Blick, während ich aus dem düsteren Flur ins grelle Licht des Badezimmers torkelte. Aber ich erkannte Bannys Dad. Er steckte sich das Hemd in die Hose und zog sich den Gürtel zu.

Einmal, ein paar Wochen nach diesem Abend, war ich kurz davor, es Tommy gegenüber zu erwähnen. Banny hatte die Grippe, deshalb waren wir an jenem Nachmittag nur zu zweit. Wir schlenderten runter zur Spielhalle und machten Witze darüber, wie schwer es war, richtig zu pinkeln, wenn man einen Ständer hatte.

»Allerdings«, sagte Tommy. »Banny und ich haben das mal versucht, im Wald. Der bescheuerte Arsch. Weißt du noch ...« Er verstummte.

»Was?«, fragte ich.

»Nichts. Ich hab's vergessen.«

Es folgte ein Augenblick wortloser Stille. Wir gingen weiter. Tommy spuckte auf den Bürgersteig.

»Tommy, erinnerst du dich an die Party bei Bannys Dad vor ein paar Wochen? Ich ...« Bevor ich fortfahren konnte, zeigte Tommy aufgeregt auf die Treppe zur Hintertür eines Hauses.

»Guck dir das an, Mann. Limo-Flaschen! Da gibt's Pfand für!«, rief er und stürmte auf seine glitzernde Beute zu.

Doch da gab es noch etwas anderes, worüber ich mit niemandem sprach. Noch nicht mal mit Tommy.

Der Camping-Ausflug.

Im letzten August, kurz vor dem Ende der Sommerferien, waren wir zu viert zelten gewesen. Banny, Tommy, Alec Hardy und ich. Tommy, Alec und ich hatten unseren Eltern erzählt, wir würden bei einem der anderen übernachten. Banny hatte seinen Eltern überhaupt nichts erzählt. Es ging ihnen am Arsch vorbei. Alecs Eltern fuhren regelmäßig zum Campen, und neben ihren beiden Zwei-Mann-Zelten schmuggelte er auch einen kleinen Gasbrenner, ein paar zerbeulte Emailletöpfe sowie einige angeschlagene Teller und Tassen aus ihrer Garage. Wir alle plünderten die Speisekammern unserer Mütter und trugen diverse Dosen mit Bohnen, Spaghetti und ein paar Kanten Brot zusammen. Banny überredete die Nachbarin seiner Mutter, acht Flaschen Bass Special und eine Halbliterflasche Wodka für uns zu besorgen.

Schwer bepackt marschierten wir über die Umgehungsstraße bis zum Eglinton Park, dann um den See herum und Richtung Kilwinning in den Wald. Neben einem Bach errichteten wir unser Lager, bauten die Zelte auf und entzündeten ein Feuer.

Es war großartig. Wir aßen Bohnen und Dosennudeln am Lagerfeuer, während die Sonne unterging. Als wären wir am Ende der Welt, inmitten einer abgelegenen, unbesiedelten Wildnis, nicht bloß in einem Wäldchen, weniger als eine Meile von einem öffentlichen Park entfernt. Als es dunkler wurde, spürten wir, wie sich ein leichtes Gruseln breitmachte, das jedoch durch das Klacken und Zischen beim Aufreißen der Ringverschlüsse rasch vertrieben wurde. Der Alkohol wärmte unser Blut und verlieh uns das Gefühl, unbesiegbar zu sein, als wir uns um das Feuer drängten. Statt uns wie geplant Horrorgeschichten zu erzählen, redeten wir am Ende über die Mädchen aus der Schule und über Sex.

»Karen McLintoch?«, protzte Alec. »Die hab ich bei der Weihnachtsdisco gefingert, Alter.«

»Einen Scheiß hast du!«, rief Tommy.

»Ich schwör's, beim Leben meiner Mutter«, sagte Alec. »Weißt du noch, Banny? Am Ende des Flurs, beim Weihnachtsbaum?«

»Wen interessiert's ...«, erwiderte Banny und öffnete sein zweites Bier. Der Schaum lief an der Dose herunter. Er setzte sie so schnell wie möglich an die Lippen, um nichts zu vergeuden. Dann rülpste er und sagte: »Diese McLintoch ist eine beschissene Schlampe. Die treibt's mit jedem. Ich hab sie auf der Party von Stevie Blairs großem Bruder gevögelt.«

»Kann nich' sein«, staunte Alec.

»Willste eine auf die Schnauze?«, fragte Banny. »Meinste etwa, ich denk mir das nur aus, dass ich diese Missgeburt genagelt habe?«

»Sie is' in Ordnung«, murmelte Tommy.

»Karen McLintoch?«, pöbelte Banny. »Die hat 'ne Fresse wie'n skalpierter Arsch.«

»Alles klar, und du bist der Trottel, der sie gevögelt hat«, sagte Alec.

»Und ob ich das hab«, erklärte Banny und stand auf. »Wenn du den Wagen in die Garage fährst, dann achteste nich' auf den Vorgarten, Kleiner.« Er rülpste wieder, machte seinen Hosenstall auf und verschwand im Gebüsch. Wir anderen lachten. Es war dieses reflexartige, leicht irre Lachen, das Banny mit seinen Witzen provozierte. Tommy klopfte sich auf die Schenkel und wiederholte: »Wenn du den Wagen in die Garage fährst, dann achteste nich' auf den Vorgarten! Ganz genau, Alter!«

Alec und ich blickten uns über das Feuer hinweg an. Er hatte aufgehört zu lachen. Und obwohl mir der Rauch in den Augen brannte, konnte ich erkennen, dass er den Kopf schüttelte.

Ich weiß noch, dass ich einen kräftigen Schluck Wodka nahm, der mir wohl den Rest gab. Saure Flüssigkeit flutete meine Mundhöhle, und mit prallen Wangen wankte ich ins Unterholz. Erbrochenes ergoss sich über Büsche und Baumstümpfe. Unter dem Gejohle, Gelächter und den Rufen der anderen kroch ich wimmernd in eines der Zelte und schlief auf der Stelle ein.

Mitten in der Nacht schreckte ich schweißgebadet aus einem feuchten Traum hoch. Ich lag vollständig bekleidet in meinem Schlafsack. Es war totenstill und eisigkalt, draußen erstarb mit mattem Glühen und Knistern das Lagerfeuer. Ich hatte eine Erektion und spürte einen stumpfen, schmerzhaften Druck in der Leistengegend. Ich brauchte einen Moment, um zu begreifen, dass da eine Hand in meiner Hose war, die meinen Penis umschloss. Ich fühlte heißen Atem in meinem Nacken. Dann hörte ich Bannys Stimme. »Komm«, flüsterte er keuchend und drängend. »Komm ...«

Mein Körper erstarrte. Steif vor Angst blieb mir fast das Herz stehen. Ich stierte in die kalte Dunkelheit und spürte, wie Banny sich von hinten an mich presste.

Ich fing leise an zu weinen.

Es dauerte etwas, bis er verstanden hatte, was los war. Leise brummelte er ein empörtes »Ach, was soll'n das jetzt, Mann«. Dann ließ er mich los, rollte sich weg und drehte mir den Rücken zu. Ich lag bloß da und blinzelte mit tränennassen Augen in die Dunkelheit, bis ich kurz vor dem Morgengrauen endlich einschlief.

Niemand erwähnte es mit einem Wort – und nach ein paar Tagen hatte ich mir selbst eingeredet, das Ganze nur geträumt zu haben.

16

An diesem Freitag wurde es nachmittags um vier schon dunkel, und ich stand in Daunenjacke, Wollschal und Stiefeln an der Bushaltestelle. Der Sturm kündigte sich bereits an. Dichte Schneeböen wehten über die Straße, sodass ich die orangefarbenen Scheinwerfer des Schulbusses kaum erkennen konnte, als dieser langsam den Hügel herab auf mich zurasselte. Ich war nervös und hatte eine große Tasse Kaffee getrunken, um der Müdigkeit nach dem Bier entgegenzuwirken.

»Daddy!«, rief Walt, als er vor den beiden Franklin-Jungs vorsichtig die vereisten Stufen hinabstieg. Hinter den Kindern strömte ein dampfender Hitzeschub aus dem Bus. Ted, der Busfahrer, thronte oben in seiner hell erleuchteten Kabine.

»Wie sind die Straßen?«, fragte ich ihn und versuchte dabei, das Gurgeln des Dieselmotors zu übertönen.

»Die Hauptstraßen sind halbwegs passierbar. Wenn man sehr langsam fährt. Ich weiß allerdings nicht, wie lange ich es noch bis hier rauf schaffe.«

»Alles klar. Danke, Ted.«

Ich brachte Walt ins Haus, trocknete ihn ab, setzte ihn mit Milch und einem Erdnussbutterbrot vor den Fernseher, ließ ihn Zeichentrickfilme gucken und rief

Sammy auf ihrem Handy an. »Der gewünschte Teilnehmer ist leider zurzeit nicht erreichbar«, teilte mir eine sanfte, weibliche Stimme mit. Sie klang irgendwie selbstgefällig, fast euphorisch, was mich an diese übertrieben höflichen, bösartigen Computer erinnerte, wie sie in Science-Fiction-Filmen so beliebt sind: MU-TH-UR 6000 aus *Alien* oder Hal aus *2001*. Ich rief im Büro an. Kelly, Sammys persönliche Assistentin, nahm den Hörer ab.

»Hallo, Kelly. Ist Sammy noch da?«

»Nein. Sie ist kurz vor der Mittagspause gegangen. Sie sagte, sie müsse sich mit jemandem treffen und würde dann direkt nach Hause fahren. Ich dachte, sie wäre längst bei Ihnen.«

»Nein ... ich ...« Angst durchzuckte mich wie ein Stromschlag.

»Haben Sie es auf ihrem Handy probiert?«

»Da ist sie nicht erreichbar. Wen wollte sie denn treffen?«

»Ich weiß es nicht, Donnie. Schien ziemlich kurzfristig zu sein. Der Termin stand nicht in ihrem Kalender.«

»Verstehe.«

»Sie steckt vermutlich nur irgendwo im Verkehr fest, und ihr Handy kriegt keine Verbindung.«

»Alles klar. Danke, Kelly. Ich probier's einfach weiter.«

»Schönes Wochenende.«

»Ebenfalls.«

Ich legte auf, machte den Fernseher an und zappte durch die Kanäle bis zum lokalen Wetterbericht. Der Reporter stand in Daunenjacke vor einem Stau auf dem Highway 10 außerhalb von Regina. Schnee wirbelte um ihn herum. Hinter ihm sah man rote Rück-

lichter, so weit man blicken konnte, und weiße Front-
scheinwerfer, die sich langsam in die entgegengesetzte
Richtung bewegten. »... Rückstaus auf den Highways 10,
5 und 1. Die gute Nachricht lautet, dass die wichtigsten
Straßen weiter befahrbar sind. Die Streudienste sind
unterwegs, die Leute sollten heute noch ihre Fahrt fort-
setzen können. Allerdings dürfte das noch einige Zeit
dauern ...« Ich stellte den Fernseher etwas leiser. Sammy
steckte bloß irgendwo im Stau, vielleicht sogar in einem
der Autos, die ich gerade im Wetterbericht gesehen
hatte. Falls sie es heute Abend nur bis Alarbus schaffte,
konnte sie sich immer noch ein Zimmer im Grange
nehmen. Morgen früh würden wir dann weitersehen.
Kein Grund, sich Sorgen zu machen.

Ich ging zum Panoramafenster hinüber und blickte
hinaus auf die Straße, wo sich ein paar Scheinwerfer
langsam vorwärts tasteten. Sie passierten das Haus und
wurden zu roten Rückleuchten. Ein orangefarbenes
Licht begann zu blinken, und an der nächsten Abzwei-
gung bog der Wagen ab: Irene, die von irgendwo nach
Hause zurückkehrte. Die Straßen waren also auch hier
noch befahrbar. Ich blickte auf die Uhr und sah, dass es
kurz nach fünf war. Ich beschloss, schon mal mit dem
Kochen anzufangen. Als ich die Flasche tiefroten Shiraz
öffnete und mir ein Glas einschenkte, redete ich mir
ein, dass ich den Wein für die Soße ohnehin aufge-
macht hätte, und ignorierte die Stimme in meinem
Kopf, die sagte: *Ein Bier zum Essen? Wein um fünf? Du
trinkst mehr als üblich. Du bist nervös – hab ich recht?*

Als das Wasser im Topf mit dem Reis zu kochen anfing und der Ofen hinter mir auf Temperatur war, zog

ich das große Chefmesser viermal über die Oberseite jeder Entenbrust durch das Fett bis knapp ins Fleisch. In die Schnitte massierte ich Meersalz und chinesische Fünf-Gewürze-Mischung, dann rieb ich das Fleisch mit ein wenig Olivenöl ein. Währenddessen erhitzte ich die schwere orangefarbene Grillpfanne auf der vorderen Flamme, bis kleine Rauchkringel vom Pfannenboden aufstiegen. Als ich die Entenbrüste mit der Hautseite nach unten hineinlegte, zischte das Fett, und der Rauch stieg bis zur Dunstabzugshaube. Ich schaltete gerade den Sauglüfter an, als Walt in die Küche trottete.

»Was gibt's zu essen?«

»Ente, quakquak. Hier, du kannst mir helfen.«

»O nein. Bitte keinen Knoblauch schälen!« Nicht unbedingt Walts bevorzugte Souschef-Aufgabe.

»Keine Angst.« Ich setzte den Dampfgareinsatz auf den Topf mit Reis und reichte ihm einen Beutel Spinat. »Mach den auf und kipp den Spinat in den Dampfgarer.«

Walt betrachtete die große Tüte voller smaragdgrüner Blätter. »Wir sind doch nur zu dritt, Dad.«

»Ich weiß. Sie fallen beim Kochen zusammen.«

»Wann kommt Mommy zurück?«

»Das wird vermutlich später werden, wegen des Wetters. Wir fangen einfach schon mal mit dem Essen an, wenn es fertig ist.«

Ich nippte an meinem Wein und sah zu, wie mein Sohn linkisch den Spinat in den Topf schüttete. »Wie war's in der Schule? Ist irgendwas Besonderes passiert?«

»Josh Barrett hat sich wieder Ärger eingebrockt.«

»Wie das?«

»Er ist einfach ein Pimmellutscher.«

»Walt! Sag so was nicht.«

»Warum?«

»Ich ... weißt du überhaupt, was das bedeutet?«

»So was wie Idiot oder so?«

»Nein, also ... sag es einfach nicht, verstanden?«

Walt überlegte einen Moment, während er weiter Blätter in den Dampfgarer stopfte, wobei die Hälfte wieder herausfiel. »Darf ich Lutscher sagen?«

»Nein, du kannst ... Blödian sagen.«

»*Blödian*? Oje, Dad.«

»Walt«, ermahnte ich ihn.

»Na gut. Er ist ein Blödian. Was soll das überhaupt bedeuten?«

»Ich glaube, das ist eine Mischung aus Blödmann und Idiot. Also, was hat Josh Hartlett getan?«

»Josh *Barrett*. Na gut, also, du weißt doch, dass wir bei Miss McGovers keine Süßigkeiten im Unterricht essen dürfen. Na ja, und er hat ... nein, warte, erst hat Alex Trower gesagt, er ...«

Und schon war Walt inmitten einer dieser wirren Geschichten, wie Achtjährige sie eben erzählen: ein Monolog voller Gedankensprünge, Abschweifungen und Nebenschauplätze. Charaktere tauchten genauso wahllos auf, wie sie wieder verschwanden, ohne dass sie für die geschilderten Ereignisse wirklich von Bedeutung waren. Dass am Ende dieser Erzählungen ein Fazit stand oder man irgendwelche relevanten Informationen erhalten hatte, war nicht zu erwarten. Es war ... als würde man eines meiner Drehbücher lesen.

Während ich mit halbem Ohr zuhörte, drehte ich die Entenbrüste mit der Grillzange um. Nach vier Minuten war die Haut schon herrlich knusprig. Ich gab ihnen ein paar Minuten auf der anderen Seite, legte sie dann auf ein Backblech und schob sie in den Ofen. Nach fünf Minuten würden sie schön rosa sein.

»Dad?«, fragte Walt.

»Was denn?«

»Glaubst du, Herby hatte Schmerzen? Als das Auto ihn angefahren hat?« Walt sprach leise, ohne mich anzusehen, voll und ganz auf den Spinat konzentriert.

Ich ging zu ihm und setzte das Weinglas ab. »Nein, mein Sohn. Ich glaube nicht. Er hat vermutlich gar nichts gemerkt.«

Diese unter Todesqualen gefletschten Zähne.

»Ich muss immer wieder an ihn denken.«

»Ich doch auch.« Ich legte meine Hand auf seinen Arm. »Das ist ganz normal, Walt.«

»Meinst du, wir können irgendwann einen neuen Hund haben?«

»Klar.«

Er hat sich selbst die Zunge abgebissen.

»Ich würde ihn aber nicht Herby nennen.«

»Wir können ihn nennen, wie immer du willst. Alles außer Pimmellutscher ist okay.«

Walt lachte über das verbotene Wort. Vom Wein etwas entspannt, sah ich meine Chance. »Hör mal, Walt. Es tut mir leid wegen neulich. Dass ich laut geworden bin wegen dieser Handy-Sache.«

»Schon okay.« Er zuckte mit den Achseln.

»Es ist halt ... als ich ein Kind war, da hatte ich nicht so schöne Sachen wie du. Manchmal ist das nicht ganz einfach für mich, wenn ich sehe, dass du so wenig darauf achtest. Aber ich hätte dich nicht so anschreien dürfen.«

»Hat dein Onkel dich angeschrien, als du klein warst?« Walt kannte nur die offizielle Version meiner Vergangenheit.

»Hin und wieder.«

»Warst du oft böse?«

»Ich schätze, das war ich wohl manchmal. Jetzt pass mal auf.«

Ich stellte die Grillpfanne, in der ich die Ente gebraten hatte, zurück auf den Herd und drehte die Flamme voll auf, bis die trockene Pfanne knisterte. Ich kippte ein Glas Wein hinein, und es begann sofort wie verrückt zu spritzen, zu zischen und zu blubbern. Ich neigte die Pfanne und ließ die Flamme vom Gasherd in die Flüssigkeit lecken. Blau-orangefarbene Zungen loderten zwanzig Zentimeter hoch in die Luft.

»Boah!«, rief Walt begeistert.

Ich blies die Flamme aus, kratzte mit einem Holzlöffel kleine Stückchen karamellisierter Ente vom Pfannenboden und rührte sie in die Soße. Schließlich fügte ich ein Stück Butter hinzu, um sie weiter anzudicken und ihr einen schönen seidigen Glanz zu verleihen. Dann ließ ich sie auf kleiner Flamme köcheln. »Also gut«, sagte ich und klatschte in die Hände, »das Essen ist in fünf Minuten fertig. Lass uns noch mal versuchen, deine Mom zu erreichen.« Ich griff nach dem schnurlosen Telefon und hob es an mein Ohr, riss es jedoch sofort wieder weg, als nur ein schriller Ton aus dem Hörer kam. Ich probierte es erneut, und wieder ertönte bloß dieses tote Fiepen.

»Mist.«

»Was ist los?«

»Ich glaube, die Telefonleitung ist tot.«

»Tot?«

»Das heißt kaputt. Vielleicht wegen des Sturms.«

Ich blickte auf mein Handy – kein einziger Balken war in der Anzeige für die Signalstärke zu sehen – und seufzte. »Mach dir keine Sorgen. Mommy geht's gut, da bin ich mir sicher.« Ich langte nach der Flasche Shiraz und sah, dass sie fast leer war. Trotzdem goss ich den Rest in mein Glas. »Na komm. Lass uns die Teller holen. Wie wäre es, wenn wir vor dem Fernseher essen und einen Film anschauen?« Ein seltenes Vergnügen, das Sammy normalerweise untersagte.

»Yippieh!«, rief Walt. Hinter ihm taumelten die Schneeflocken durch die schwarze Nacht und prallten lautlos gegen die dicken Glasscheiben.

Warst du oft böse?

Über die Tat selbst hatten wir monatelang nicht gesprochen. Bis zum Winter 1984. Die Bäume waren noch kahl, der ohnehin stets graue Himmel verdunkelte sich bereits um fünf Uhr nachmittags. Inzwischen waren wir bei Shakespeare angelangt. Mr. Cardew hieß für mich damals noch nicht Paul, bis dahin sollte noch einige Zeit vergehen. Doch wir waren uns nähergekommen. Ihm gelang es, dass ich mich da öffnete, wo ich mich sonst verschließen musste, um in der Haftanstalt zu überleben. Er zeigte mir, dass das, was ich damals war, nicht zwangsläufig definierte, wer ich später einmal werden würde.

Wir beschäftigten uns mit *Macbeth*, für die Englischprüfung zur Mittleren Reife, und hatten gerade die Szene gelesen, in der Duncans Frau und sein Baby getötet werden. Ich schwieg. Er legte sein Buch zur Seite, nahm die Brille ab und rieb sich die Augen. »Lass dir Zeit, William«, sagte er sanft.

»Wie bitte?«

»Was immer dir gerade durch den Kopf spukt. Lass dir Zeit damit.«

Ich blickte auf meine Gefängnisschuhe aus Plastik und sprach leise durch den Pony, der mein Gesicht verbarg. »Die Menschen hassen uns. Sie hassen mich.«

»Wer hasst dich?«

»Jeder. Für das, was wir getan haben.«

Ich schaute verstohlen zu ihm rüber. Er kaute auf dem Bügel seiner Brille herum, ohne mich anzusehen. Abermals herrschte Stille in diesem traurigen, grauen Raum. »Na ja«, sagte er nach ziemlich langer Zeit, »mich erstaunt immer wieder, wie sehr kindliche Grausamkeit die Menschen zu überraschen vermag. Sieh dir doch nur mal die Situation an, die wir gerade erst in Kambodscha hatten. Kleine Jungs mit Maschinengewehren an vorderster Front. Die Leute *wollen* dich für ein Monster halten, William, weil es so einfach ist. Dann müssen sie nicht weiter darüber nachdenken.«

»Vielleicht bin ich das ja. Ein Monster.«

»*Was Fliegen sind den müß'gen Knaben, das sind wir den Göttern; sie töten uns zum Spaß.* Das ist aus einem anderen Stück. *King Lear.* Weißt du, was müßig bedeutet, in dem Sinne, in dem Shakespeare es hier benutzt?«

Ich schüttelte den Kopf und musste gegen die Tränen ankämpfen.

»Grausam. Ungerecht. Unbarmherzig.«

»Wir haben das nicht gewollt.«

Er nahm meinen Kopf und drückte ihn sanft gegen seine Brust. Ich weinte. Und zum ersten Mal sprach ich aus, was an mir nagte, seit ich hierhergekommen war, seit ich den Brief meiner Mutter erhalten hatte.

»Was ... was wird mit mir passieren?«

Er roch nach Tabak und Rasierwasser. Die Ärmel seines Anzugs kratzten an meiner Wange, als er mein Gesicht in die Hände nahm und mir in die Augen sah.

»Hör mir jetzt gut zu, William.« Ich atmete tief durch und bekam das Schluchzen in den Griff. »Ihr habt etwas Schreckliches getan, du und deine Freunde. Aber du kannst immer noch zu einem guten Menschen heranwachsen. Und lass dir von niemandem etwas anderes erzählen. Hast du mich verstanden?«

Ich blickte ihn nur an. Er umfasste mein Gesicht fester und wiederholte es noch eindringlicher: »Hast du mich verstanden, William? Das ist sehr wichtig.«

Ich nickte.

»Guter Junge«, sagte Mr. Cardew.

17

Wir luden unser Abendessen auf große Tabletts und setzten uns damit ins Wohnzimmer vor den großen Fernseher, der wiederum in einem noch größeren Schrank hauste, dessen Türen sich zurückklappen ließen, um den Blick auf dieses Wunder der Technik und die nicht weniger beeindruckenden Module der Stereoanlage preiszugeben. (Sammy war von allen Personen, die ich kannte, die erste gewesen, die es *geschmacklos* fand, einen riesigen Fernseher zum optischen Mittelpunkt eines Raumes zu erheben.) Nach längerem Zappen durch die Kanäle blieben wir schließlich bei *Toy Story 3* hängen, obwohl wir den Film auf DVD hatten und er schon halb vorbei war. Seltsamerweise ist es immer spannender, einen Film zu entdecken, der bereits läuft, als sich die Arbeit zu machen, ihn selbst einzulegen.

Ich schreibe zwar, dass *wir* den Film sahen, doch in Wirklichkeit war ich mit meinen Gedanken ganz woanders und stellte im Kopf alle möglichen Berechnungen an. *Angenommen, die Besprechung heute Mittag hatte länger gedauert, und sie war erst um drei losgefahren. Dann müsste sie bei einer Stunde Fahrtzeit, und selbst wenn es aufgrund des Wetters drei Stunden gewesen sein sollten, jetzt in Alarbus angekommen sein. Vielleicht hatte sie auch versucht, uns von einem öffentlichen Telefon aus anzurufen, aber die verdammte Leitung war ja tot. Ob sie, wenn sie Wi-Fi hatte, eine E-Mail von ihrem Blackberry schicken konnte?* Ich überprüfte mein Postfach auf dem iPhone – nichts.

Der Film näherte sich dem Ende. In einem großen Verbrennungsofen rutschten die Spielzeuge einen Müllberg hinunter, dem Höllenfeuer und damit ihrem sicheren Verderben entgegen. Sie fügten sich in ihr Schicksal, nahmen sich an den Händen und bereiteten sich darauf vor, in Würde und Liebe zueinander dem Tod ins Gesicht zu sehen. Plötzlich schossen mir die Tränen in die Augen. Ich zog Walt auf dem Sofa an mich und drückte sein kleines Köpfchen gegen meine bebende Brust. »Nicht weinen, Daddy«, sagte Walt. »Alles wird gut.« Ich bin bei Filmen generell nah am Wasser gebaut, aber wenn sie mit Kindheit zu tun haben, mit Unschuld ...

Vielleicht wäre es besser, zu Irene rüberzugehen und zu sehen, ob ihr Telefon noch funktioniert. Was, wenn Sammy die Nacht im Auto verbringen müsste? Solange die Heizung in ihrem Wagen lief, konnte eigentlich nichts passieren. Wann hatte sie zum letzten Mal getankt? Ach richtig, gestern Abend. Auf dem Weg zur Party ihrer Eltern, also ...

»Daddy?« Walt hatte sich aufgesetzt.

»Mmmm?«

»Was ist das für ein Geräusch?«

Ich lauschte. »Was?«

»Hör doch mal.«

Ich drückte auf der Fernbedienung den Ton weg, rutschte an die Sofakante und lauschte konzentriert. Auf dem Bildschirm wurde gerade Lotso Knuddelbär vom Müllwagenfahrer aufgesammelt – mein letzter Eindruck, mein letzter Augenblick der Normalität. Jetzt konnte ich es auch hören: ein tiefes, regelmäßiges Knattern, irgendwo draußen, irgendwo über dem Haus, das immer lauter wurde. Wir gingen beide zum Panoramafenster und starrten hinauf in den schwarzen Himmel und das dichte Schneetreiben. Das Geräusch war nun sehr laut, selbst durch die doppelt verglaste Scheibe. Draußen musste ein ohrenbetäubender Lärm herrschen. Dann bohrte sich plötzlich ein Lichtkegel durch die Nacht und tastete die weiße Fläche vor unserem Haus ab. »Was ist das?«, fragte Walt verängstigt und klammerte sich an meine Hand. Am Himmel konnte ich nun weitere Lichter erkennen, die rot und blau blinkten.

»Das ist ein Hubschrauber.« Mein Mund war trocken.

Kaum hatte ich es ausgesprochen, zeigte sich der Helikopter. Majestätisch schwebte er aus der Dunkelheit herab, eine schwarze »157« auf den weißen Bauch gepinselt. Fenster und Boden vibrierten, als er knapp hundert Meter vom Haus entfernt schwankend seine langen Kufen in den Schnee grub. »Wow«, rief Walt, dessen Furcht sich in Begeisterung verwandelte.

Meine Gefühle rasten bereits in die entgegengesetzte Richtung. Denn jetzt konnte ich den goldenen Schriftzug auf der Tür der Maschine erkennen, die sich bereits öffnete. Zwei Gestalten sprangen heraus, duckten sich unter dem kreisenden Rotor und rannten auf unser Haus zu.

Ich las die Worte *Saskatchewan Police Department*.

Und dann rannte ich selbst los, sprintete in die Küche, fummelte mit zitternden Händen an dem Schloss herum, das die Schiebetüren zur Holzterrasse öffnete, und versuchte, Walts aufgeregt fragenden Redeschwall zu ignorieren. *Alle Telefone sind tot und die Straßen gesperrt. Aber ... um bei dem Wetter bis hier raus zu fliegen? Um Gottes willen.* Bilder von Auffahrunfällen und Notaufnahmen vor Augen, sah ich, wie die beiden Polizisten durch den knietiefen Schnee auf uns zustapften und dabei ihre Mützen zum Schutz gegen den Luftzug der Rotorblätter tief ins Gesicht zogen. Mit einem schweren Schnappen öffnete sich endlich das Schloss, und als ich die Tür aufschob, blies mir ein eiskalter Wind ins Gesicht. Walt wollte mir im T-Shirt auf die Terrasse folgen.

»Walt! Du bleibst hier drin!«

»Aber ...«

»Bleib verdammt nochmal HIER, Walt!« Einen Augenblick befürchtete ich, er würde anfangen zu heulen. Ich legte meine Hand auf seine Schulter. »Tut mir leid, aber es ist einfach zu kalt da draußen. Bitte warte hier kurz, in Ordnung?« Eingeschnappt ging er zurück in die Küche. Ich schob die Tür hinter mir zu, während die Polizisten die Treppe zur Terrasse heraufkamen. Alles wurde stiller, wie in Watte gepackt, als der Rotor des Hubschraubers mit leisem Flappen auslief. Ich konnte den Piloten im Cockpit erkennen, wie er Schalter umlegte und an Hebeln zog. *O mein Gott, o mein Gott, bitte mach, dass alles in Ordnung ist, bitte, bitte.* Alles wurde langsamer, wie in Zeitlupe. Ich fühlte mich, als würde ich auf der Stelle treten, während ich mich auf den ersten der beiden Beamten zubewegte, einen Mann Mitte fünfzig mit silbergrauem Schnauzbart, das Gesicht nass vom Schnee. Er zog einen Handschuh aus und streckte mir seine kalte Hand entgegen. Ich wusste, dass er meinen Namen sagte, aber ich konnte ihn nicht hören. Ich sagte bloß: »Ja?«

»Ich bin Sergeant Danko, Regina PD. Das ist Officer Hudson.« Ein wenig überrascht registrierte ich, dass Hudson eine Frau war.

»Es geht um meine Frau Sammy, oder? Ihr ist etwas zugestoßen.«

»Ich fürchte, ja.«

O Gott, o mein Gott, sie hätte in der Stadtwohnung bleiben sollen. Bitte mach, dass alles in Ordnung ist, bitte, bitte ...

»Können wir irgendwo ungestört sprechen?«, fragte Danko.

Ich blickte durchs Fenster und sah Walt allein in der Küche stehen. Den Kopf leicht gesenkt, beobachtete er uns schüchtern unter seinem Pony hervor.

18

Danko setzte sich mir gegenüber auf die Couch im Wohnzimmer. An die andere Seite des niedrigen Tisches, auf dem immer noch unsere Teller vom Abendessen standen. Walt blieb derweil mit Hudson in der Küche. Danko hatte die Mütze abgenommen, unter der dichtes silbriges Haar zum Vorschein kam, das ihm in feuchten Strähnen in der Stirn klebte. Während er erklärte, dass die Telefonverbindung unterbrochen war, drehte er die Mütze in seinen Händen, als würde er ein Lenkrad halten.

»Bitte, Sergeant, ist sie schlimm verletzt?«

»Ich fürchte, wir müssen davon ausgehen, dass sie tot ist.«

Mich überrollte eine Woge der Übelkeit, ein schwindelerregendes *Wuuuusch*, als wäre ich plötzlich aufgewacht und stünde schwankend am Rande eines Abgrunds. Ich schloss die Augen und bedeckte das Gesicht mit den Händen, versuchte tief durchzuatmen, während mein Verstand auf der verzweifelten Suche nach einem Halt umherirrte. Nach ein paar Sekunden hatte ich einen gefunden.

»Sie müssen davon ausgehen?«, fragte ich.

Ein Missverständnis. Es ist alles bloß ein Missverständnis.

»Na ja.« Danko schluckte. Erst jetzt fiel mir auf, wie nervös er war. Das ängstigte mich mehr als alles andere, denn er war ein alter Polizist. Ein erfahrener Mann, der, wie ich annahm, Gespräche wie dieses schon öfter geführt hatte, als ihm lieb war. Der schon in vielen Wohnzimmern und Küchen gesessen und tödliche Neuigkeiten wie diese übermittelt hatte.

»Wir konnten den Leichnam noch nicht eindeutig identifizieren. Eine Kreditkarte, die Ihrer Frau gehört, wurde bei dem Opfer gefunden. Aber es gibt – und das ist jetzt sicher nicht leicht für Sie – erhebliche Verletzungen an dem …«

Jedes einzelne Wort riss mir das Herz aus der Brust. »Opfer«, gelang es mir zu flüstern.

»Ich fürchte, ja. Es hat den Anschein, als sei Ihre Frau ermordet worden.« Jetzt fühlte ich Tränen auf meiner Wange, quälende Schluchzer kämpften sich ihren Weg nach oben. Ich hörte mich selbst »O Sammy, o nein« sagen, als mein Blick auf das Foto in dem Acrylglasrahmen auf dem Couchtisch fiel – wir drei am Strand, Weihnachten vor ein paar Jahren auf Hawaii. Sammy, die Walt mit einem großen beigefarbenen Handtuch abtrocknet. Völlig banale Erinnerungsfetzen dieses Nachmittags schossen mir durch den Kopf: das lange Warten auf den Aperitif in einem Restaurant, ein Streit übers Parken. Walts gewohntes Leben. Alles aus und vorbei.

»Mr. Miller, ich fürchte, wir …«, sagte Danko. Ich wusste, was er mich als Nächstes fragen würde. »Sie müssen …«

»Ich muss mitkommen, um sie zu identifizieren«, ergänzte ich mit zusammengebissenen Zähnen.

Er nickte traurig.

»Ich ... ich kann das nicht. Ich kann das Walt nicht zumuten.«

»Officer Hudson kann hier bei Ihrem Sohn bleiben. Sie ist ausgebildete Psychologin und sehr gut im Umgang mit Kindern. Wir sollten in weniger als einer Stunde wieder zurück sein. Es sei denn, Sie haben jemanden in der Nähe, bei dem er sich wohler fühlt ...«

»Das hab ich, da ... da ist eine Nachbarin.«

Er nickte erneut. »Mr. Miller, in Anbetracht der Umstände wäre es vielleicht besser, Ihrem Sohn nur zu sagen, dass Ihre Frau einen Unfall hatte und dass Sie bald zurück sein werden.«

Ich rief Irene vom Flur aus an. Sie ging beim zweiten Klingeln dran. »Sammy hatte einen Unfall«, probierte ich die Lüge bei ihr aus. »Ich muss mit der Polizei nach Regina fliegen. Ins Krankenhaus. Ich möchte Walt nicht mitnehmen. Tut mir leid, Irene. Aber wäre es möglich, dass Sie vielleicht ...?«

»O Gott. O mein Gott. Natürlich, Donnie. Sind Sie ... ist sie okay?«

»Ich glaube ... es steht ziemlich schlecht, Irene.«

Einen Augenblick lang glaubte ich fast selbst, was ich ihr erzählte. Ich malte mir aus, wie ich das Krankenhauszimmer betrat und Sammy dort liegen sah, inmitten eines Gewirrs von Schläuchen. Voller Blutergüsse und Schnittwunden, aber lebendig. Wie ich sie sanft auf die Stirn küsste und sie sich ein mattes Lächeln abrang, benommen von den Schmerzmitteln, während sie mir von dem Chaos auf der vereisten Straße berichtete.

»O nein. O Gott«, sagte Irene. »Ich bin sofort bei euch.«

Letztendlich schluckte Walt die Unfallgeschichte sehr viel problemloser als befürchtet. Er sah beunruhigt aus. Vielleicht war er aber auch eher neidisch, weil ich mit dem Hubschrauber fliegen durfte. »Ich bin in einer Stunde wieder da«, sagte ich ihm, zog den Reißverschluss meiner Daunenjacke zu und suchte nach meinen Handschuhen, als es sachte an der Glastür klopfte. Danko öffnete Irene, die nervös nickend in die Runde grüßte.

»Danke fürs Kommen, Irene.«

»Nicht doch«, sagte sie. »Ich habe ein paar Sachen mitgebracht, nur falls es länger dauern sollte als erwartet.« Sie setzte ihre Tasche ab, eine große, alte Arzttasche, wie Mary Poppins sie hatte. »Und Sie sind sich auch sicher, dass es keine Probleme macht, bei diesem Wetter zu fliegen, Officer?«

»Ja, Ma'am«, antwortete Danko. »Wir können aufsteigen und drum herumfliegen.«

»Also gut«, sagte ich, ging auf die Knie und umarmte Walt, wobei ich mich wieder mühsam beherrschen musste, nicht zu schluchzen. Ich holte einmal tief Luft. »Wir sehen uns gleich.«

Der Hubschrauber hob sofort ab, stieg dreißig, vierzig Meter beinahe kerzengerade in die Höhe – wobei ich Irene und Walt zurückwinkte, die im hell erleuchteten Küchenfenster standen –, bevor der Pilot die Nase der Maschine senkte und volle Kraft in den Wind hineinsteuerte. Wir entfernten uns vom Haus und gewannen allmählich an Höhe, während der Schnee um uns herumwirbelte.

Danko und ich saßen hinten, unter einen Gewehr-
ständer mit zwei Pumpguns und einem Sturmgewehr
gekauert. Als wir unsere Flughöhe erreicht hatten und
es ruhiger wurde, beugte er sich herüber und berichtete mir, was die Polizei bisher wusste.

Sammy hatte das Büro gegen elf Uhr dreißig für ein
außerplanmäßiges Meeting verlassen. Möglicherweise
war diesem Treffen ein Anruf vorausgegangen – ihr
Handy war noch nicht gefunden worden. Ihre Kollegen hatten angenommen, dass sie danach direkt nach
Hause gefahren war, um dem Sturm zuvorzukommen.
Ihre Leiche war um Viertel nach sechs von zwei städti-
schen Arbeitern auf einem unbebauten Grundstück
am östlichen Stadtrand von Regina gefunden worden,
ihre Brieftasche und ihr Ausweis ganz in der Nähe.

Wann ich sie zuletzt gesehen hatte? Auf der Party. Als
sie zum Kamin und dem Gespräch mit den Werbekun-
den zurückging. Den Träger ihres Abendkleides hoch-
zog.

Ich ließ den Kopf auf die Brust fallen und begann zu
weinen. Danko blickte in die andere Richtung.

Wenn ich gewusst hätte, dass es das letzte Mal sein
würde, dass wir miteinander sprechen, hätte ich ihr
einen Kuss auf den Mund gedrückt. Ich hätte ihr gesagt,
wie sehr ich sie liebe, hätte ihr dafür gedankt, dass sie
uns Walt geschenkt hatte und dass sie ihm eine so gute
Mutter war. Ich hätte ihr von all den Dingen erzählt, an
die ich mich aus unseren gemeinsamen Jahren erinnerte. All die Dinge, über die wir nie gesprochen hatten,
die aber für immer in meinem Gedächtnis eingebrannt
waren. Alberne, kleine Momente.

Sammy, wie sie kicherte und »Oh, *verstehe* ...« sagte, als ich mich unbeholfen über den Kneipentisch beugte, um sie zum ersten Mal zu küssen.

Sammy, wie sie lachte, als sie von meiner Angst vor Spinnen erfuhr.

Sammy auf dem Hotelbett, wie sie auf den Knien zu mir aufblickte, das Kinn verschmiert, und sagte: »Junge, das dürfte für heute aber genug Protein sein.«

Sammy, die fürchterlich weinte, als wir uns das erste Mal stritten.

Sammys schuldbewusster Gesichtsausdruck, als ich sie überraschend in einem Fastfood-Restaurant dabei ertappte, wie sie gerade in einen Burger beißen wollte.

Sammy, wie sie in die Kissen sank, nachdem sie gerade Walt geboren hatte. Benommen vom Blutverlust und fahl wie eine Geisha, aber lächelnd, als sie sah, wie ich ihn im Arm hielt.

An all das erinnere ich mich, Sammy. An alles.

19

Es war bei Miss Gilchrist im Unterricht passiert, etwa eine Woche nachdem Banny den Professor zwingen wollte, das Poster zu essen.

Der Schultag ging dem Ende zu. Müde und lustlos saßen alle in der Spätfrühlingshitze des Klassenraums. Miss Gilchrist hatte in ihrem Klassenzimmer bunte, fast schon philosophische Poster an den Wänden hängen – ein Cartoon-Kind auf einem Hocker, das Kinn auf die Faust gestützt, über dem Kopf eine Denkblase, in der stand: »Manchmal setze ich mich, um nachzudenken, und manchmal setze ich mich auch nur.« Oder vier Kühe auf unterschiedlichen Weiden, durch Stacheldrahtzäune voneinander getrennt, und jede Kuh steckte ihren Kopf durch den Zaun, um das Gras der anderen zu fressen.

Thema des Unterrichts war das Gedicht *In the Snack Bar* von Edwin Morgan. Ich weiß nicht, warum sie sich an diesem Tag plötzlich Banny vorknöpfte. Vielleicht hatte sie die Nase voll davon, dass er ständig aus dem Fenster starrte, ganz offensichtlich nicht zuhörte, sein Buch oder sein Pult verunstaltete und einfach nie aufpasste. Vielleicht war es das unaufhörliche Geflüster und Gekicher mit Tommy, der neben ihm saß. Was immer der Grund war, sie unterbrach Jackie Shaws endlosen, monotonen Vortrag des Gedichts und sagte: »Derek Bannerman?«

Banny blickte auf und unterbrach sein Getuschel mit Tommy. »Was?«

»Entschuldigung?«

Ein Seufzen. »Was, Miss?«

»Was glaubst du, warum der Dichter sich ausgerechnet für dieses Bild hier entschieden hat?«

Ein leerer Blick. Blanker Hass. »Keine Ahnung, Miss.«

»Nun, ich möchte dich bitten, darüber nachzudenken, Derek.«

Stille. Miss Gilchrist saß auf der Kante ihres Pults, die Arme verschränkt, in einer Hand das Gedichtbuch, als sich dreißig Gesichter zu Banny umdrehten. Allein indem sie diese Frage stellte, hatte sie eines der unausgesprochenen Gesetze gebrochen, die Schüler wie Banny schützten. Ein Gesetz, das grob umrissen lautete: »Lass mich in Frieden, dann erlaube ich dir, den Rest der Klasse zu unterrichten. Leg dich mit mir an, und du trägst das volle Risiko.« Sie hatte gegen die Etikette verstoßen und musste nun mit der entsprechenden Reaktion rechnen. Banny rutschte einen Moment auf seinem Stuhl herum, blätterte in seiner beschmierten Ausgabe von *Seven Modern Poets* und wartete darauf, dass sie seufzte und fragte: »Sonst irgendjemand?« Wartete darauf, dass die Finger sich hoben und alles seinen gewohnten Lauf nahm. Doch stattdessen erwiderte sie seinen trotzigen Blick, bis er schließlich dem ihren auswich und nervös ins flackernde Licht der Neonröhren hinaufstarrte. Irgendwann zuckte er mit den Schultern und sagte: »Weil er ein beschissener Schwanzlutscher ist, Miss?«

Die eine Hälfte der Klasse brach in Gelächter aus, die andere schnappte fassungslos nach Luft. Miss Gilchrist ließ das Gejohle abklingen und sagte dann: »Manchmal frage ich mich wirklich, warum du so ziemlich jeden, über den wir hier im Unterricht sprechen, für schwul hältst, Derek?«

Die Tatsache, dass eine Lehrerin das Wort »schwul« benutzte, ließ abermals Gelächter aufbranden. Dann erhob sich in der ersten Reihe eine einsame Hand.

Der Professor.

»Ja, Craig?«, sagte Miss Gilchrist.

»Das nennt man Verdrängung, Miss Gilchrist. Derek hält deshalb jeden für schwul, weil er insgeheim befürchtet, er könne selbst schwul sein.«

Der Effekt dieser Bemerkung auf die Klasse war schwer zu beschreiben. Einige Schüler lachten wohl wegen der erneuten Erwähnung des Wortes »schwul«. Aber die meisten von uns starrten den Professor bloß mit offenem Mund an, bevor wir uns langsam zu Banny umdrehten, um zu sehen, wie seine Reaktion ausfallen würde. Allmählich dämmerte uns die Ungeheuerlichkeit der Situation: Der Professor hatte Banny gerade vor der versammelten Klasse eine Schwuchtel genannt.

Banny wurde langsam sehr, sehr rot. Feuerrot. Sein Gesicht glühte wie ein Lampion. Ich spürte, wie mir selbst das Blut in die Wangen schoss.

Der flüchtige Blick ins dunkle Schlafzimmer auf der Party im Haus seines Dads. Wie die beiden Gestalten sich vom Bett erhoben und angezogen hatten. Bannys trotziger Blick. Der Tag, an dem Tommy mir etwas sagen wollte: »Weißt du noch, damals?« Die Worte hatten ihm auf der

Zunge gelegen, bevor er losgerannt war, um sich die Pfandflaschen unter den Nagel zu reißen. »Ich hab sie gefingert ... ich hab sie gevögelt ... die ist eine Schlampe ... Wenn du den Wagen in die Garage fährst, dann achteste nich' auf den Vorgarten, Kleiner ...« Das kalte Zelt, das Knistern des ersterbenden Feuers, der Druck in meinem Schritt, sein heißer Atem in meinem Nacken, der Geruch von Wodka und Bier. Wie er sich gegen mich gedrängt hatte. »Komm ...«

Tommy hatte als Erster die Sprache wiedergefunden. Er lachte unheilvoll. »Du bist tot, Docherty.«

»Also gut, das reicht jetzt«, rief Miss Gilchrist die Klasse zur Ordnung. »Zeit, dass wir uns wieder dem Gedicht zuwenden. Jackie, wo warst du stehen geblieben?«

Die Stunde ging weiter, aber niemand hörte mehr zu. Alle warfen Banny verstohlene Blicke zu, der zu unserem Erstaunen immer noch nichts gesagt hatte. Er starrte auf den Hinterkopf des Professors. In seinen Augen glomm eine Wut, die alles übertraf, was ich jemals gesehen hatte.

Nach dem Gong zum Schulschluss verpasste er dem Professor bei den Bäumen eine gewaltige Tracht Prügel. Docherty kauerte sich bloß wie ein Fötus zusammen und steckte alles ein. Ein Tasselloafer traf ihn mit der Sohle am Mund und riss seine Lippe auf. Eine Faust schlug ihm ein ums andere Mal auf sein rotes, immer dicker werdendes Ohr, bis ein paar Lehrer hinübergerannt kamen und Banny von ihm wegzerrten. Dochertys Eltern kamen in die Schule. Sie machten einen Riesenaufstand beim Direktor, woraufhin Banny für eine Woche vom Unterricht suspendiert wurde. Damit schien die Sache ausgestanden.

Aber das war sie mitnichten. Eine Tracht Prügel war Banny längst nicht genug. Ein aufgeblasener Wicht wie Craig Docherty? So einen verdrosch man dafür, dass er einen schräg ansah. Aber wie rächte man sich an jemandem, der einen vor der gesamten Klasse als Schwuchtel bezeichnet hatte? Ihn zusammenzutreten würde da nicht ausreichen. Nicht einmal annähernd. Das wussten wir alle.

20

Ich saß auf einem orangefarbenen Plastikstuhl in einer Art Vorzimmer des Obduktionsraumes im Keller des Regina General Hospital.

Vom Hubschrauberlandeplatz hatten wir den Lastenaufzug genommen und waren dann weiter durch eine Reihe allmählich abwärts führender Korridore gegangen. Krankenhäuser, mit ihrem Beschilderungsdschungel – Pädiatrie, Onkologie, Radiologie – und ihrer ewigen Betriebsamkeit. Als wir in dem vorsintflutlichen, ratternden Aufzug nach unten fuhren, fiel mir ein, dass ich vor fast neun Jahren zum letzten Mal hier gewesen war. Bei Walts Geburt. »Hofbital«, hatte Walt früher gesagt. So wie Patronen für ihn immer »Bafronen« waren.

Der Pathologe, ein gewisser Dr. Manuel, saß neben mir, Danko auf der anderen Seite. Beide warteten geduldig, dass ich die Frage beantwortete, die Dr. Manuel mir gerade gestellt hatte. Er hatte schütteres Haar, trug eine Brille und sah müde aus. Nicht in dem Sinne, dass er dringend eine Mütze Schlaf benötigte, sondern als könnte er all das, was wir aneinander anzutun vermochten, nicht mehr ertragen. Ich wälzte die schreckliche Frage in Gedanken ewig hin und her, während ich auf eine Ansammlung von silbernen, nierenförmigen Schüsseln starrte, die auf einem Tisch neben Danko standen. *Wie viele menschliche Organe hatten wohl schon in diesen Schüsseln gelegen? Würden Sams Organe auch dort landen?* Schließlich antwortete ich mit leiser Stimme.

»Sie hat ein ... ein kleines Blutschwämmchen, knapp über der Scham.«

Dr. Manuel nickte, starrte schweigend zu Boden und fragte dann: »Sonst noch irgendetwas?«

Ich überlegte einen Augenblick, bevor ich ihn ansah. »Reicht das nicht aus?«, fragte ich ihn.

Traurig erwiderte er meinen Blick. Die Ungeheuerlichkeit dessen, was er damit sagte, traf mich mit aller Wucht, und eine weitere Welle des Entsetzens brach über mich herein.

»O Gott«, sagte ich. »O mein Gott.«

»Mr. Miller«, sagte er sanft, »ich werde Sie nicht darum bitten, sich von den sterblichen Überresten mehr als unbedingt nötig anzusehen. Natürlich liegt die Entscheidung allein bei Ihnen. Aber ich glaube wirklich, dass es sehr viel besser wäre, wenn Sie sich an Ihre Frau so erinnern, wie Sie sie zuletzt gesehen haben.«

Ja, so wie du mit Walt über Herby gesprochen hast.

»Ich ... da ...« Ich stocherte in meinem Gedächtnis herum, versuchte, mich an Sammys Körper zu erinnern, beschämt, nicht jeden Zentimeter davon abrufen zu können. Erneut wurde mir übel, und ich schlug die Hände vors Gesicht. »Da ist ein braunes Muttermal auf der Innenseite des rechten Unterarms. Es sieht aus wie eine winzige Landkarte von Italien.«

Dr. Manuel nickte und erhob sich. »Wenn Sie dann bereit sind.«

Die Leichenhalle war ein großer, kalter Raum, in dem es – wie es wohl sein muss – bitter nach Chemie roch. Dr. Manuel ging voraus, Danko hinter mir. Es war, als würden sie mich bewachen, als könnte ich die Nerven verlieren und davonrennen. Für einen kurzen Moment schoss mir ein Gedanke durch den Kopf. *Mach, dass du fortkommst. Fahr zum Flughafen, steig in ein Flugzeug und verschwinde.*

Doch als Vater war das keine Option. Ich dachte an meinen Sohn, der hoffentlich daheim in seinem Bett lag, und das ließ mich etwas ruhiger werden. *Zumindest für Walt musst du stark sein.* Da war jemand, der im Vergleich zu mir noch viel mehr Gefahr lief, im Wirbel des Schmerzes unterzugehen. Und natürlich waren da Sams Eltern. Ich würde sie bald anrufen müssen. Sie waren wahrscheinlich gerade angekommen. Vielleicht lagen sie bereits draußen am Pool oder am Strand. Ich stellte mir ihre Gesichter vor, wenn sie die Nachricht hörten, die ihr Leben zerstören würde. In der Mitte des Raumes standen drei Autopsietische aus rostfreiem Stahl. Auf dem hintersten lag ein schwarzer Leichensack. Dr. Manuel drehte sich zu mir um. »Wenn Sie bitte hier warten würden, Mr. Miller«, sagte er und ging zu dem Tisch. Ich hörte, wie er den Reißverschluss aufzog.

Es könnte sich immer noch als schreckliches Missverständnis herausstellen.

Ich erlaubte diesem Gedanken, den ich im Stillen immer noch nährte, eine kurze Zeit der Blüte. Dann winkte Dr. Manuel mich heran, und ich sah, dass er behutsam einen Unterarm aus dem Sack hielt. Die Hand hing schlapp nach unten, die Finger waren gekrümmt.

Der korallenrote Nagellack.

Ich nickte. »Das ist Sammy.«

Bevor ich wusste, was ich tat, ergriff ich ihre kalte Hand und musste daran denken, wie ich diese Hand zuletzt in einem Krankenhaus gehalten hatte, irgendwo über uns, in genau diesem Gebäude. *Deine ganze Aufmerksamkeit war auf Sammy gerichtet. Immer wieder sagtest du: »Pressen, Baby, pressen. Komm schon, du machst das gut.« Du sahst erst hin, als du das Schreien hörtest. Die Hebamme stupste dich an und hielt dir ein blutiges Handtuch entgegen, aus dem ein schwarzes Haarbüschel herausschaute. Eigentlich wollten wir mehr Kinder haben, aber dann klagte Sam über Bauchschmerzen. Nach der Operation wischte sie sich eine einzelne Träne von der Wange, lächelte und sagte: »Walt ist perfekt. Er ist mehr als genug.« – »Ja«, stimmtest du ihr zu. »Walt ist mehr als genug.«*

Gedankenverloren wanderte mein Blick über ihr Handgelenk bis hinauf zu dem kaffeebraunen Muttermal. Dann klappte ich unter einem schmerzhaften, trockenen Würgen zusammen. Weil ich einfach nicht anders konnte, hatte ich in die Dunkelheit des Leichensacks gespäht. Da war etwas Glattes, etwas Weißes gewesen, im oberen Bereich des Arms. Ich wusste, es war ein Knochen. Ich wusste, dass man ihr das Fleisch vom Oberarm abgetrennt hatte.

Ich sank auf die Knie. Danko stützte mich, als ich von Krämpfen geschüttelt wurde, während Dr. Manuel rasch einen Eimer holte, bevor alles hochkam. Mein gequältes Stöhnen hallte durch den kalten, gekachelten Raum.

21

Zurück im Vorzimmer trank ich wie in Zeitlupe aus dem Pappbecher mit Wasser, der mir in die zitternden Hände gedrückt wurde. Als ich ihn nach einer gefühlten Ewigkeit geleert hatte, sagte ich leise: »Ich muss Sammys Eltern anrufen. Sie sind auf Hawaii.«

»Wir könnten das für Sie übernehmen, wenn Ihnen das lieber ist«, schlug Danko vor. Ich hob den Blick, sah, dass wir nur noch zu zweit waren, und schüttelte den Kopf. Der alte Sam. Die Medien. Das würde Schlagzeilen machen. Walt.

»Mr. Miller, können Sie mir sagen, ob Ihre Frau und Sie irgendwelche Feinde haben?«

»Feinde? Ich ... nun ja, Sammy ist ... war Zeitungsherausgeberin. Da macht man sich nicht nur Freunde, aber ...«

»Ich frage Sie das, weil die Art der Verletzungen, ihre Schwere, nun, das scheint mir fast ... persönlich zu sein.«

Er gab mir einen Moment Zeit, diese Aussage zu verdauen. Ich sah ihn an und sagte: »Officer, seien Sie bitte ehrlich. Wenn es da noch etwas gibt, was ich wissen sollte, dann sagen Sie es mir.«

»Das wird jetzt nicht einfach für Sie.« Er räusperte sich. »Wir fanden Nadelstiche und Blutergüsse in der rechten Ellenbeuge, die von einer Infusionsvorrichtung stammen könnten. Außerdem gibt es Ligaturmale an beiden Beinen und dem rechten Arm, die darauf schließen lassen, dass jemand versucht hat, die Blutung zu stillen.«

Ich starrte ihn bloß an.

»Das Blutbild bestätigt, dass Ihrer Frau in den Stunden vor ihrem Tod hohe Dosen Kochsalz und Thiopental – ein Anästhetikum – verabreicht wurden.«

»Ich verstehe nicht ...«

Doch ich wusste genau, worauf er hinauswollte. Trotzdem sah ich ihn einfach nur weiter an und ließ es ihn aussprechen.

»Es hat den Anschein, als habe sie jemand künstlich am Leben erhalten, um sie über einen längeren Zeitraum foltern zu können.«

Zu dem permanenten Grauen gesellte sich jetzt endgültig die schiere, nackte Angst.

Ich würde nach Hause fahren, die geladene Pistole aus meiner Schreibtischschublade holen, sie vorn in den Hosenbund stecken, mir Walt schnappen und zusehen, dass ich hier wegkam. Ich würde Mike Rawls anrufen und ihn bitten, Walt und mich zu holen und nicht mehr von unserer Seite zu weichen, bis derjenige, der Sammy das angetan hatte, hinter Schloss und Riegel saß. Der Gedanke daran, meinen Sohn zu beschützen, versetzte mir einen heilsamen Stoß.

»Ich muss Sammys Eltern anrufen«, sagte ich und stand auf. »Dann möchte ich bitte nach Hause. Sofort.«

22

»Verstanden, Zentrale«, sagte der Pilot, als Regina unter uns zusammenschrumpfte. Mein Magen wurde bis hinauf in meine wunde Kehle gedrückt, während die gleißend hellen Kreuzungen und Straßenlaternen der Innenstadt erst den spärlicher beleuchteten Blocks der Vorstädte wichen und schließlich nur noch die flache, weiße Ödnis Saskatchewans unter uns entlangzog, in der hin und wieder das matte Leuchten vereinzelter Farmhäuser aufglimmte. Urplötzlich, mit einem kräftigen Schlag und dem Gefühl, man würde quer durch den Himmel geprügelt, zog es den Hubschrauber nach rechts. Er schwankte zur Seite, der Rotor heulte protestierend auf. Ich wurde durch die schmale Kabine gegen Danko geschleudert. »Heilige Scheiße«, rief ich.

»Haltet euch fest da hinten«, brüllte der Pilot uns über die Schulter zu. Um ihn herum leuchteten die Instrumente grün und rot, schräg über den schwarzen Himmel vor ihm zeichnete der Schnee weiße Striche. »Das wird jetzt ziemlich ungemütlich. Der Wind dreht sich ständig.«

Ich klammerte mich mit der Rechten an den Haltegriff über meinem Fenster, während der Hubschrauber hin und her geworfen wurde und der Pilot versuchte, an Höhe zu gewinnen, um über den Sturm hinwegzufliegen.

Ich ließ das kurze Gespräch mit Sammys Vater Revue passieren. Als mein Anruf sie erreichte, hatten die Myers ihr Leben sicher gerade in vollen Zügen genossen. Vermutlich lagen sie auf ihren Strandliegen, die warme Pazifiksonne im Gesicht, umgeben vom Spritzen und Platschen der anderen Gäste, dem Klirren und Klappern der Kellner, die Essen und Getränke servierten, dem Geruch von Sonnenmilch und gegrillten Meeresfrüchten.

Dann hatte der Hotelmanager – gegenüber dem ich darauf bestand, dass er persönlich Mr. Myers ausfindig machen solle – Sam in ein Büro oder in die Suite geführt, wo dieser den Hörer abnahm und ein missmutiges »Ja, bitte?« grummelte – vermutlich in Erwartung irgendeines lästigen Geschäftstelefonats, das ebenso gut hätte warten oder delegiert werden können.

Mein Bericht über das Geschehene muss ihm, obwohl ich ihm die grausamsten Details ersparte, völlig aberwitzig und surreal erschienen sein. Nach einem Augenblick der Stille hörte ich etwas, das ich noch nie zuvor gehört hatte: Sam Myers weinte.

»Festhalten«, brüllte der Pilot erneut. Wir befanden uns jetzt im Sinkflug, bemüht, gegen den Schnee, der dem Hubschrauber nun waagerecht entgegenwehte, die Flugrichtung beizubehalten. In einiger Entfernung konnte ich unser Haus sehen. Das Licht hinter der Glasfassade war durch den dichten Schneesturm gerade noch sichtbar. Noch ein Schlag, und der Helikopter schwenkte um fast hundertachtzig Grad herum. »Scheiße!«, schrie der Pilot, und die Panik in seiner Stimme ängstigte mich mehr als alles andere. Er kämpfte mit dem Steuerknüppel, um die Maschine im Gleichgewicht zu halten und die Nase weiter in den Sturm zu richten. Ich konnte Irenes Silhouette am Fenster erkennen. Sie beobachtete, wie wir die letzten Meter absackten und die Kufen endlich mit einem leisen Knirschen im Schnee aufsetzten, der inzwischen sehr viel tiefer war als zum Zeitpunkt unseres Aufbruchs. Der Helikopter versank jetzt bis zu den Türen darin. Danko, der Pilot und ich atmeten erleichtert auf.

»Gut gemacht, Matt«, sagte Danko, beugte sich vor und klopfte dem Mann auf die Schulter. Der legte diverse Schalter um und schaltete den Motor aus. Die Rotoren über uns wurden bereits langsamer.

»Ich bleibe hier und spreche mit der Zentrale«, sagte der Pilot. Im Schein der Instrumente konnte ich jetzt erkennen, dass sein Gesicht schweißüberströmt war. »Ich weiß nicht, ob wir bei diesem Sturm heute Nacht noch zurückfliegen können.«

Irene hielt die Schiebetür zur Küche für uns auf und sah mich besorgt an, als wir eintraten. Die Küche war warm, es roch nach Essen.

»Ich habe eine Lasagne aus der Tiefkühltruhe in den Ofen geschoben«, sagte sie. »Ich wusste ja nicht, ob Sie dort ...«

»Schläft Walt?«, fragte ich.

»Das bezweifle ich. Er ist erst vor einer halben Stunde nach un...«

»Sammy ist tot, Irene.«

Sie schlug die Hände vors Gesicht und bedeckte ihren Mund, als müsste sie schreien.

»Sie wurde ermordet.«

Jetzt schrie sie auf, schlug aber sofort wieder die Hand vor den Mund. Danko und Hudson standen hinter mir, die Mützen in den Händen, und starrten auf ihre Füße, als Irene sich weinend und kopfschüttelnd in meine Arme warf. Ihre hochgesteckten roten Haare kitzelten in meiner Nase. Mir fiel auf, wie breit ihre Schultern waren.

»O Gott. O mein Gott, Donnie«, schluchzte sie an meinem Hals. »Wie? Warum sollte jemand ...« Sie ließ sich auf einen Stuhl sinken und weinte in ein Küchenhandtuch. Ich ging zum Barschrank und nahm eine Flasche Brandy sowie einige Gläser heraus.

»Was ist passiert?«, fragte sie schwer atmend und betupfte ihre Augen mit dem Tuch.

»Ich gehe runter und spreche mit Walt. Ich bringe das lieber sofort hinter mich.« Ich war bereits dabei, mir selbst einen großen Schluck Rémy Martin einzuschenken.

»Vielleicht kann Sergeant Danko ja ...«

Danko nickte, doch just in diesem Moment erwachte das Funkgerät knisternd zum Leben. »Entschuldigen Sie«, sagte er, hob einen Finger und sprach ins Mikrofon. »Schieß los.«

»Okay, die Sturmfront ist um uns herumgezogen und liegt jetzt genau zwischen uns und Regina.« Die Stimme des Piloten klang blechern und verzerrt. »Unser Treibstoff reicht nicht mehr, um sie weiträumig zu umfliegen. Ich befürchte, heute Nacht kommen wir hier nicht mehr weg.«

»Verstanden«, sagte Danko.

»Ich werde noch ein paar Checks an der Maschine durchführen. Ruhen Sie sich etwas aus.«

»Tut mir leid«, sagte Danko und stellte das Funkgerät wieder leiser. »Sieht so aus, als müssten wir heute Nacht Ihre Gastfreundschaft strapazieren, Mr. Miller.«

»Nennen Sie mich Donnie. Und keine Sorge, wir haben genug Platz hier.« Ich leerte mein Glas und goss mir nach.

Als ich aus der Küche den Flur entlang zu Walts Zimmer ging, konnte ich hören, wie Danko Irene berichtete, dass Sammy heute Morgen überraschend das Büro verlassen hatte. Ich sah aus dem Fenster in Richtung Poolhaus und dachte an Herby. Daran, dass da draußen im Sturm etwas war, das es auf uns abgesehen hatte. Auf das, was von meiner Familie noch übrig war. Ich blickte den langen Korridor zu meiner Rechten hinunter, der zu meinem Büro führte, und auf einmal fiel mir die Pistole wieder ein. Ich würde sie nachher holen, sobald ich mit Walt geredet hatte. Ich kippte den Brandy runter, stellte das Glas auf der Fensterbank ab und ging weiter.

Walt saß mit seinem neuen Handy auf dem Bett. Als ich ins Zimmer trat, legte er es schuldbewusst zur Seite. »Ich hab nur ...«

»Schon in Ordnung«, sagte ich und setzte mich auf die Bettkante, wobei ich bemerkte, dass ich mit einem Mal leicht angetrunken war, obwohl meine Nerven trotz des Drinks keinen Deut weniger blank lagen als zuvor. Mir wurde schummrig vor Augen. Das einzige Licht im Zimmer kam von einem graublauen Nachtlicht in der Steckdose neben dem Bett. Walts Angst vor der Dunkelheit. *Wird er sie jetzt jemals überwinden?* Überall lagen Kleider und Spielzeuge herum: Autos, Pistolen, Schwerter, Helme. Totems, denen Walt schon bald entwachsen sein würde, da die Teenager-Jahre heutzutage bereits mit zehn oder elf begannen. Auf seinem Nachttisch stand auch noch ein Teller mit Krümeln und eine Tasse mit einer Pfütze Kakao darin. Sammy hatte sie ihm am Morgen zuvor gebracht, bevor sie zur Arbeit gefahren war. War dies ihr letzter Akt mütterlicher Fürsorge gewesen? Hatte sie ihren Sohn geküsst, als sie die heiße Schokolade dort hinstellte? Oder mit ihm geschimpft, weil er immer noch im Bett lag? Diese Gedanken stürzten so schnell auf mich herein, einer nach dem anderen, dass ich schluchzend den Kopf in die Hände legen musste. Und noch ehe ich wusste, wie mir geschah, brach ich in Tränen aus und griff nach Walts Hand.

»Daddy«, sagte Walt. »Was ist los? Ist …«

»Mommy hatte einen Unfall«, sagte ich. »Sie … sie ist tot, mein Sohn.«

Mit diesen Worten beendete ich Walts Kindheit.

Heftig blinzelnd – ein nervöser Tick von ihm – irrte sein Blick durchs Zimmer. Dann setzte die Panik ein. »Wo ist sie? Wann kommt sie nach Hause?«

»Sie ist im Krankenhaus. Sie kommt nicht mehr nach Hause, Walt.«

Jetzt brachen bei mir alle Dämme. Ich begann hemmungslos zu weinen, was Walt nur noch mehr ängstigte.

»Nein!«, rief er aufgebracht. »*Ich will sofort Mommy sehen!*«

Das Bild von dem weißen Stück Knochen schoss mir durch den Kopf.

»O Schatz. Du kannst ...«

»NEIN!«

Ich zog Walt fest an mich, als seine Tränen zu strömen begannen und mir heiß den Hals hinabliefen. Lange hielten wir uns so weinend in den Armen, bis ich ein leises Klopfen an der Tür hörte. »Herein«, sagte ich mit belegter Stimme. Officer Hudson trat ein, in der Hand ein Glas Schokomilch, in dem sie zuvor eine Valium aufgelöst hatte. »Hallo, Walt«, sagte sie, »ich habe dir was zu trinken gebracht.«

Sie setzte sich neben ihn aufs Bett. »Aua«, rief sie dabei und rückte ihre Polizeiweste zurecht.

»Was ist denn?«, schniefte Walt.

»Schau mal hier«, sagte Hudson. Sie öffnete den Reißverschluss der Weste und zeigte Walt eine versteckte Metallplatte im Futter.

»Was ist das?«, wollte Walt wissen.

»Es hält Pistolenkugeln auf. Wie Superman.«

Fasziniert schlug Walt mit seiner kleinen Faust gegen das Metall.

»Klopf, klopf«, sagte Hudson.

23

»Sie ist wirklich sehr gut in so etwas«, sagte Danko, als ich uns einen weiteren Brandy einschenkte. »Hudson ist eine der Besten, mit denen ich bei solchen Fällen je zusammengearbeitet habe.« Ich nickte und blickte hinaus in den Sturm, der den Schnee am Fenster vorbeiblies. Man konnte das Tosen sogar durch das dicke Glas noch hören. Der Hubschrauber war jetzt zur Hälfte begraben. Irene hantierte im Hintergrund mit Besteck und Geschirr herum. Es war kurz vor zehn. »Donnie«, sagte Danko nach einem Moment, »wenn Sie lieber alleine sein wollen ...«

»Nein, schon in Ordnung. Ich bin nur ...« Ich war ausgebrannt, ohne jeden Rest von Adrenalin. Mit Walt zu reden hatte mir alles abverlangt.

»Haben Sie mit Sammys Eltern gesprochen?«, fragte Irene leise.

»Sie wollen versuchen, den letzten Flug zu kriegen, der heute Nacht noch Hawaii verlässt. Dann wären sie morgen früh um sechs in Los Angeles. Vor morgen Abend werden sie vermutlich nicht hier sein.«

Die Tür ging auf, und Hudson kam herein. »Er schläft jetzt.«

»Vielen Dank«, sagte ich. »Hat ... hat er irgendetwas gesagt?«

»Nicht viel. Er wollte meine Waffe sehen. Er wirkte erschöpft.«

Stille. Der Wind. Das Gebläse des Ofens.

»Tut mir leid«, sagte Hudson, »aber könnte ich mich wohl irgendwo hinlegen? Ich bin seit heute Morgen um fünf auf den Beinen.«

»Natürlich«, erwiderte ich und stand auf. »Ich werde ...«

»Bleiben Sie sitzen, Donnie«, sagte Irene und legte mir die Hand auf die Schulter, als sie hinter meinem Stuhl vorbeiging. »Ich zeige Officer Hudson eines der Gästezimmer. Den Piloten, Mr. ...«

»Matt«, sagte Danko.

»Mr. Matt bringe ich im hinteren Zimmer unter.«

»Danke, Irene.«

»Gute Nacht«, verabschiedete sich Hudson.

»Hören Sie«, sagte ich und wendete mich wieder Danko zu, »wenn Sie sich ebenfalls zurückziehen wollen, tun Sie sich bitte keinen Zwang an.«

»Ich werde aufbleiben, bis ich das hier geleert habe, falls Sie nichts dagegen haben.« Er hob sein Brandyglas. »Und vielleicht esse ich noch einen Happen Lasagne.«

»Gerne.« Ich war erleichtert. Ich brauchte Gespräche, Ablenkung. Alles, was mich davon abhielt, mir das auszumalen, wovon ich wusste, dass ich es mir ausmalen würde, sobald ich allein war. Und Walt auch, wenn er erst einmal alt genug war, um das alles zu verstehen. Wenn er den Namen seiner Mutter googelte und online Zeitungsartikel las. Ich schüttelte den Kopf, um den Gedanken loszuwerden. Danko blickte sich in der riesigen Küche um. »Sie haben wirklich ein schönes Haus, Donnie.«

Die schiere Unwirklichkeit der Situation – ich saß in unserer Küche und trank mit einem Polizisten Brandy, der gekommen war, um mich über den Tod meiner Frau zu informieren – entlockte mir ein bitteres Lachen. Ich erschrak. »O Mann. Tut mir leid«, sagte ich, »es ist nur so …«

»Das muss es nicht«, erwiderte Danko. »So komisch das klingt, aber das ist gar keine so ungewöhnliche Reaktion.«

»Haben Sie so etwas schon häufig gemacht?«

»Häufiger, als mir lieb ist.«

»Das ist auch für einen Polizisten sicherlich nicht leicht zu verkraften.«

»Na ja, es gibt immer wieder welche, die können das nicht. Ich habe mal mit einem Kollegen zusammengearbeitet, ich glaube, sein Name war Ellison …« Nachdenklich kratzte er sich die silbernen Bartstoppeln. »Ja genau, Joe Ellison. Er …« Danko hielt inne und sah mich an. »Sind Sie sicher, dass Sie das wirklich hören wollen?«

Ich nickte und griff nach der Flasche.

»Nun, da war dieses Paar, dem wir mitteilen mussten, dass ihre Tochter getötet worden war. Ein Autounfall, nördlich von hier, in der Nähe von Moose Jaw. Wir waren Partner, aber wir hatten noch nicht lange zusammengearbeitet. Wie auch immer, ich hatte das Gespräch mit der Familie beim letzten Mal übernommen. Also war er nun an der Reihe. Doch er weigerte sich. ›Komm schon, Joe‹, sagte ich, ›fair ist fair. Ich war beim letzten Mal dran.‹ Also gingen wir rein – sobald die Leute einen so unerwartet vor ihrer Tür stehen sehen, befürchten sie natürlich das Schlimmste –, und er sagte: ›Tut mir leid, aber wir haben schlechte Nachrichten. Ihre Tochter betreffend.‹ Und die Frau sprach es direkt aus: ›Sie ist tot.‹ Woraufhin Joe erwiderte: ›Leider haben Sie recht.‹ Und dann fing er an zu lachen.« Ich musste ebenfalls lachen. »Wirklich. Die Emotionalität des Ganzen ... das war einfach zu viel für ihn. Junge, unser Captain hat uns deshalb vielleicht fertiggemacht.« Danko schüttelte den Kopf, während ich unsere Gläser auffüllte.

Die Tür öffnete sich, und Irene kam zurück. Sie trug Topfhandschuhe und ging geschäftig summend zum Backofen.

»Ich glaube, manche Leute kommen einfach nicht damit klar«, sagte Danko. »Dieses Lachen, es ist bloß eine Übersprungshandlung.« Er nippte an seinem Drink und wandte sich über die Schulter an Irene. »Das riecht aber verdammt gut, Ma'am.« Lächelnd, immer noch die Topfhandschuhe an den Händen, ging sie zu ihm rüber. »Ich schätze, der Brandy hat meinen Appetit geweckt. Ich ...«

Dann folgte ein leises Geräusch – tock, tock, tock –, und Danko richtete sich in seinem Stuhl urplötzlich kerzengerade auf, als hätte ihn ein elektrischer Schlag getroffen. Sein Gesicht war schmerzverzerrt, seine Füße traten aus, trafen den Tisch und warfen die Gläser um. Ich fuhr voller Panik zurück, im Glauben, er hätte einen Schlaganfall oder eine Herzattacke. Einen Augenblick lang saß er regungslos da, umklammerte die Tischkante, die Augäpfel zitterten in ihren Höhlen.

Blut lief aus dem linken Mundwinkel.

Er schlug mit dem Gesicht auf dem Holztisch auf. In seinem Hinterkopf klaffte eine blutige Wunde.

Irene stand jetzt direkt hinter ihm.

Den rechten Arm hatte sie ausgestreckt. Ihre Hand befand sich genau dort, wo gerade noch Dankos Kopf gewesen war. Aus einem kleinen Loch in der verkohlten Spitze des Topfhandschuhs trat Rauch aus. Ich zuckte zurück. Zitternd und nach Worten ringend versuchte ich, Halt zu finden – an der Stuhllehne, dem Küchentresen, irgendwo. Irene schüttelte den Handschuh ab.

In ihrer Rechten hielt sie eine kleine automatische Pistole, vor deren Mündung sich etwas Rauch kräuselte.

Sie lächelte – ein breites, entsetzliches Grinsen.

Das Blut, das sich unter Dankos Kopf ausbreitete, tropfte bereits auf den Boden. Sein Bein zuckte noch immer.

Korditgeruch erfüllte die Küche.

»Hallo, William«, sagte sie.

Ihr Südstaaten-Akzent war verschwunden.

24

Die Frau, die offensichtlich nicht Irene Kramer aus Georgia war, durchquerte in einem großen Bogen den Raum und ließ die Pistole dabei auf mich gerichtet. Sie trat hinter mich und ich konnte die Hitze des Laufs in meinem Nacken spüren. Ich war schlagartig nüchtern. Ich schrak auf, als Dankos Körper erneut zuckte. »Immer langsam, William«, sagte sie. »Leg die Hände auf den Rücken, durch die Streben der Stuhllehne. Genau, so ist's richtig.«

»Warum nennen Sie mich so? Ich weiß nicht ...«

Ein bohrender Schmerz durchfuhr mich, als sie mir den Griff der Pistole gegen die Stirn schlug. »Lüg mich nicht an.«

Benommen saß ich auf meinem Stuhl. Ich fühlte, wie die Kante eines Kabelbinders in meine Handgelenke schnitt. Jede Zelle meines Verstandes sträubte sich und schrie: *Lass nicht zu, dass diese Frau dich an den Stuhl fesselt!* Angespannt machte ich mich bereit aufzuspringen, aber sofort hatte ich wieder den heißen Lauf der Waffe im Nacken, der mir die Haut verbrannte. »Lass es«, herrschte sie mich an, und ich hörte das Ratschen, als sie die Kabelbinder zuzog. Nun war ich gefangen.

Ich flennte und ließ den Kopf auf die Brust sinken. Sie stellte sich vor mich. »Sieh mich an.«

Ich hob den Blick und war mir sicher, dass sie es war. Doch obwohl ich es wusste, wollte ich es einfach nicht wahrhaben. Ich konnte keine Verbindung zwischen dieser älteren Frau und der jungen Blondine herstellen, die ich auf einem körnigen Foto im Internet gesehen hatte. Geschweige denn zu dem Menschen, dem ich zuletzt vor fast dreißig Jahren gegenübergestanden hatte. Ein halbes Leben war das her, vor Gericht. »Wer bin ich?«, fragte sie. Anstelle des Südstaaten-Akzents war eine sanftere, kultivierte Variante meines eigenen schottischen Dialekts getreten. *Die Laienspielgruppe. Ihre Schauspielerei.*

»Mrs. Docherty«, schluchzte ich. »Gill Docherty.«

»Braver Junge. Schon besser, William.«

»Sie haben Sammy getötet. Unseren Hund ...«

»Wir haben reichlich Zeit, um in Ruhe über all das zu reden. Du hast ja keine Ahnung, wie lange ich das alles geplant habe. Man könnte es als mein Lebenswerk bezeichnen.« Sie durchsuchte nun ihre Handtasche und holte etwas Glitzerndes hervor. Eine silberne Scheibe. »Ich habe das heute schon einmal abgespielt«, sagte sie. Dann ging sie zum Fernseher hinüber und schob die DVD in den Player.

Sie drückte die Start-Taste. Erst erklang nur ein misstönendes statisches Rauschen, dann erschien ein Bild auf der Mattscheibe.

Sammy.

Nackt, mit Klebeband an einen Stuhl gefesselt. Ihr Gesicht glänzte vor Blut und Schweiß. Sie weinte und schrie lautlos. Gill Docherty drehte die Lautstärke auf, bis Sammys Schreie die Küche erfüllten. »Oh, bitte, o Gott, o Gott, o nein, bitte aufhören!«, schrie sie. Am Bildrand sah ich erst den Kopf, dann den Ellbogen ihrer Peinigerin – in einer sägenden Bewegung.

Ich schrie so laut, wie ich konnte, versuchte, den grausamen Bildern zu entkommen, indem ich die Augen schloss und den Kopf heftig hin und her schüttelte. Plötzlich fühlte ich ihre Arme um meinen Hals, ihren festen Griff, die Kaschmirwolle ihres Pullovers auf meiner Wange, roch ihr Parfüm. »Hör mir gut zu, William«, sagte sie ganz nah an meinem Ohr. Ihre Stimme klang beängstigend ruhig. »Mach die Augen auf. Ich will, dass du dir dieses Video ansiehst.« Ich spürte etwas Kaltes unter einem meiner Augen, und als ich sie öffnete, sah ich die Spitze eines Messers. »Wenn du die Augen noch einmal schließt, schneide ich dir die Lider ab. Hast du mich verstanden?« Ich nickte.

Dank der Tränen sah ich den Bildschirm nur verschwommen. Aber meine Ohren konnte ich nicht verschließen. »OGOTTBITTENEINAUFHÖRENOGOTTOGOTT!« Sammys Flehen war endlos, ein niemals abreißender Strom – bis es plötzlich doch still wurde. Als ich blinzelte, konnte ich erkennen, dass Sammys Kopf vornüber gesackt und sie entweder tot oder bewusstlos war.

Durch Schläuche war ihr Körper mit milchigen Plastikbeuteln verbunden, die wiederum an hohen, verchromten Ständern hingen. *Kochsalz und Thiopental. Es hat den Anschein, als hätte sie jemand künstlich am Leben erhalten, um sie über einen längeren Zeitraum ...*

»Dir ist klar, dass es bei dir um einiges schlimmer ausfallen wird, nicht wahr?« Sie holte einen Lappen und ein kleines, braunes Fläschchen aus ihrer Tasche und lächelte mich an.

»ICH WAR NUR EIN KIND!«

»Und er sucht heim die Missetat der Väter über die Kinder«, sagte sie, goss die Flüssigkeit auf das Tuch und trat auf mich zu, »auf Kinder und Kindeskinder bis ins dritte und vierte Glied.« Sie drückte mir den Lappen unter die Nase und über den Mund. Der strenge Geruch des Äthers überwältigte mich, mir wurde übel und schwindelig. Als die Dunkelheit über mich hereinbrach, hörte ich sie noch die Worte »Exodus 34« sagen.

Dann hörte ich nichts mehr.

25

Ich erwachte mit einem klopfenden Schmerz hinter meiner Stirn. Erst konnte ich die Augen gar nicht öffnen – blutverklebt, wie sie waren –, bis schließlich der Schorf riss und in dicken Brocken auf meinen schweren Lidern hing. Ich atmete durch die Nase, weil mein Mund mit einem Streifen Klebeband verschlossen war. In einer Ecke des Raums, neben einem alten Boiler, führte eine hölzerne Stiege nach oben.

Ein Keller.

Ich war an einen Stuhl gefesselt, jeweils Arme und Beine zusammengebunden. Die einzige Lichtquelle war eine alte Architektenleuchte auf einer Werkbank. Direkt vor mir standen ein hölzerner Küchentisch und ein weiterer Stuhl. Ich drehte den Kopf nach links, wobei mich erneut ein stechender Schmerz durchfuhr, und sah ein kleines Fenster auf Schulterhöhe, das sich nach draußen vermutlich ebenerdig öffnete. Als meine Augen sich an das schummrige Licht gewöhnt hatten, fiel mir auf, dass an sämtlichen Wänden alte Matratzen und Eierkartons befestigt worden waren. Mit einem Gefühl aufkommender Panik begriff ich, warum.

Schallisolierung.

Ich zog und zerrte an meinen Fesseln, als ich ein leises Stöhnen hörte. Ich blickte nach unten. Neben mir auf dem Betonfußboden lag Walt. Er war an Händen und Füßen gefesselt, und ein silberner Streifen Klebeband bedeckte seinen Mund. Mit einem Ruck kam er ebenfalls zu Bewusstsein, wie jemand, der aus einem schrecklichen Traum erwacht. Das Kinn knapp über dem rauen Betonboden, schaute er sich blinzelnd um und erkannte mich. Seine Augen weiteten sich vor Entsetzen, als er mein Gesicht sah, das von dem Pistolenhieb blutüberströmt war. Unsere Blicke trafen sich. Völlig hilflos versuchte ich, ihm meine Besorgnis und mein Bedauern zu signalisieren, ihm gleichzeitig zu sagen, wie leid es mir tat, ihn zu beruhigen und weiß der Himmel was sonst noch – alles nur mit den Augen. Mit den Armen zerrte ich verzweifelt an meinen Fesseln. Im Bemühen, sie zu lockern, kämpfte ich um ein klein wenig Spielraum. Nichts. Kein einziger Millimeter. Ich wackelte mit dem Stuhl von einer Seite auf die andere, um ihn umzukippen – in der Hoffnung, er könnte zerbrechen. Die hölzernen Beine kratzten über den Zement.

Sofort hörte ich Schritte auf dem Holzboden direkt über uns.

Der Schweiß löste allmählich das getrocknete Blut auf meinem Gesicht. Keuchend blickte ich zur Treppe hinüber, wobei ich auf der Werkbank etwas sah, was mir bisher noch nicht aufgefallen war. Etwas, das ich nicht mehr gesehen hatte, seit Walt noch ganz klein gewesen war: ein Babyfon aus grünem und weißem Plastik, an dem ein leuchtendes, rotes LED-Lämpchen anzeigte, dass das Gerät eingeschaltet war. Dann knarrte eine Tür über uns. Ein breiter werdender Lichtstreif fiel auf die Treppe, und schwere Stiefel stapften über die Bohlen.

»Na sieh mal an, wer da aufgewacht ist!«

Gill Docherty trug Jeans und einen weiten, cremefarbenen Pullover. Sie hätte wie jede leger gekleidete ältere Dame ausgesehen, wären da nicht der Blutstriemen auf ihrem Pullover und das Schlachtermesser in ihrer Hand gewesen.

Sie legte das Messer auf den Küchentisch, zog Walt in die Höhe und hievte ihn auf den zweiten Stuhl, wobei sie sein Gezappel und die stummen Schreie geflissentlich ignorierte. Während sie ihn festband, summte sie ein kleines Liedchen vor sich hin. Ich brüllte derweil in das Klebeband, gab halb erstickte, flehentliche Laute von mir. Als sie mit Walt fertig war, kam sie zu mir herüber. Mit dem Klebeband riss sie mir die Haut von der Lippe.

»Bitte, bitte, lassen Sie ihn gehen. Ich flehe Sie an, Ire...«

Sie zog eine Augenbraue hoch.

»Mrs. Docherty, bitte ...«

»Wir sind doch jetzt alle erwachsen, William. Du kannst mich Gill nennen.«

»Bitte. Es ist Walt. Sie kennen ihn doch. Sie werden ihm doch sicherlich nicht wehtun wollen.«

Sie ignorierte mich und lehnte sich mit dem Po gegen den Küchentisch. »Erst einmal wirst du deinem Sohn erzählen, wer du wirklich bist.«

Walt sah mich an, seine Nasenflügel bebten, sein Atem ging keuchend. Er musste schreckliche Angst haben.

»Ich ... o Gott. Es ist so lange her.«

Sie nahm das Messer, hielt es an Walts Wange, packte ihn an den Haaren und zog seinen Kopf zurück. Walt heulte vergeblich in sein Klebeband. »Bitte«, sagte sie.

»William. Mein Name ist William Anderson.« Ich sprach den Namen zum ersten Mal seit zwanzig Jahren laut aus und musste mich sehr zusammenreißen, um nicht loszuheulen. »Bitte, tun Sie ihm nicht weh.«

»Und jetzt möchte ich, dass du ihm erzählst, was du getan hast.«

»Ich war nicht der Schlimmste von allen«, sagte ich und wusste sofort, dass ich damit nichts erreichen würde.

»Aber du bist derjenige, den ich gefunden habe.«

»Ich war doch nur ... nur ein kleiner Junge ...« Ich brach nun doch in Tränen aus, und Walt fing ebenfalls an zu weinen. Sie ließ ihn los, stellte sich hinter den Küchentisch, griff in ihre Tasche und holte etwas heraus. »Wie haben Sie mich gefunden?«, fragte ich.

»Alles zu seiner Zeit.«

Sie drapierte verschiedene Gegenstände vor uns auf der Tischplatte.

Eine Bogensäge.

Ein silbernes Skalpell.

Ein riesiges Jagdmesser mit schrecklich langen Zähnen.

Eine Autobatterie.

Einen Meißel.

Ich drehte durch. Schreiend, kreischend und heulend wackelte ich wie verrückt mit dem Stuhl hin und her.

»Schone deine Kräfte, William.«

»Es werden bald Leute kommen. Die Polizei. Sammys Eltern.«

»Nicht vor morgen früh. Wir haben die ganze Nacht für uns allein. Eine ganze Nacht für einen hübschen Ausflug in die Vergangenheit. Na los, erzähl deinem Sohn die ganze Geschichte.«

Schluchzend ließ ich den Kopf hängen. »Ich kann mich nicht erinnern.« Ich hörte sie seufzen, dann ergriff sie das Messer und machte einen Schritt auf Walt zu.

Ich begann zu reden.

26

Es war ein sonniger, klarer Samstagmorgen in der ersten Maiwoche des Jahres 1982. Wir hingen am Fluss rum, oben an der Eisenbahnbrücke, in der Biegung, wo der Irvine Richtung Ardeer fließt. Wir saßen auf der Betonmauer am Wehr – unsere Beine baumelten über dem braunen, schaumigen Wasser – und zielten mit Steinen auf eine leere Cola-Dose, die wir vorher hineingeworfen hatten. Wer sie als Erster versenkte, hatte gewonnen. Wir sprachen über den im Juni anstehenden Schottland-Besuch des Papstes.

»Wenn dieses Katholikenschwein sich hierhertraut«, sagte Banny, »dann bekommt er einen kräftigen Tritt in die Nüsse.«

Tommy lachte. »Aye, und was für einen. Stellt euch das mal vor. Einfach hinzugehen und dem Wichser in die Eier zu treten.«

Wir lachten alle.

»UDA, all the way«, skandierte Banny und spuckte in den Fluss. »Wir scheißen auf den Papst und die IRA«, sekundierten Tommy und ich.

Am anderen Ufer tauchte ein älterer Herr auf, der seinen Hund, einen Border Collie, spazieren führte.

»HE! MISTER!«, brüllte ich. »TREIBEN SIE ES MIT IHREM DÄMLICHEN KÖTER?« Der Mann schüttelte den Kopf und ging weiter. Banny und Tommy konnten sich vor Lachen nicht mehr halten. »Du bist echt durchgeknallt, Willie«, sagte Tommy.

Banny warf seinen letzten Stein und traf die Cola-Dose mit voller Wucht. Das rot-weiße Aluminium kippelte, gluckerte und sank. »So geht das! Ihr beschissenen Amateure!« Dann stand er auf und klopfte sich kreidigen Staub von seiner Sta-Prest-Hose. »Scheiße, Mann. Das ist zum Kotzen langweilig hier.« Er blickte das leere Flussufer entlang. »Los, kommt. Wir gehen zur Daddelbude.« Die Daddelbude: Defender, Galaxian, Asteroids, Scramble.

»Aye, nur womit?«, fragte Tommy. »Ich bin total blank.«

Banny zuckte mit den Achseln. »Wir zocken irgend 'nem kleinen Pisser seine Credits ab.« Er hatte das schon öfter gemacht. Einen der Jüngeren vom Automaten weggeschubst und dessen restliche Credits verzockt. Was konnte so ein Winzling schon gegen ihn ausrichten?

»Alles klar.« Tommy erhob sich ebenfalls. »Ist jedenfalls besser als der Mist hier.«

Dann passierte es. Banny und Tommy standen über mir. Ihre aufragenden Gestalten warfen im Schein der niedrig stehenden Morgensonne dramatisch lange Schatten. Erst hörte ich, wie sich Schritte näherten, dann sagte Tommy: »Das gibt's doch nich'. Ist ja wohl echt nich' wahr jetzt.« Ich konnte sein breites Grinsen aus seiner Stimme heraushören, also sprang ich ebenfalls auf die Füße und folgte ihren Blicken.

Da war er. Er bog um die Ecke des Wehrhäuschens, in der einen Hand eine Angel, in der anderen eine kleine Forelle. Craig Docherty.

Der verfluchte Professor höchstpersönlich.

Mutterseelenallein. In freier Wildbahn.

Er sah uns und zuckte zurück. Er dachte wohl daran, sich umzudrehen und wegzurennen. Aber Banny ging bereits auf ihn zu. Docherty blieb wie versteinert stehen.

»Alles klar, Professor?«, fragte Banny harmlos, fast freundlich. Nervös blickte Docherty sich um, suchte panisch das Flussufer ab – in der verzweifelten Hoffnung, dass ein Erwachsener vorbeikam. Doch außer dem Mann mit Hund, der sich mittlerweile ein paar Hundert Meter entfernt hatte, war niemand zu sehen.

»Was haben wir denn da?«, fragte Tommy. Wir standen nun alle um den Professor herum.

»Eine Forelle«, antwortete Docherty leise. Er hatte ein Stück Nylon-Angelschnur durch die Kiemen des Fisches gezogen, um ihn zu tragen. Je deutlicher ihm die Ausweglosigkeit der Situation bewusst wurde, desto elender wirkte er. Die Tracht Prügel, die er in der Schule bezogen hatte, war den Umständen geschuldet kurz und hastig gewesen. Kaum war Banny halbwegs in Fahrt gekommen, hatten die Lehrer dem Ganzen auch schon wieder ein Ende gesetzt. Eine Gelegenheit, ihm außerhalb der Schule die verdiente Abreibung zu verpassen, hatte sich nie ergeben, da Craig Docherty sich nicht dort aufhielt, wo wir uns rumtrieben. Er hing nicht in der Spielhalle oder der Imbissbude rum. Er ging nicht auf Partys oder in die Disco im Gemeindezentrum. Hin und wieder sah man ihn im Supermarkt mit seiner Mum.

»Gib her«, forderte Banny und griff nach dem Fisch.

Docherty zog ihn weg, hinter sein Bein.

»Jetzt gib ihn schon her, du Arsch«, sagte Banny, schubste den Professor und schnappte sich den Fisch. »Scheiße, ist das widerlich!«, rief er, das Gesicht vor Ekel verzerrt, als er die Forelle begutachtete. »Total schleimig.« Sie war bräunlich, vielleicht zwanzig Zentimeter lang, mit blutroten Sprenkeln auf dem dunklen Rücken. Ihr milchiger Bauch glitzerte silbrig im Sonnenschein. »Was willste mit dem Ding?«, fragte Banny.

»Nach Hause bringen«, antwortete Docherty.

Banny schleuderte den Fisch in den Fluss. Kurz blitzte es weiß auf, als er unterging und knapp unter der Oberfläche davontrieb. »Vergiss es«, sagte Banny, während Docherty traurig seinem Fang nachsah. Mit gesenktem Blick wandte er sich ab, um zu gehen. »He!«, rief Banny und packte ihn an den Schultern. »Wo willste hin?«

»Aye. Wir sprechen mit dir, du Wichser!«, brüllte Tommy ihn an.

»Her damit, ich will auch angeln«, sagte Banny und griff nach Dochertys Rute.

Doch der Professor zog sie an sich heran – den Griff auf den Boden gestützt, wie ein Soldat beim Präsentieren des Gewehrs – und schüttelte energisch den Kopf. Banny zerrte weiter an der Angel.

»Los, gib sie ihm!«, rief Tommy und versetzte Docherty einen Schubs, als der sich umdrehte und versuchte, die Angel mit seinem Körper zu schützen. Banny griff mit beiden Händen nach dem Objekt seiner Begierde und rammte seinen Kontrahenten so fest mit der Hüfte, dass der Professor über den rissigen Beton segelte, seine Brille verlor und Banny am Ende die Angel in den Händen hielt.

Docherty lag auf dem Boden und blickte keuchend zu uns auf, das Gesicht ohne Brille seltsam fremd und leer. Er hatte Tränen in den Augen, aber er biss die Zähne zusammen und ballte die Fäuste. »Gib sie wieder her«, forderte er.

»Nee, du Schwuchtel«, sagte Banny. Er brach die Rute mit dem Knie in zwei Hälften und warf sie dem Professor ins Gesicht. »Da hast du!« Tommy lachte. Dann geschah etwas, womit niemand gerechnet hatte.

Docherty ging auf Banny los.

Vom ersten Moment an war klar, dass er in seinem ganzen Leben noch nie jemanden verprügelt hatte. Mit gesenktem Kopf schlug er blindlings drauflos. Banny, ein langjähriger Veteran von Schulhofraufereien und Straßenkämpfen, trat einfach zwei Schritte zurück und steckte ein paar schwache Schläge gegen den Arm ein, bevor er Docherty an den Haaren packte und dessen Kopf langsam zu Boden zog.

»Aua! Aua!«, quiekte der Professor.

Banny trat Docherty mit Wucht ins Gesicht, einmal, zweimal, dreimal. Dann ließ er ihn los. Der Professor stolperte rückwärts und fiel zu Boden. Blut lief ihm aus Mund und Nase. Trotzdem bemühte er sich, wieder hochzukommen. Mit zitternden Beinen stand er da.

»KOMM DOCH HER!«, brüllte Banny.

Es war wie ein Traum, wie ein Albtraum, ein Video. Einer dieser Horrorfilme, die wir uns an diesen nicht enden wollenden Nachmittagen nach der Schule ansahen. Die Vorhänge im Wohnzimmer des schäbigen, kleinen Hauses zugezogen, der flimmernde Fernseher das einzige Licht im Raum. Die Dinge passierten nun rasend schnell, wie im Zeitraffer, und doch schien es Ewigkeiten zu dauern. Slow Motion. Standbild. Banny, der Docherty mit dessen Angel auspeitschte. Schreie, die ich nicht hören konnte. Tommy – das Kinn in schrecklicher Entschlossenheit nach vorn geschoben –, der immer wieder mit dem Fuß ausholte, echtes Blut auf seinen ochsenblutroten Doc-Martens-Stiefeln. Die Sonne strahlte von einem wolkenlosen Himmel auf das Verbrechen herab, am Flussufer war in beide Richtungen keine Menschenseele zu sehen, die Büsche und das Wehrhäuschen die einzigen Zeugen. Docherty wurde die Hose runtergezogen, dann seine Unterhose. Mit blutigen, zitternden Händen klammerte er sich an seinen letzten Fetzen Würde (»Nein, nein, nein, bitte, nein ...«). Dann hob sich die bronzefarbene Rute in den blauen Himmel, die Sonne glitzerte auf dem Grafitschaft, als dieser pfeifend die Luft durchschnitt, einen silbernen Faden hinter sich herziehend. Die roten Spritzer auf seinen Schenkeln, seinem Hintern, das Blut. Immer mehr Blut. Sein Gesicht – dieses Gesicht, das ich immer noch jede Nacht vor mir sehe, wenn ich mit dem Schlaf ringe –, in dem Dreck und Steinchen klebten, blut- und tränenverschmiert, wie es flehend zu mir aufblickte. Tommy, der auf seinem Rücken kniete. Banny auf seinen Beinen, die zerbrochene Angelrute mit der Faust in Richtung seines ...

Ein gellender Schrei.

Das war jetzt weit genug gegangen, zu weit, viel zu weit. Aber es sollte noch weitergehen, das Ende war noch längst nicht erreicht. Tommy trat nun auf Dochertys Kopf, hüpfte, stolperte, fiel hin, lachte. Dann kletterte Banny auf das Mäuerchen – seine schwarze Silhouette von Sonnenlicht umrahmt, die Arme ausgestreckt, als er sprang, mit den Füßen voran, wie in einen Pool (VOM BECKENRAND SPRINGEN VERBOTEN). Wie ein grausamer Raubvogel im Sturzflug, seine Füße die Krallen, tiefer und tiefer, geradewegs auf Dochertys Kopf zu. Der Professor winselte, versuchte davonzukriechen, die glitzernde Rute zitterte im

Rhythmus seiner Schluchzer. Bannys Gesicht, voller Schadenfreude. Der Aufprall ...

Banny stand auf, trat zur Seite, strich seine Harrington glatt, klopfte sich den Staub von der Jacke und wischte sich das Haar aus der Stirn.

Zurück in der Echtzeit durchbrach das Kreischen einer Möwe die Stille. Weiß auf grau flog sie tief über den Fluss, so schnell, dass ich die Bewegung nur aus dem Augenwinkel wahrnahm. Tommy war der Erste, der sprach.

»Docherty! Steh auf, du Pisser!«

Im Physikunterricht hatte man uns zwar erzählt, dass die Geschwindigkeit fallender Körper irgendwie mit Masse, Zeit und Gravität zusammenhing, mit ungebremsten Kräften und unbeweglichen Objekten. Aber der Einzige hier, der zugehört haben dürfte und einem die entsprechende Gleichung hätte erklären können, sagte nichts mehr. Er würde nie mehr etwas sagen.

Aus seinem Ohr ergoss sich ein einzelnes Rinnsal — schwarz und dickflüssig wie Melasse. Mund und Augen waren geöffnet. Der Mund sah aus, als wollte er das Wörtchen »Nein« formen, die Augen starrten nur ausdruckslos in den leeren, blauen Himmel.

Es war Banny, der das Kommando übernahm.

Niemand hatte etwas gesehen.

Unser Wort war genauso viel wert wie das jedes Arschlochs, das es wagen würde, das Gegenteil zu behaupten.

Er wies uns an, Steine zu sammeln und sie in Dochertys Taschen zu stecken.

Wir rollten ihn an die Kante des Wehrs und stießen ihn ins Wasser. Ich versuchte, ihn nicht anzusehen. Mit dem Gesicht nach unten trieb er knapp unter der Oberfläche davon, nur in seinem Parka fing sich etwas Luft und hob den grünen Stoff ein winziges Stück aus dem Wasser.

Den Rest des Wochenendes regierte die Panik. Ich verkroch mich und versuchte, möglichst nicht aufzufallen. Ich weiß noch, dass mir andauernd übel war, dass ich meinen Eltern aus dem Weg ging, die meiste Zeit in meinem Zimmer verbrachte und dass meine Mum mich zum Essen immer rufen musste. Diese erdrückende Angst, die sich mir auf den Magen legte, während ich beim gemeinsamen Abendessen vor dem Fernseher Hackfleisch, Kartoffeln und Baked Beans auf dem Teller herumschob, unfähig hinzusehen, als mein Dad seine Portion zu einem rosagrauen Brei zusammenmatschte. Bevor er nach den Fußballergebnissen zu seiner Lieblings-Gameshow umschaltete, sah er noch ein paar Minuten der Lokalnachrichten, und ich fragte mich schon, ob nun alles auffliegen würde. Aber es lief bloß ein Bericht über den Besuch des Papstes. Danach einer über geplante Stellenkürzungen im Stahlwerk. Gefolgt vom Wetter. Das Zischen, als mein Vater die nächste Bierdose öffnete, ließ mich zusammenzucken. Meine Mom fragte mich, ob alles in Ordnung sei. »Mir ist ein bisschen schlecht«, antwortete ich. Ich erzählte ihr, ich hätte zu viel Ginger Ale getrunken.

Am Montag berichteten die Fernsehnachrichten als Allererstes von dem vermissten Jungen. Craig Docherty, dreizehn Jahre alt, aus Ardgirvan, Ayrshire. Zuletzt gesehen am Samstagmorgen beim Angeln am Irvine, in der Nähe der Eisenbahnbrücke. Dochertys Eltern baten die Bevölkerung um Hilfe und Informationen. In der Schule war es das Gesprächsthema Nummer eins, die Gerüchte schossen ins Kraut, sogar von Pädophilie war die Rede.

Dienstags stand es dann in der Zeitung. In weißem Hemd, Krawatte und Blazer lächelte Docherty mich vom Titelblatt des *Daily Record* an. Es war sein Schulfoto.

Am nächsten Tag rückte der Alte, der seinen Hund spazieren geführt hatte, mit der Beschreibung »dreier Jugendlicher« raus, die er am Samstagmorgen am Wehr gesehen hatte. Sie seien »laut und unflätig« gewesen.

Sie fanden den Leichnam am Donnerstagmorgen. Die Strömung hatte ihn fast eine Meile weit fortgetrieben, bis in Sichtweite der Flussmündung, wo der Irvine sich in die Irische See ergießt. Dort war er ans Ufer gespült worden und hatte sich in den Wurzeln eines Baumes verfangen. Ein Golfer, der hinter dem sechsten Green in Ufernähe seinen Ball suchte, hatte etwas entdeckt, das er zunächst für eine im Wasser treibende grüne Jacke hielt. Aufgrund der »grausamen Natur« seiner Verletzungen, wie die Polizei es bezeichnete, handelte es sich nun um einen Mordfall. Die Kripo appellierte an die drei Jungen vom Wehr, sich zu melden. Wie wir später erfuhren, fragte Tommy an diesem Abend seine große Schwester: »Wenn einer stirbt, obwohl man ihn gar nich' töten wollte, muss man dann trotzdem ins Gefängnis?« Sie erzählte es ihren Eltern. Tommy kam am Freitag nicht zur Schule.

Banny und mich holten sie in der zweiten Stunde aus dem Chemieunterricht. Ich weiß noch, dass wir alle um einen Bunsenbrenner herumstanden und Schutzbrillen trugen. Dann klopfte es an der Tür. Mr. Staples blickte von seinem Experiment auf, als Mr. McMahon, der Direktor, in den Klassenraum trat. Er wirkte erschüttert. Hinter ihm ragten zwei schwarze Gestalten auf, und alles schien in Zeitlupe abzulaufen, als sie auf uns zukamen. Banny gab sich störrisch. Empört rief er: »Was wollt ihr? Ich war's nicht!« Mr. McMahon ergriff sanft meinen Ellbogen und führte mich zu den beiden Polizisten. Diese fassungslose Stille in der Klasse.

An die Stunden und Tage danach kann ich mich nicht mehr allzu deutlich erinnern. Aber ich weiß, dass es nicht sehr lange dauerte, uns zum Sprechen zu bringen. Banny und ich wurden getrennt vernommen, und binnen Minuten hatten wir uns in unseren Aussagen widersprochen. Die ganze Sache flog uns um die Ohren, brach um uns herum zusammen. Und dann die Zelle. Wie hart und kalt die Pritsche war. Die Toilette in der Ecke. Die ungläubigen Gesichter meiner Eltern. Polizeibeamte und Psychologen aus Glasgow, sogar aus Edinburgh, befragten uns zu dem Vorfall in Miss Gilchrists Englischunterricht ein paar Wochen zuvor. Sie vernahmen jeden in der Klasse. Da war diese Frau, die in der Ecke saß, mich anstarrte und alles mitschrieb. Ein flüchtiger Blick auf den weinenden Tommy durch die offene Tür eines anderen Verhörraums. Die meisten der Polizisten behandelten uns recht höflich – abgesehen von einem älteren, ziemlich harten Typen mit dichtem, schwarzem Schnauzbart, der, wie ich hinterher erfuhr, die Leiche gesehen hatte. Als er mich nach weiteren Verhören in die Zelle zurückbrachte, flüsterte er mir zischend zu: »Ihr seid grausame, bösartige, kleine Monster. Ich hoffe, dass sie die Schlüssel für eure Zellen wegwerfen.«

Eine Woche später war ich »Junge C«.

27

Im Winter 1982 begann in Glasgow der Prozess, bei dem ich Gill Docherty zum letzten Mal gesehen hatte.

Es dauerte Monate, den Fall vor Gericht zu bringen, bis die Psychologen und Sozialarbeiter Profile von uns erstellt hatten und die Anklage durch den Staatsanwalt vorbereitet war. Wir wurden alle in verschiedenen Jugendstrafanstalten untergebracht: Banny in der Nähe von Edinburgh, Tommy weiter nördlich, außerhalb von Aberdeen, und ich in der Nähe von Glasgow.

Die schottische Presse wollte derweil Blut fließen sehen. Sie forderten die »Todesstrafe!«, betitelten uns als »das Erzböse«. Die Zeitungen ließen sich lang und breit über Craig Dochertys solides, liebendes Elternhaus aus. Seine außergewöhnlichen akademischen Ambitionen. Unser Leben wurde als »chaotisch« und »kaputt« bezeichnet. Meine Eltern waren im Sommer zwei- oder dreimal zu Besuch gekommen. Meine Mutter hatte weinend dagesessen und immer nur »Wieso? Wieso nur?« gefragt. Mein Vater hatte stoisch geschwiegen, mich mit kaltem Argwohn angesehen, bis er beim letzten Besuch nach fünf Minuten aufstand und sagte: »Du bist nicht mein Sohn.« Sie hatten zweimal umziehen müssen. Ständig wurden ihre Fenster eingeschlagen, die Wände mit Beschimpfungen wie

»Mörder« und »Schweine« beschmiert. Leute spuckten sie auf der Straße an, und schließlich schrieb meine Mutter besagten Brief. Sie kamen nicht zum Prozess. Ich habe nie wieder von ihnen gehört.

In den Zeitungsartikeln kam ich noch am besten weg. Ich sei ein »schüchterner, leicht zu verführender Junge«, hieß es da, mit »der Fähigkeit zu bereuen«, »einigem Bildungspotenzial« und einer »reellen Chance auf Wiedereingliederung in die Gesellschaft«.

Tommy dagegen war nur »äußerst beschränkt in der Lage«, die Konsequenzen seines Handelns zu verstehen. Es bestünde »wenig Hoffnung« auf Besserung, da sein IQ mit 72 »an der Grenze zum Schwachsinn« liege.

Sie schossen sich auf Banny ein, dem sie eine »brutale, bösartige Persönlichkeit« mit einem »immensen Drang zur Grausamkeit« attestierten. Sie fanden Hinweise auf sexuellen Missbrauch. Es hieß, er habe große Schwierigkeiten, so etwas wie »Mitgefühl oder Reue« für sein Handeln auszudrücken. Banny war von uns dreien derjenige, der sich am längsten dagegen sperrte, den Mord an Docherty zuzugeben. Er schob mir die Tat in die Schuhe. Tommy, von dem mein Anwalt behauptete, dass er sich von Banny manipulieren ließ, machte mich ebenfalls verantwortlich. Als Banny schließlich »eine Teilschuld« an dem Mord einräumte, geschah das auf eine Weise, die der Staatsanwalt als »dreisten Versuch, sich dem vollen Strafmaß zu entziehen« bezeichnete. Im Gerichtssaal blickten Tommy und ich zu Boden. Banny starrte trotzig und uneinsichtig geradeaus. Der Richter nannte seine Attitüde »störend«. Offenbar war es ungewohnt für ihn, von einem minderjährigen Straftäter provoziert zu werden.

Ich kann mich an sie erinnern, wie sie im Gericht saß. Ihr blondes Haar, ihre vollen Lippen. Ich weiß noch, dass sie mir sehr alt erschien, andererseits konnte sie kaum älter als vier- oder fünfunddreißig gewesen sein. Sie verfolgte alles ganz genau, machte sich Notizen auf einem DIN-A4-Block, ihr Blick wanderte von uns zum Richter und dann zu dem jeweiligen Anwalt, der gerade sprach. Sie weinte nicht, aber manchmal schlug sie die Hände vors Gesicht, wenn besonders grausame Details verlesen wurden. (»Risse im Analbereich, unzählige Fleischwunden, massives Schädel-Hirn-Trauma, fortgeschrittene Verwesung des Körpers nach fünf Tagen im Wasser.«)

Damals war man in Schottland mit zwölf Jahren strafmündig, weshalb wir als Erwachsene abgeurteilt wurden. Banny erhielt für Mord aus niederen Beweggründen eine lebenslängliche Freiheitsstrafe, was mindestens fünfzehn Jahre bedeutete. Tommy und ich wurden des Mordes mit bedingtem Vorsatz für schuldig befunden und erhielten jeder sieben Jahre, was die Presse dazu veranlasste, ein zu mildes Strafmaß zu beklagen. Auf eine persönliche Intervention des Innenministers hin wurde gerichtlich verfügt, dass wir die volle Strafzeit verbüßen mussten, und zwar ohne Chance auf vorzeitige Entlassung. Was bedeutete, dass wir bis zum Erreichen des achtzehnten Lebensjahres in Jugendstrafanstalten untergebracht wurden, um dann die verbleibende Zeit in regulären Gefängnissen abzusitzen. Danach sollten wir mit neuen Identitäten in die Obhut eines Bewährungshelfers entlassen werden.

Anfangs wurden wir zu unserer eigenen Sicherheit ständig verlegt. Ich war in den ersten zwei Jahren in drei verschiedenen Anstalten in Zentralschottland. Jedes Mal war der Transporter bei meiner Ankunft von einem schreienden Mob umlagert. Oftmals hielt Mr. Cardew meine Hand. Eine Decke über meinem Kopf schützte mich vor dem Blitzlichtgewitter der Presse.

Tommy überlebte es nicht. Er wurde mit siebzehn Jahren bei einer Messerstecherei in einem Jugendknast umgebracht.

Bannys Strafe wurde wegen wiederholter Gewalttätigkeiten um drei Jahre verlängert. Im Alter von zweiundzwanzig Jahren entließ man ihn im Jahr 2000 schließlich auf Bewährung. Er wurde beinahe sofort wieder straffällig, vergewaltigte ein vierzehnjähriges Mädchen und sitzt heute noch im Gefängnis.

Ich hatte mehr Glück. Dank Mr. Cardew, Steinbecks *Von Mäusen und Menschen*, Willis Halls Drama *Das Ende vom Lied* (die Art, wie der sterbende Junge »Mutter« sagt, ging mir immer seltsam nahe) und Ted Hughes' Gedicht *Der Jaguar* – Mr. Cardew erklärte mir, wie die Zeile »Überm Käfigboden wachsen Horizonte auf« meine Situation reflektierte. Und dank Shakespeare, bei dessen Lektüre ich weinend und zitternd in Mr. Cardews Armen lag, den Tabakgeruch seines Jacketts in der Nase. Dann waren da noch Orwell und Larkin. Ich lernte Schach spielen. Mr. Cardew wurde mit der Zeit zu Paul, während ich mich in Donald Miller verwandelte. Als ich achtzehn wurde, fühlte sich der dreizehnjährige William Anderson schon wie eine halb vergessene Erinnerung an. Wie ein entfernter Verwandter, ein Cousin zweiten Grades. Jemand, dessen Knochenbau ein ferner Widerhall des meinen war, dessen Blut dem meinen vage glich, den ich aber kaum kannte, mit dem ich keine gemeinsame Vergangenheit hatte und für den ich nicht verantwortlich war. Was mich bis zu einem gewissen Grad vermutlich kaum von anderen Teenagern unterschied. Ich bekam eine fingierte Vorgeschichte, eine sogenannte Legende: Meine Eltern waren gestorben, als ich noch sehr jung war. Deshalb wurde ich von einem älteren Onkel großgezogen, der aber verschied, als ich achtzehn Jahre alt war. In meiner Vorstellung verschmolz dieser Onkel irgendwann mit Mr. Cardew.

Ich packte das, was wir getan hatten, was ich getan hatte, in eine Kiste und begrub sie in den tiefsten Tiefen meines Bewusstseins.

1989 wurde ich entlassen und schrieb mich im Oktober desselben Jahres an der Universität von Wales als Donald Angus Miller ein. Ein erwachsener Student an einer der kleinsten, entlegensten Universitäten in ganz Großbritannien.

Zudem griff mir die Natur unter die Arme: Die aktuellsten öffentlich verfügbaren Fotos von mir waren aufgenommen worden, als ich dreizehn war – mit zwanzig hatte ich so gut wie keine Ähnlichkeit mehr mit der Person auf den Bildern. In den ersten Semestern trug ich einen dichten, nicht gerade modischen Bart. Die Regierung zahlte mir eine kleine Unterstützung und behielt mich aus der Distanz im Auge. Meine seelische Sanierung, die im Gefängnis mit Büchern begonnen hatte, wurde auf der Universität mit Leben unterfüttert. Zum ersten Mal lernte ich Engländer kennen – Menschen, die wir früher als »etepetete« oder »hochnäsig« bezeichnet hatten –, und ich bewunderte, wie leicht sie alles nahmen. Die Art, wie sie lachten, wenn sie beiläufig die Hand hoben, um einen Kellner an den Tisch zu rufen. Ich hatte noch nie

Wein getrunken, nicht einmal eine Weinflasche zu Gesicht bekommen, bis ich mit zwanzig an der Kunst-Fakultät in Lampeter zu einer Käse- und Weinverkostung eingeladen war. Es gab einen dickflüssigen, rostfarbenen Roten aus Bulgarien, serviert in Plastikbechern. Die Brie- und Jarls-berg-Ecken trockneten auf ihren Tellern unter den Neon-röhren des Hörsaals unberührt vor sich hin.

Die Uni in Lampeter wurde auch von Sprösslingen des höheren Mittelstandes besucht, Söhne und Töchter wohl-habender Londoner oder einheimischer Familien, denen selbst die besten öffentlichen Schulen nicht zu einem Ti-cket nach Oxford, Bristol oder St. Andrews hatten verhelfen können. Etwas später im selben Jahr besuchte ich meine erste Dinnerparty. Zwei Mädchen – Hilary und Ally? – hat-ten in ihre Studentenbude abseits des Campus einge-laden. Den Esstisch hatten sie im Flur aufgebaut. Darauf flackerten Kerzen, und es lief klassische Musik – das Ganze war eine eher scherzhafte, ironische Übung in *erwachse-ner* Kultiviertheit. Ich weiß noch, wie eine der beiden mit den Worten »Et voilà!« einen schweren, orangefarbenen Topf mit Ratatouille auf den Tisch stellte. Ich hatte so etwas noch nie zuvor gegessen. Unter den Tomaten und Paprikaschoten fischte ich etwas heraus und kaute dar-auf herum. Wenig später zupfte ich mit hochrotem Kopf Schnüre und Fäden aus meinen Zahnzwischenräumen. Ally – oder Hilly – erklärte mir daraufhin, was ein Bouquet garni sei.

Später am Abend, auf dem geschmacklosen Sofa, beich-tete ich Hilly – oder Ally –, dass sie die ersten reichen Leute waren, die ich jemals kennengelernt hatte. Sie lachte und erklärte mir unter erheblichen Mühen den Unterschied zwischen »reich« und »wohlhabend«. Sie erzählte mir, dass ihre Eltern Ärzte seien, dass es ihnen zwar an nichts mangeln würde, sie für ihren Lebensunterhalt aber durchaus arbeiten müssten. Wirklicher Reichtum hieße, »Kapital« zu besitzen und nicht arbeiten zu müssen. Dort, wo ich herkam, vermochten sich die wenigsten vorzustellen, dass jemand höher auf der sozialen Leiter stehen konnte als ein Arzt.

Im Kino sah ich seltsame neue Filme mit Untertiteln, im Supermarkt seltsames neues Gemüse (ich schälte meine erste Knoblauchzehe mit zwanzig) und im Hörsaal seltsame neue Konzepte: Vorsehung, die Augustiner, Strukturalismus, ironische Distanz.

Den unzuverlässigen Erzähler.

Ich beteiligte mich an engagierten Diskussionen in der Mensa, führte heftige Streitgespräche im Pub – auch das war Teil jenes Transformationsprozesses, dem die Universität mich stillschweigend unterzog. Eines Tages nahm Hilly oder Ally auf einer Party meine Hand, begegnete meinem Blick mit ihren klaren grünen Augen – Augen, die nie etwas Schlechtes oder Hässliches gesehen hatten, die nur Gutes kannten und auch weiterhin nur Gutes erwarteten – und sagte mir, ich sei »anders als die anderen«. Ich hätte nicht nur »Mist im Kopf«. Ich würde mich für andere Menschen »interessieren«. Ich würde »zuhören«. Ich würde nicht die ganze Zeit bloß »von mir selbst reden«.

Später im Bett gestand sie mir außerdem, dass meine Vergangenheit ihr »ein Buch mit sieben Siegeln« sei. Ich zuckte mit den Achseln, lächelte traurig und erzählte ihr meine Geschichte: der Vater abwesend, die Mutter Alkoholikerin, nach dem Tod der Eltern vom gutmütigen Onkel aufgezogen. Zur Erschaffung dieser Legende war gar nicht sonderlich viel Fantasie vonnöten gewesen. Und das Mädchen tat etwas für mich, wozu ich damals selbst nicht in der Lage war. Dort, in dem schmalen, aber warmen Bett, während hinter uns der walisische Regen ans Fenster trommelte, vergoss sie um meinetwillen heiße Tränen.

Mein Dialekt schliff sich allmählich ab, während meine Zunge innerhalb und außerhalb der Vorlesungen lernte, fremdartige neue Worte zu bilden. Worte, die in meiner Kindheit keinen Platz gehabt hatten: Lunch, Fresko, Giotto, Croissant.

Ich war einmal William Anderson gewesen.

1992 machte ich meinen Bachelor in Englischer Sprache und Literatur. Als im Jahr darauf ein Boulevardblatt behauptete, meine Identität gelüftet zu haben – was sich allerdings als Ente erwies –, zog ich nach Kanada. Es war weit genug weg, man sprach dort Englisch, und es gab eine große schottische Exilgemeinde. Also würde ich dort nicht weiter auffallen. Ich studierte auf Magister an der Universität von Toronto. Dann zog ich für das Journalismus-Aufbaustudium nach Regina. Dort lernte ich Sammy kennen. Wir bekamen Walt.

Ich war Donald Miller.

28

Ich hörte auf zu reden. Ich weiß nicht, wie lange es gedauert hatte, bis alles raus war. Walt blickte mich an. Ich spürte es, auch wenn ich ihm nicht in die Augen sehen konnte. Gill Docherty saß immer noch auf der Tischkante, die Arme vor der Brust verschränkt. Ich schwieg.

»Danke«, sagte sie. »Weißt du was? Ich konnte erst gar nicht glauben, dass du es wirklich warst. Nach all der Zeit?« Sie kam jetzt um den Tisch herum, in der Hand hielt sie das Messer. »Und was für ein Schwein du gehabt hast! Dieses reiche Mädchen zu heiraten? Dein riesiges Haus und dein nettes, beschauliches Leben als Hausmann? Und weißt du was? Ich habe immer schon geglaubt, dass du derjenige wärst, den ich am ehesten kriegen könnte. Derek Bannerman? Der wird, so leid es mir tut, die Gefängnismauern nie mehr von außen sehen. Dein Freund Tommy? Tja, du weißt, was mit ihm passiert ist: *Den* Müll hat jemand anderer für mich entsorgt. Aber du, mit deiner ach so vorbildlichen Resozialisierung ... Und dann das letzte Jahr? Das hat meine Geduld wirklich auf eine harte Probe gestellt. Dein Vertrauen zu erringen. Auf den richtigen Zeitpunkt zu warten. Nach meinem letzten Winter hier hatte ich darauf gehofft, dass das Wetter uns die nötige Privatsphäre verschaffen würde. Ich hatte sogar schon daran gedacht, unseren kleinen Walt hier einfach zu entführen. Aber das Geld deines Schwiegervaters ... es hätte alles nur noch komplizierter gemacht. Außerdem wollte ich, dass du dabei zusiehst.«

»Bitte, töten Sie mich ruhig. Aber lassen Sie Walt gehen.«

»Dich töten?« Sie lachte. Es schien sie wirklich zu amüsieren. »Ich werde dich nicht töten.« Sie stellte sich hinter Walts Stuhl und schob ihn auf den Tisch zu. Walt schrie in sein Klebeband, zerrte an seinen Fesseln.

»Oh, bitte, o Gott ...«

Sie rammte den Stuhl gegen den Tisch, befreite Walts rechten Arm und presste seine Hand flach auf die unbehandelte Holzfläche. Walt stemmte sich dagegen. Er zerrte und drückte, so fest er nur konnte. Sie griff nach dem Jagdmesser. Wegen des Klebebands konnte ich nicht verstehen, was Walt schrie, aber ich wusste es trotzdem. »*Daddy! Daddy!*«

»NEIN!«, brüllte ich. »NICHT!«

Sie setzte die Spitze des Messers vor Walts Hand auf der Tischplatte auf und senkte die Klinge bis über seinen kleinen Finger. »Walt?«, instruierte sie meinen Sohn. »Denk immer daran: Alles, was dir heute Nacht passieren wird, hast du ganz allein deinem Vater zu verdanken. Er hat dir das angetan. Verstehst du?« Walt wand sich auf seinem Stuhl. Verzweifelt versuchte er, etwas zu sagen. Durch den Schleier meiner eigenen Tränen und Schreie sah ich ihn plötzlich bei seiner Geburt vor mir – ein heulendes, blutiges Häuflein Mensch, eingewickelt in ein Krankenhaushandtuch. Abermals verspürte ich dieses abgrundtiefe Verlangen, ihn zu beschützen und zu behüten.

Dann sauste die Klinge herunter, und ich verlor das Bewusstsein. Eine gnädige Dunkelheit legte sich über den Keller. Doch ich hörte, wie Gill Docherty mit mir sprach. Sie beugte sich über mich, packte mich an den Haaren und redete auf mich ein.

29

Von Anfang an war dir klar gewesen, dass du ihn niemals auf diese Schule hättest schicken dürfen. Ihr hattet darüber gestritten. Aber am Ende war es Stephen, der sich durchsetzte. Mit seinem neuen Job, der Lohnkürzung und den Hypothekenraten war Hutchinson einfach zu teuer geworden. Also besuchte dein perfekter, begabter kleiner Junge künftig die öffentliche Schule von Ravenscroft. Es brach dir jedes Mal das Herz, im Auto zu sitzen, eurem alten blauen Triumph Dolomite, und ihn durch das Tor schreiten zu sehen, durch die finster blickenden Reihen herumlungernder Jungs. Jungs, die ständig auf den Boden spuckten. Die Sorte Jungs, die ihre Schule bloß als Gefängnis betrachteten, die Zeit dort als eine Strafe, die sie abzusitzen hatten, bevor das echte Leben begann. Ein Leben, das für die meisten von ihnen bestenfalls einen Job an irgendeinem Fließband bereithielt.

Aber nicht für deinen aufgeweckten, immer und an allem interessierten Craig. Schon mit neun Monaten konnte er richtige Gespräche führen, mit drei Jahren lesen.

Es war eine schwere Geburt, die dich beinahe umgebracht hatte. Vierzig Stunden lagst du in den Wehen, bevor sie notoperierten. Nach dem Kaiserschnitt begannen die Komplikationen. Wieder ging es auf den OP-Tisch, diesmal zur Hysterektomie. Aber du hattest Craig. Und eine ganze Zeit lang wart ihr drei so glücklich.

Bis die Schule begann.

Craig saß in seinem Zimmer über den Hausaufgaben, als du ihm Kekse und Milch brachtest, und du sahst sofort, dass er geweint hatte. Einmal kam er mit einem blauen Auge und zerschlagenem Gesicht nach Hause. Du drehtest durch. Gingst zum Direktor, obwohl Craig dich angefleht hatte, das nicht zu tun, und sorgtest dafür, dass der Junge, der dafür verantwortlich war, vom Unterricht suspendiert wurde. Du weintest, und dein kleiner Junge umarmte dich und sagte: »Nicht weinen, Mommy.« Danach wusstest du, dass er dir nicht alles erzählte, was in der Schule passierte. Er wollte nicht, dass du dir Sorgen machst. Und nach seinem Tod war der Schmerz dieser Erkenntnis mehr, als dein Verstand ertrug. Bereits angeknackst, brach er endgültig entzwei.

An jenem Samstag im Mai verwandelte sich deine Sorge allmählich in Panik, als der Nachmittag erst in den frühen Abend überging und schließlich die Dunkelheit hereinbrach, ohne dass dein kleiner Liebling nach Hause gekommen war. Die Angst schlug dir so auf den Magen, dass du dich übergeben musstest. Als Stephen mit dir zur Polizeiwache fuhr, tätschelte er beruhigend deine Hand und sagte: »Alles kommt in Ordnung, es geht ihm sicher gut. Er hat sich bloß verlaufen.« Aber du wusstest es bereits. Du wusstest, dass etwas Schreckliches geschehen war. Die Tage danach: Du warst wie betäubt. Zitternd hattest du immer wieder nach dem Telefon gesehen und den Fernseher angemacht. Die Pressekonferenz: Blitzlichter und Leute, die dumme, nichtige Fragen stellten. (»Wie fühlen

Sie sich?«) Schließlich der Augenblick, als am Donnerstagmorgen der Polizeiwagen vor eurem Haus hielt und du die Beamten eure Auffahrt heraufkommen sahst, vorbei an den Reportern, die sich dort seit drei Tagen jeden Morgen versammelten. Du sahst den Ausdruck im Gesicht des führenden Ermittlers und erkanntest darin etwas — jenseits von Bedauern, jenseits von Besorgnis und Nervosität. Es war die blanke *Angst*, und das konnte nur eines bedeuten.

Stephen schrie, als sie es euch erzählten.

Du gingst in die Knie, auf dem Teppich neben dem Couchtisch. Die Welt wirbelte um dich herum. Farben und Gerüche waren plötzlich irrsinnig intensiv, die welken Narzissen auf dem Tisch leuchtend und duftend. Die Schuhe des Polizisten — Schuhcreme und Leder — direkt vor deinem Gesicht, als du zitternd zusammenbrachst.

Wie gut du dich in den kommenden Jahren an die Details jenes letzten gemeinsamen Morgens erinnern solltest. Jeden Augenblick hattest du dir wieder und wieder vor Augen geführt, die Details herausgearbeitet, sie poliert, zum Glänzen gebracht, bis dein Schmerz so unerträglich wurde, dass du manchmal dachtest, er würde dich zerreißen.

Da es Wochenende war, hattet ihr alle zusammen ausgiebig gefrühstückt: gekochte Eier, Toast, Tee für dich, Kaffee für Stephen und Orangensaft für Craig. Der kleine Eigelbfleck auf seiner Unterlippe, du kannst ihn immer noch sehen, wie er im Licht der Frühlingssonne leuchtete, das die Küche durchflutete. Im Hintergrund lief das Radio, Stephen las die Sportseiten des *Herald* und du den Nachrichtenteil.

Craig ging nach dem Frühstück auf sein Zimmer, um seine Hausaufgaben zu erledigen. So war er, dein kleiner Junge. Er machte samstagmorgens ungebeten seine Hausaufgaben. Später stecktest du den Kopf durch seine Tür, um ihn zu fragen, was er auf seine Sandwiches wolle: Käse und Schinken oder nur Schinken? Er saß an seinem Schreibtisch inmitten von Büchern und Heften. »Nur Schinken, bitte«, sagte er. (Wirklich? Hatte er »Bitte« gesagt? Meistens tat er das, aber nicht immer. Wie sehr du dir wünschst, dass er damals »Bitte« gesagt hat.)

In den Frühlings- und Sommermonaten ging er für sein Leben gern angeln. Stephen hatte ihn schon mitgenommen, als Craig noch klein war. Aber erst im letzten Jahr, nachdem er dreizehn geworden war, hattet ihr ihm erlaubt, auf eigene Faust loszuziehen – solange er vor der Dämmerung zurück war. Und das war er. Das war er immer.

Du hattest die Sandwiches in eine Tupperdose gelegt und sie mit einer Tüte Saft und einem Schokoriegel in seinen Rucksack gepackt.

Dein letzter Akt mütterlicher Fürsorge.

Später fischten sie den Rucksack aus dem Wasser, nicht weit von seiner Leiche entfernt. Die Sandwiches waren noch trocken und ungegessen, in ihrer Plastikdose vor dem Wasser geschützt. Im Rucksack befand sich auch ein Klümpchen Alufolie. Er hatte den Schokoriegel gleich gegessen, hatte es mal wieder nicht abwarten können. Oft stellst du ihn dir dabei vor: wie er das Papier aufreißt und hineinbeißt, genüsslich kaut, während er mit seiner Angel das Flussufer entlangschlendert. Ob er ihn gerade aufgegessen hatte, als er sie traf? Du kannst nicht anders, als dich das immer wieder zu fragen. War da ein dicker Schokoschmelz auf seiner Zunge, Waffelstückchen zwischen seinen Zähnen, als er an dem Wehr um die Ecke bog? Er hatte nicht mehr gegessen, als er auf sie traf, das wusstest du genau. Das Klümpchen Alufolie, das du als Verpackung des Schokoriegels identifiziert hattest – er hätte es nie achtlos auf den Boden geworfen, wie so viele Jungs in seinem Alter es taten. Wenn er noch gegessen hätte, als er sie traf, dann hätte er nicht mehr genug Zeit gehabt, die Alufolie zusammenzuknüllen und in den Rucksack zu stecken. Er warf seinen Müll nicht einfach weg. Über viele Jahre sollte schon die bloße Erinnerung an diese winzigen Details ausreichen, um dich zusammenbrechen zu lassen. Es sollte Anlass genug sein, dir ein wenig mehr Wodka ins Glas zu gießen.

Natürlich war Craig nicht perfekt. Er hatte ein Alter erreicht, in dem seine Intelligenz allmählich die deine überflügelte, was gelegentlich eine sarkastische Ader in ihm aufblitzen ließ. Er konnte einen enormen Sprachwitz an den Tag legen, hatte aber noch nicht gelernt, ihn adäquat einzusetzen. Immer öfter musstest du mit ihm schimpfen, weil er frech wurde. Stephen war da entspannter. Er sah das als Hinweis darauf, dass Craig mit sechzehn oder siebzehn zu einem erstklassigen Rhetoriker gereift sein würde, einem sicheren Kandidaten für das Debattierteam, was sich in seiner Universitätsbewerbung ausgesprochen gut machen würde.

Craig war sich noch nicht sicher, was genau er einmal werden wollte – er hatte ein Faible für die Naturwissenschaften, seinen Physiklehrer Mr. Cummings verehrte er ganz besonders. Doch Stephen sprach bereits ganz begeistert davon, dass Craig einmal, wie er selbst, in Glasgow studieren würde. Davon, wie ihr beiden dort hinfahren und ihn besuchen würdet. Vom guten Essen in den Restaurants an der Byres Road. Von Spaziergängen durch den Kelvingrove Park, durch das bunte Herbstlaub auf den gotischen Innenhöfen der alten Universität, wenn Craig im Oktober 1987 sein erstes Semester begann. »Aber Stephen«, pflegtest du darauf zu erwidern, »er ist gerade mal dreizehn. Lass uns doch erst einmal abwarten.«

Der Prozess. Diese drei Jungs, wie sie nervös grinsend auf der Anklagebank saßen. Die schrecklichen Einzelheiten, die im Verlauf der Verhandlung ans Licht kamen.

Grafitsplitter in seinem Rektum.

Fünf Tage im kalten Wasser.

Dein kleiner Liebling.

»Fünf Faden tief er liegt, sein Skelett wird zur Koralle, seine Augen Meerkristalle.«

Fische, die von seinen Eingeweiden zehrten und sich in ihn hineinfraßen. Fliegen, die ihre Eier in ihm ablegten. Maden, die sich in seinem Fleisch einnisteten, in seiner wunderschönen, weichen Haut, in der du früher dein Gesicht vergraben, ihn dabei gekitzelt und seinen süßen Babyduft eingesogen hattest. Wasserratten, die an ihm nagten, während er mit dem Gesicht nach unten im graubraunen Fluss trieb. Wie er diese Jungen angesehen haben musste, als sie ihn schlugen und auspeitschten, als er das ganze Ausmaß ihrer Grausamkeit zu spüren bekam. Wie er geschrien haben musste, als sie …

Nacht für Nacht hattest du dir das angetan. Stunde um Stunde. Wieder und wieder starb dein Sohn. Du maltest dir immer neue Einzelheiten aus. Jede Nacht schrie

Craig flehend um Hilfe, und du saßt bloß da und hörtest zu.

Und so wurdest du wahnsinnig. Langsam, aber sicher wurdest du völlig irre.

Auf gewisse Art war das sogar besser für dich. Du hattest einfach dichtgemacht. Mit dem Leben aufgehört. Nachdem du das Frühstück abgeräumt hattest, knickten die Beine unter dir weg. Du saßt auf dem Boden, mit dem Rücken an der Wand, und das Nächste, was du wahrnahmst, war, dass die Haustür aufging und Stephen mit seiner Aktentasche in die Küche trat. Blinzelnd hobst du den Kopf und sahst, dass es bereits fünf Uhr war. Die Nachmittage, die du allein zu Hause mit den Kinderfotos verbrachtest, ließen ihn in deinem Kopf wieder aufleben. Er lief und sprach wieder für dich. Und du hattest gelacht und in die Hände geklatscht, wenn er etwas besonders Witziges oder Gelungenes tat.

Für Stephen war es schlimmer. Als Mann bemühte er sich, es zu verdrängen. Er ging weiter zur Arbeit. Und um das tun zu können, griff er von Anfang an zur Flasche – ein Trost, dem du dich erst später hingabst. Die erste Flasche Whyte & Mackay hattest du im Kofferraum des Autos gefunden, dann eine kleine in seiner Aktentasche. Bittere Vorwürfe waren die Folge. Der Streit um das Schulgeld wiederholte sich in deinem Kopf wieder und wieder. Wenn wir doch nur … hätten wir bloß … und das alles in einer endlosen Schleife.

Und dann kam jener Morgen in der Woche vor Ostern – es war das zweite Ostern ohne Craig. Als du früh wach wurdest, lag Stephen nicht im Bett. Was eigentlich nicht so ungewöhnlich war, da er damals nur wenig schlief. Du gingst nach unten in die Küche, wo der Teekessel zwar noch warm war, aber der Tee in der Tasse bereits kalt wurde, als hätte er ihn aufgesetzt und dann vergessen. Es herrschte völlige Stille im Haus, obwohl es noch viel zu früh für ihn war, um zur Arbeit zu gehen.

Dann fiel dir auf, dass die Tür offen stand, die zum Hauswirtschaftsraum und dann zur Garage führte. Du brauchtest zwölf Schritte, bis du an der Garagentür warst – und da war er. Stephen Docherty, dein Ehemann, sich langsam im Kreis drehend, die Füße ein paar Zentimeter über dem Boden, neben ihm die kleine, weiße Trittleiter. Die Urinpfütze unter ihm. Er trug keine Schuhe und hatte ein Stück blaue Wäscheleine um einen der Balken geknotet. Du schriest nicht sofort, sondern standest bloß da, während deine Pupillen in dem schummrigen Licht immer größer wurden, und lauschtest dem sanften Knarzen, das dich an eine Hängematte, an Segelschiffe erinnerte. Sein Gesicht war lila wie ein rohes Herz, seine Zunge angeschwollen.

Ihr wart achtzehn Jahre verheiratet.

Du glaubtest, finanziell erst einmal versorgt zu sein, da Stephen erst kurz vor Craigs Tod eine neue Lebensversicherung abgeschlossen hatte. Du konntest dich noch an den Abend des Vertragsabschlusses erinnern, an das süße, nach Kokosnuss duftende Rasierwasser des Versicherungsvertreters im Wohnzimmer. An Stephen, der sich über die Papiere gebeugt und die Brille aufgesetzt hatte, bevor er unterschrieb – mit dieser übertrieben schwungvollen Geste, wie sie für Männer wohl typisch ist. Du hattest keine Ahnung – woher auch? –, dass die Police durch einen Selbstmord innerhalb von zwei Jahren nach Unterzeichnung automatisch gegenstandslos wurde. Hätte er es bei der alten Versicherung belassen, wäre alles in Butter gewesen. Das war keine Ironie des Schicksals, sondern bloß eine weitere Szene in dem Horrorfilm, in den dein Leben sich verwandelt hatte. Es folgte ein nervenaufreibendes Tauziehen zwischen deinen Anwälten und der Versicherungsgesellschaft, die aufgrund des extremen Stresses und des Traumas, das du durchlitten hattest, schließlich nachgab und einer Vergleichszahlung zustimmte. Du bekamst einen Scheck über 1048 Pfund. »Unter Vorbehalt.« Noch nicht einmal die Rechnungen der Anwälte und des Bestatters konntest du damit begleichen.

Du musstest dein geliebtes Haus verkaufen.

Und so kam es, dass du – nachdem du 1987 in eine Zweizimmer-Sozialbauwohnung in der Nähe des Hafens umgezogen warst – deinerseits das Trinken entdeckt hattest. Anfangs war es nur Wein. Rasch kamst du zu der Erkenntnis, dass du dich halbwegs durch den Tag schleppen konntest, bevor der Drang, die erste Flasche süßen Weißwein zu entkorken, gegen fünf Uhr schließlich übermächtig wurde. Du warst nie eine große Trinkerin gewesen, und bereits ein oder zwei Gläser süßen Weins ließen die schäbige, kleine Wohnung wärmer und heimeliger erscheinen. Die Flasche hielt dich auf den Beinen, bis dich abends um zehn auf dem Sofa der Schlaf übermannte, wo Craig und Stephen dich in deinen Träumen erwarteten. Die Arme ausgebreitet, strömte ihre Liebe dir wie Licht entgegen. Doch aus fünf Uhr wurde dann vier Uhr. Aus einer Flasche wurden zwei. Und schon bald trankst du von mittags bis abends. Und wo früher ein Glas gereicht hatte, brauchtest du inzwischen eine Flasche.

Was für eine Offenbarung das war, als du den Schnaps für dich entdecktest. Dass ein halbes Glas Wodka dieselbe Wirkung auf dich hatte wie eine halbe Flasche Wein! Und zwar auf der Stelle! Es war ein Gefühl, als hättest du die Kernspaltung entdeckt oder im Schleim auf dem Boden einer Petrischale das Penicillin gefunden. Nicht lange, und eine Flasche Smirnoff langte gerade noch so, dich über den Tag zu retten. Von deinem Schlafzimmerfenster aus konntest du das Meer sehen, die Flussmündung, wo sie Craigs Leiche gefunden hatten. »*Fünf Faden tief er liegt ...*« Stundenlang saßt du dort – die Augen feucht vom billigen Wodka, den Blick aufs Meer hinaus gerichtet, auf die blumenkohlförmigen Wolken, die über den grauen Himmel zogen – und summtest kleine Liedchen vor dich hin. Eines Morgens lagst du betrunken und kichernd mit Craigs rotem Pulli über dem Kopf in deinem Kleiderschrank. Dir wurde klar, dass du im Begriff warst, wahnsinnig zu werden. Ja, dass du vor Trauer längst wahnsinnig warst, aber der Alkohol dich wie eine flüssige Doppelverglasung um Haaresbreite vom düsteren Abgrund der völligen Umnachtung getrennt hatte.

30

Als ich wieder zu mir kam, hatte ich keine Ahnung, wie lange ich bewusstlos gewesen war. Jedenfalls hatte sie in der Zwischenzeit Walts Hand bandagiert. Wo einmal sein kleiner Finger gewesen war, glänzte ein tiefschwarzer Blutfleck auf dem weißen Verband. Sie hatte das meiste Blut aufgewischt. Wieder krampfte mein Magen, trockenes Würgen schnürte mir die Kehle zu. Aber es war nichts mehr da, was ich hätte erbrechen können.

»Also, William«, sagte sie und kam auf mich zu. Walts Kopf hing auf seiner Brust. Ich konnte nicht erkennen, ob er bei Bewusstsein war oder nicht. »Was machen wir jetzt mit dir? Ich bin mir immer noch nicht sicher, ob du mir die volle Wahrheit gesagt hast. Ich hatte es zwar gehofft, angesichts der kleinen Demonstration eben ...« Sie deutete mit dem Messer auf Walt, Klümpchen getrockneten Blutes hingen zwischen den gezackten Zähnen der Klinge. »Vor Gericht habt ihr euch alle gegenseitig beschuldigt. Keiner von euch hat jemals den Mumm gehabt, sich zu der Tat zu bekennen. Die beiden anderen haben immer darauf beharrt, dass du es warst. Ich habe dich nie so richtig durchschaut. Du hast auf mich immer einen ziemlich gewieften

Eindruck gemacht. Schienst dich für besonders clever zu halten.«

»Es war Banny.«

»Hmm. Vielleicht sollte ich dich noch ein wenig motivieren ...« Sie ging zu ihrer Tasche, hielt aber plötzlich inne, hob den Kopf und blickte zur hölzernen Kellerdecke hinauf. Beim zweiten Mal konnte ich es auch hören: ein schwaches Bimmeln, wie von einer Mikrowelle.

Die Türklingel.

Beim dritten Klingeln drehte sie sich zu mir um und sah mich zweifelnd an. Sie beugte sich zu mir herab, bis ihre Nasenspitze fast die meine berührte. Und während sie mir ein frisches Stück Klebeband über den Mund klebte, flüsterte sie: »Solltest du mit dem Gedanken spielen, etwas Dummes zu tun, weil du davon ausgehst, dass es für dich nicht noch schlimmer kommen kann ...« Sie trat zurück, hob das Messer und presste es mir unter die Nase. »Glaub mir, es kann. Hast du mich verstanden, William?«

Ich nickte.

»Gut. Und versuch bloß nicht wieder, dich zu übergeben, solange du das Klebeband vor dem Mund hast. Ich will nicht, dass du mir vorzeitig wegstirbst.«

Sie steckte das Messer hinten in ihre Jeans. Dann nahm sie einen großen, verchromten Revolver von der Werkbank, stopfte ihn in den vorderen Bund und zog den Pullover darüber. Bevor sie die Treppe hinaufstieg, überprüfte sie ihre Erscheinung in einem kleinen Spiegel, der an der nackten Backsteinwand hing. Sie fuhr sich durchs Haar, und mit dem Gestus einer Frau im Abendkleid, die sich für die Oper zurechtmacht, wischte sie sich einen Spritzer von Walts getrocknetem Blut von der Wange. In ihren schweren Stiefeln stapfte sie die Holzstufen hinauf und war dann verschwunden.

Walts verstümmelte Hand war immer noch frei.

31

»Mmmf!« Das Klebeband verhinderte jeden Versuch, zu sprechen. »Ummm!« Langsam blickte Walt auf. Er schien verwirrt, als stünde er unter Drogen. Offensichtlich hatte er einen Schock. In seinen wunden, roten Augen stand das nackte Grauen. Ich zuckte mit dem Kopf, nickte verzweifelt Richtung Tisch, flehte ihn an, meinem Blick zu folgen. Schließlich drehte er sich um und sah es.

Ein winziges, silbernes Skalpell, direkt an der Tischkante.

»Ummm!« *Bitte, Walt, kapier doch endlich.* Es lag nur ein paar Zentimeter von seiner bandagierten rechten Hand entfernt. Oben konnte ich ihre Schritte auf den Holzdielen hören. Ich ruckelte mit meinem Stuhl von einer Seite auf die andere und schaffte es, ein kleines Stück näher an Walt heranzurücken – immer das Babyfon im Auge. »Ummm!« Endlich hatte er verstanden. Sein Blick wanderte von mir zu dem Skalpell. Er streckte die Hand aus, woraufhin ihn offenbar ein heftiger Schmerz durchfuhr, denn hinter seinem Knebel schrie er auf. Der Blutfleck auf dem Verband schien größer zu werden. Er weinte und schüttelte den Kopf. Ich sah ihm in die Augen, versuchte ihm, nur mit Blicken zuzureden: *Bitte, Walt, ich weiß, dass es wehtut, aber wenn wir hier nicht rauskommen, werden wir sterben.*

Er wagte einen neuen Anlauf, seine Schultern bebten unter Tränen. Blut aus seiner Wunde schmierte über die Stuhllehne, als seine zitternden Fingerspitzen sich an die silberne Klinge herantasteten. Von oben konnte ich gedämpfte Stimmen hören, als sie an der Haustür mit jemandem sprach.

Walt erreichte das Skalpell. Er zog es heran, ergriff es mit seiner blutenden Hand und hielt es schließlich in seiner zitternden Faust. Ich stemmte mich gegen den Boden, schob, zog und kippelte den quietschenden, knarrenden Stuhl hin und her, immer näher an Walt heran, bis mein gefesseltes linkes Handgelenk nur noch wenige Zentimeter von der Klinge entfernt war. Schweiß lief mir über das blutige Gesicht, eine nach Salz und Rost schmeckende Lake rann mir in den Mund und brannte mir in den Augen. Blinzelnd behielt ich das Babyfon im Auge. Wie weit war sie wohl von dem Lautsprecher entfernt? Nur noch ein oder zwei Zentimeter weiter ...

Obwohl ich meinte, in meiner Wade das Reißen von Muskelfasern zu spüren, gelang es mir schließlich, die letzten paar Zentimeter zu überwinden. Dabei kratzten die Stuhlbeine laut über den Betonboden. Meine Fesseln berührten jetzt das Skalpell. Walt zog die Klinge über die Kabelbinder. Sie durchschnitt das Plastik wie Butter, und innerhalb von Sekunden war mein Arm frei. Ich nahm Walt das Skalpell aus der Hand und durchtrennte die Plastikriemen, die meine Knöchel und meinen anderen Arm an den Stuhl fesselten, wobei ich mir mehrfach ins eigene Fleisch schnitt.

Ich hatte bereits Walts Beine befreit und nahm mir gerade seinen linken Arm vor, da hallte ein einziger lauter Knall durch das Haus über uns. Gefolgt von einem dumpfen Schlag, als etwas auf den Boden krachte. Ich zerrte Walt aus dem Stuhl und riss ihm das Klebeband herunter. »Daddy! Meine Hand!« Ich hielt ihm den Mund zu und nickte in Richtung des Babyfons. Mit Walt in den Armen taumelte ich quer durch den Raum zu dem winzigen, in Schulterhöhe gelegenen Kellerfenster. Draußen türmte sich der Schnee bis zur Hälfte der Scheibe, darüber jagten weiße Flocken durch den pechschwarzen Nachthimmel. Ich packte den Fenstergriff und riss mit aller Macht daran, aber es war fest verklemmt. Mit mindestens fünfzehn Schichten Farbe versiegelt und vermutlich seit dreißig Jahren sommerlicher Hitze und winterlicher Nässe ausgesetzt, bewegte sich das Fenster keinen Zentimeter. Erneut hörte ich Schritte irgendwo über uns. Als sie lauter wurden, umklammerte ich das winzige Skalpell mit der Faust und blickte lauernd zur Treppe. Dann entfernten sich die Schritte wieder, und ich hörte ein schleifendes, polterndes Geräusch – irgendetwas Schweres wurde über die hölzernen Bodendielen gezogen.

Ich wandte mich wieder zum Fenster und rammte das Skalpell in die dicke Farbschicht. Ich zog es von links nach rechts, drückte es mit aller Kraft immer tiefer in den entstehenden Schlitz. Jahrzehntealte, gummiartige Lackfarbe riss und blätterte ab, Walt klammerte sich zitternd und verängstigt an mein Bein. Ich hatte das Skalpell bis über die halbe Länge gezogen und spürte bereits ein wenig Spiel im linken Flügel des

Fensters, als ein kurzes Krachen ertönte. Erschrocken starrte ich auf den Stumpf des Skalpellgriffs in meiner Hand – die abgebrochene Klinge steckte tief im Fensterrahmen. »Verdammter Mist!« Ich zerrte mit beiden Händen und versuchte, das Fenster aufzureißen, aber die rechte Seite war immer noch felsenfest mit dem Rahmen verklebt. Ich rammte meine Schulter ein-, zwei-, dreimal dagegen. Verzweifelt blickte ich hinüber zum Babyfon.

Scheiß drauf.

Ich trat einen Schritt zurück und warf mich mit Wucht gegen den Rahmen. Glas brach, Holz splitterte. Kalte Luft schlug mir ins Gesicht, als ich das Fenster aufriss.

Von oben hörten wir, wie sie losrannte.

»Mach schnell, Dad!«, schrie Walt.

Ich hob Walt hoch und schob ihn durch das Loch hinaus in die eisige, froststarre Nacht. Hinter mir hörte ich, wie sie mit dem Fuß die Kellertür aufstieß. Nur ein Sekundenbruchteil, um die richtige Entscheidung zu fällen.

Bleibst du hier und versuchst, sie aufzuhalten?

Wenn sie dich erschießt, dann kriegt sie Walt.

Als sie die Treppe heruntergestürmt kam, packte ich beide Fensterflügel und schwang mich durch die schmale Öffnung. In diesem Moment hörte ich hinter mir auch schon einen wütenden Aufschrei und den Knall einer Pistole. Neben meinem Kopf zersplitterte die Scheibe des zweiten Fensters.

Ich griff mir Walt und versuchte, durch den knietiefen Schnee in die Dunkelheit zu rennen, während der beißende Wind uns entgegenpeitschte und mein Verstand weiter die Lage kommentierte, als würde er losgelöst von meinem Körper agieren. *Sie wird es nicht durch das winzige Fenster schaffen. Sie muss wieder die Treppe rauf und quer durchs Haus, das verschafft dir vielleicht sechzig Sekunden. Dein Haus, die Waffe in der Schreibtischschublade, ist fast eine halbe Meile weit entfernt, durch den ...* – ein weiterer lauter Knall ertönte. Ich blickte zurück und sah, dass sie halb aus der Fensteröffnung hing und mit wedelndem Arm wild in die Gegend feuerte. Dann verschwand sie wieder im Keller, und gelbes Licht ergoss sich aus dem Fenster über den Schnee.

Wir hatten die vordere Ecke des Hauses erreicht. In Schulterhöhe lief eine Veranda rund um das Gebäude, und im Umkreis von etwa drei Metern war das Gelände von den Verandalampen hell erleuchtet. Dahinter begann die Dunkelheit. Irgendwo in der Ferne vermutete ich die warmen Lichter unseres Hauses. Mein Büro. Den Schreibtisch. »Los, Walt, kletter auf meinen Rücken und halt dich fest.« Ich griff nach dem Geländer und zog uns beide auf die Veranda. Wegen der Überdachung lag dort kein Schnee, wir konnten also keine Spuren hinterlassen. Ich kroch um die Ecke des Hauses, immer unterhalb der Fenster entlang, riskierte einen kurzen Blick ins Wohnzimmer und sah sie über den Flur in Richtung Haustür sprinten. Ich zog Walt an mich und drückte mich eng an die Wand. Wir hörten, wie die Tür aufgerissen wurde und sie die Treppe hinunterstürmte. Mit Walt auf dem Rücken lief ich gebückt zurück, um das Haus herum bis zur Rückseite. Als ich mich umdrehte und um die Ecke spähte, rannte sie vor dem Haus auf und ab. Völlig außer sich zielte sie mit der Waffe wirr in die schwarze Nacht.

Entgegen allem, was mein Instinkt mir sagte, stieß ich die Hintertür auf und schlich in die Küche. Das Licht war aus, und in der Dunkelheit spürte ich, wie meine Turnschuhe in etwas Dickflüssiges, Klebriges traten. Dort auf dem Linoleumboden, in einer Pfütze schwarzen Bluts, lag ein Körper. Als ich näher heranging, Walt an mich gedrückt, erkannte ich Jan Franklin. Ihr halbes Gesicht fehlte. *Sie muss bei uns vorbeigeschaut haben, um zu erfahren, was es mit dem Hubschrauber auf sich hat. Ob sie die Leichen gesehen hat? Warum war sie hierhergekommen?* »Nicht hinsehen, Walt.« Während ich vorsichtig einen Bogen um die Blutlache machte, ließ ich meinen Blick durch den Raum schweifen, in der schwachen Hoffnung, vielleicht in irgendeiner Ecke eine Jagdflinte zu entdecken. Nichts. Bloß eine stinknormale, abgenutzte Provinzküche. Ich konnte hören, wie sie draußen unsere Namen brüllte, und lugte aus dem Küchenfenster: Der Schnee leuchtete hell im Licht der Veranda, dahinter nichts als schwarze Winternacht. Genau auf der Grenze zwischen Licht und Dunkel stand eine große, alte Pinie. Wenn wir durch den Schnee rennen würden, könnte sie unsere Fußspuren sofort sehen. Ich blickte hinauf zum Dach der Veranda, versuchte nachzudenken, versuchte, mich anhand meiner wenigen Besuche hier an den Grundriss des Hauses zu erinnern. Ich traf eine Entscheidung.

Ich rannte mit Walt nach oben. Als wir uns auf dem ersten Treppenabsatz befanden, konnte ich durchs

Fenster sehen, wie sie ums Haus herumlief. Die Faust um den großen Revolver gekrallt, suchte sie die Schneefläche ab. Auf dem Treppenabsatz lag eine schwarze, dick gefütterte North-Face-Jacke auf einem Stuhl, die ich nahm und um Walt wickelte. Vor uns führte ein großes Aussichtsfenster auf das Dach der Veranda. Ich öffnete es vorsichtig, schob es so leise wie möglich nach oben und kletterte nach draußen. Beinahe direkt unter uns sah ich sie im Schnee herumrennen. »WILLIAM!«, brüllte sie in die Nacht hinaus. Ich duckte mich in die schützende Dunkelheit und beobachtete, wie sie weiter ums Haus lief. Das Verandadach war gut drei Meter breit – breit genug für wenigstens drei Schritte Anlauf. War das zu schaffen, mit Walt auf dem Rücken? »Walt? Walt? Hör zu, mein Sohn.« Ich presste meine Lippen an sein Ohr. »Wir werden jetzt springen, in Ordnung?« Er wimmerte leise, schlang die Beine noch fester um meine Hüfte und klammerte sich mit beiden Armen um meinen Hals.

Ich ging zurück bis zur Hauswand und atmete tief durch. Wenn ich nicht weit genug sprang, war das unser Tod. Wenn der Schnee nicht tief genug war, um unseren Fall aufzufangen, und ich mir ein Bein oder die Hüfte brach, bedeutete das ebenfalls unseren Tod. Ich presste das Gesicht an die Scheibe und starrte über den Flur durch das Vorderfenster. Doch ich konnte sie bloß schreien hören, jetzt regelrecht hysterisch. Ich rannte los und schaffte drei kräftige Schritte Anlauf, bevor ich mich von der Dachkante abdrückte, in Richtung der Pinie sprang und mich nach vorne warf, um so weit wie möglich im Schnee zu landen. Für den

Bruchteil einer Sekunde herrschte völlige Stille, während wir durch den wirbelnden Schnee fielen, schließlich zu Boden stürzten und einen Meter oder tiefer einsackten – halb erfroren, unter Schock, aber vorerst in Sicherheit.

Wir waren im Dunkel, außer Reichweite der Verandabeleuchtung gelandet. Von der Veranda aus würde sie unsere Spuren nicht erkennen können. Ich zog Walt an mich heran, duckte mich tief in den Schnee und beobachtete das Haus. Plötzlich flammte das Licht hinter dem Küchenfenster auf. Ich sah, wie sie Schubladen aufriss, Sachen herauszog und wegwarf, offensichtlich auf der Suche nach etwas. Ein Windstoß fegte über uns hinweg, und der Schnee fiel noch dichter. Dicke, feuchte Flocken trudelten vom Himmel, schmolzen in unserem Haar, betäubten meine Kopfhaut. Walt zitterte unter der Jacke, und mich überkam ein Gefühl der Übelkeit, als ich ihr süßliches Parfüm in dem Pelzkragen roch.

Sie stürzte wieder zur Küchentür hinaus. Mit ruckartigen Bewegungen schwang sie eine große Taschenlampe und leuchtete wahllos umher. Der weiße Strahl durchschnitt die Nacht und beleuchtete geisterhaft tanzende Schneeflocken. Sie klammerte sich ans Geländer und starrte ins Dunkel. »WENN ICH EUCH FINDE«, kreischte sie, »DANN KASTRIER ICH EUCH BEIDE!«

Erneut rannte sie los, zurück ums Haus auf die andere Seite. Als sie verschwunden war, nahm ich Walt und stapfte los, bahnte mir meinen Weg durch den oberschenkeltiefen Schnee. Weg von dem Haus und hinein in den Schneesturm.

32

Verrückt zu werden war eine äußerst seltsame Erfahrung gewesen. Du hattest immer geglaubt, dass du es mitkriegen würdest, dass ein Teil deines Verstandes immer noch in der Lage wäre, die Distanz zu wahren, alles von außen zu betrachten und mit Gedanken wie »Nun, das ist zwar ungewöhnlich, aber es scheint unvermeidlich zu sein« zu kommentieren. Doch es war ganz und gar nicht so, an jenem Tag in der Tiefkühlkostabteilung des Supermarkts, als diese Dame, die du aus deiner Theatergruppe kanntest, dir ihre Hände auf die Schultern legte und auf dich einredete. Du konntest sehen, wie sich ihre Lippen bewegten, aber da waren keine Worte. Nein. Du sahst nur, dass sie weinte. Über ihre Schulter hinweg konntest du in der Tür eines Tiefkühlschranks, voll mit verschiedenen Pommes-Sorten (da war bereits diese Stimme in deinem Kopf, die sagte: »Oh, die da würden meinen Jungs zum Kotelett schmecken«), dein Spiegelbild erkennen. Du trugst deinen Pyjama und einen Bademantel. Die Sachen waren voller Flecken – Ei, etwas Blut vielleicht. Und dein Haar ... Jesus, dein Haar. Du hattest schon lange aufgehört, dich in der Wohnung auch nur in die Nähe eines Spiegels zu begeben. Ungewaschen und Gott weiß wie lang es war, es sah aus wie fettverklebtes Stroh, buschig und strähnig, von Schweiß und Tränen ins Gesicht gepappt. Du warfst einen Blick in deinen Einkaufskorb, von dem du gar nicht wusstest, dass du ihn trugst. Darin lagen eine Literflasche Smirnoff, ein Raumspray, Vogelfutter – du hattest gar keine Vögel – und Teigtaschen mit Hackfleischfüllung (Craigs Lieblingssorte). Dann fiel dir auf, dass die Marktleiterin und ein Sicherheitsmann neben euch standen und nervös beobachteten, wie die Frau auf dich einredete (du konntest jetzt ein paar Worte verstehen: »O Gill, o mein Gott, Liebes. Was hast du dir nur angetan?«). Und ganz langsam wurde es dir bewusst: *Ah ja, verstehe. Ich habe vergessen, dass ich verrückt bin, und bin aus Versehen auf die Straße gegangen.* Als wäre Wahnsinn etwas, das hinter verschlossenen Türen absolut akzeptabel ist. Als gäbe es kein Problem, solange man niemanden damit belästigt.

Sie riefen einen Krankenwagen. An das, was danach geschah, kannst du dich nicht mehr genau erinnern. Möglicherweise wurde darüber geredet, dich einweisen zu lassen, aber dazu kam es nie. Vermutlich, weil bei dir kein Geld zu holen war.

Und die ganze Zeit, die du auf dem Sofa, dem Teppich oder dem Küchenboden lagst (du gingst kaum noch ins Bett, schliefst immer dort ein, wo du gerade warst, eines der Kinderlieder vor dich hin brabbelnd, die du ihm als Baby vorgesungen hattest: *Sag, wer mag das Männlein sein, das da steht im Wald allein*), maltest du dir aus, wie es passieren würde, wie du es anstellen würdest.

Eine Schusswaffe wäre vermutlich das Beste. Ein Freund von Stephen besaß ein Gewehr. Einläufig, wie du noch von damals wusstest, als die beiden einmal losgezogen waren, um im Morgengrauen in den Dünen Kaninchen zu jagen. Wo er sie wohl verwahrte? Wie könntest du dir Zugang verschaffen? Der kalte, unpersönliche Stahl im Mund. Würdest du so überhaupt an den Abzug kommen? Würdest du einen Stock brauchen, um ihn zu drücken? Und dann – gar nichts mehr. Nur noch die Milliarden von Gedanken, die in einem pinkfarbenen Nebel aus deinem Hinterkopf sprühen, sich als dicker, roter Film auf Tapeten, Vorhänge, die Decke legen würden. Craig, Stephen – sämtliche Erinnerungen wären von einem Augenblick auf den anderen dahin, ohne dass du überhaupt etwas davon merken würdest.

Erst das leise Vibrieren, dann das brutale Donnern der eisernen Gleise auf deinen Knien, auf deiner Stirn – Sekundenbruchteile bevor das Heulen und Stampfen des Zuges alles beenden würde. (»Werde ich sie spüren?«, fragtest du dich desinteressiert. Die Räder, wenn sie dir den Kopf abrissen. Dir die Beine abtrennten.)

Das kalte Rauschen der Luft, wenn du vom Dach des Apartmenthauses sprängest, zwanzig Stockwerke hinab. Alte Damen, die aus ihren Fenstern schauen und deinen dunklen Schatten vorbeifliegen sehen würden. Der Sturz würde geschätzte zwei Sekunden dauern. Würdest du das Bewusstsein verlieren? Du hattest etwas in der Art gehört. Würdest du den Aufprall fühlen, wenn dein Körper auseinanderplatzte wie ein Sack voll Blut?

Das Kratzen der Rasierklinge über den Handgelenkknochen, grauenhaft und fremdartig, wie das Quietschen von Styropor, das schrille Kreischen von Fingernägeln auf der Tafel. Die Fontäne, mit der dein Blut in das heiße Wasser spritzen würde, erst dickflüssig wie Sirup, dann ein verwehter Schleier. Ein schreckliches, rotes Badeöl – wie eine dieser Aufmerksamkeiten, die Craig dir manchmal aus der Drogerie im Einkaufszentrum mitbrachte. Die Weihnachtsgeschenkpackung. Alles würde warm und unscharf werden, dein Kopf würde unter Wasser gleiten, dein eigenes Blut süß in deinem Mund, sein Geruch in deiner Nase.

Oder wie Stephen: der Moment, ab dem es kein Zurück mehr gibt, wenn der Stuhl neben dir auf den Boden aufschlüge und deine Füße auf der Suche nach Halt nervös zuckend um sich träten. Das kratzige Seil, das dir in den Hals schnitte. Du würdest fühlen, wie deine Zunge anschwillt und die Mundhöhle ausfüllt. Speichel liefe dir übers Kinn, deine Augen traten vor. Würdest du an der Schlinge zerren, wenn du deine Entscheidung bereust, obwohl es längst zu spät ist? Wärst du immer noch bei Bewusstsein, wenn dein Urin dir warm die Schenkel herabliefe?

Das salzige Wasser des Clyde, das deine Lungen füllt, wenn du nicht mehr weiterschwimmen kannst. Deine vollgesogenen Kleider zögen dich nach unten. Und du warst ja noch kräftig. Eine gute Schwimmerin. Du hättest es ziemlich weit raus geschafft. Es gab Atom-U-Boote dort draußen, in der Flussmündung vor der Küste von Ayrshire. Man konnte sie von der Küste aus sehen. Würdest du an einem dieser Monster vorbeisinken? Schwerelos und tot an seiner gigantischen schwarzen Metallflanke entlangtrudeln? Sein furchterregender Turm allein so groß wie eines der Apartmenthochhäuser. Seine Schraube, deren gewaltiger Sog dich immer näher zöge, so groß wie ein Einfamilienhaus und ohrenbetäubend laut – der Lärm unter Wasser um ein Vielfaches verstärkt.

Craig hatte es dir einmal anhand seiner Physikhausaufgaben erklärt: dass beispielsweise die Kraft einer Explosion unter Wasser viel verheerender wirkt. Es hatte etwas mit der Dichte des Wassers zu tun. Du warst gerade dabei, Kartoffeln zu schälen, und hattest ihm nicht wirklich aufmerksam zugehört.

Du wärst bereitwillig all diese Tode gestorben, die du dir ausgemalt hattest. Sämtliche Tode, die du dir jemals vorstellen konntest, und noch viele, viele mehr. Einen nach dem anderen, um nur fünf Minuten mit ihm zu haben. Fünf Minuten, um den verdammten Kartoffelschäler beiseite zu legen und ihm zuzuhören, wie er über seine Hausaufgaben sprach.

Wenn du betrunken warst, hattest du all die ausgeschnittenen Zeitungsartikel hervorgeholt und brütend über ihnen gehockt: Craigs Gesicht auf der Titelseite des *Daily Record*. »VERMISST!« Fotos der Polizeitaucher am Flussufer. Diese Silhouetten — Junge A, B und C. Dann später, nachdem der Minister sich eingeschaltet hatte, die Fotografien von Derek Bannerman (14), Thomas McKendrick (13) und William Anderson (13). Du hattest sie angestarrt, warst mit dem Finger über ihre Gesichter gefahren, hattest dich deinen Fantasien hingegeben. Die Neunziger kamen und gingen. Es hatte nicht viel gefehlt, und dein Leben wäre vorbei gewesen. Mit Mitte fünfzig von Leberzirrhose dahingerafft.

Doch dann passierte etwas.

Deine letzte Glückssträhne lag so lange zurück, dass du eine Weile brauchtest, um es als Segen, als Chance zu erkennen.

Kurz nach der Jahrtausendwende starb Stephens Tante Myra. Sie hatte in Inverness gelebt, und ihr wart euch nie begegnet. Sie war eine alte Jungfer und Stephen ihr einziger lebender Verwandter gewesen. Tante Myra, eine dieser alten Damen, die zwei Häuser besaßen und fünfzehn Sparbücher unterm Bett horteten, hatte ein beachtliches Vermögen angehäuft. Ein Anwalt überreichte dir aus heiterem Himmel einen Scheck über 180 000 Pfund. Du hattest dein unerwartetes Erbe mit einer Kiste Smirnoff Blue Label gefeiert.

Als du einige durchzechte Tage später voll bekleidet auf dem Sofa lagst – umgeben von leeren Flaschen, vollen Aschenbechern, und mit getrocknetem Erbrochenem auf deiner blauen Strickjacke –, hattest du einen deiner seltenen klaren Momente. Und der führte dich zu einer ganz besonderen Einsicht.

Du konntest dich mit dem Geld natürlich so schnell wie möglich zu Tode saufen.

Oder du konntest dir holen, was man dir vorenthalten hatte. Gerechtigkeit. Wiedergutmachung. Rache. Wie immer man es nennen wollte.

Du spültest den restlichen Wodka die Toilette runter, trankst nie wieder einen Schluck und hattest eine neue Berufung. Du wurdest zum Detektiv.

33

Ich verstehe immer noch nicht ganz, wie ich das, was ich in jener Nacht tat, geschafft habe. Diese Geschichten über schlummernde Drogendepots im menschlichen Körper, so eine Art Superadrenalin, das dafür sorgt, dass Menschen angreifenden Haien davonschwimmen oder Mütter Autos von ihren Kindern heben? Sie sind definitiv wahr.

Nach dem Aufprall verspürte ich einen pochenden Schmerz im rechten Bein. Mit Walt auf der Schulter, einem dreißig Kilo schweren Bündel Elend, eingewickelt in eine North-Face-Jacke, die mir zumindest Teile der Brust und des Rückens wärmte, humpelte ich durch den Schnee. Meine Stiefel und Hosenbeine waren klitschnass, sämtliche Extremitäten taub. Der Schnee peitschte mir ins Gesicht. Schweiß und Wasser liefen mir in die Augen, mit gefrorenen Wimpern blinzelte ich in die pechschwarze Nacht. Es waren locker zwanzig Grad unter null. Ich hatte keine Ahnung, wohin wir eigentlich gingen. Ich wollte bloß möglichst weit weg von ihr, wobei der Schnee zwar unser Vorankommen erschwerte, sich aber in gewisser Hinsicht als echter Glücksfall erwies: Er fiel so dicht und schnell, dass er unsere Spuren verwischte. »Alles wird gut. Keine Angst«, versuchte ich meinen weinenden, wimmernden Sohn zu beruhigen, wann immer ich die Luft dazu hatte. Meine Schläfen pochten, mein Geist irrte ziellos, delirierend umher, während ich langsam in einen tranceartigen Zustand verfiel.

Ich war wieder William Anderson, damals in Schottland, an der Schule. In der Dunkelheit, im Schneegestöber vor mir, glaubte ich Bannys Gesicht zu erkennen. Riesenhaft, schrecklich, die Mundwinkel zu einem höhnischen Grinsen verzogen, flüsterte er mir grauenhafte Dinge zu. »Du bist immer schon eine kleine Schwuchtel gewesen«, sagte er. Und: »Mein Dad hat mich in den Arsch gefickt.« Tommy war auch da. An seiner Kehle klaffte eine große Wunde, Blut lief ihm aus den Mundwinkeln. Nur das Weiße seiner Augen war zu erkennen, keine Pupillen, keine Iris, nichts als entsetzliches, leeres Weiß, als er sein grausames, bellendes Lachen lachte. Ich sah meine Eltern vor mir, wie sie schweigend vor dem Fernseher saßen. Die King-Billy-Tätowierung meines Vaters, Fetzen der Oranier-Hymnen, die er zu singen pflegte, wenn er betrunken war, schwirrten mir durch den Kopf: »Einem Nönnchen hat er beigelegen, da durchbohrte ihn King Billys Degen.« Dann verwandelte sich das Lied in Duran Durans »Hungry Like A Wolf«, und Herby kam durch den Schnee auf uns zu. Um seinen Hals hing ein kleines Fässchen, wie in den alten Zeichentrickfilmen, die sonntagmorgens immer im Fernsehen liefen, als ich noch klein war. Doch als Herby näher kam, sah ich, dass es nur die vordere Hälfte des Hundes war: Das Ding schleppte sich mühsam mit den Vorderläufen voran und zog dabei einen glänzenden Schwanz aus Innereien und eine dicke Blutspur hinter sich her. Dann, von einem Moment auf den anderen, standen wir im hellen Sonnenschein, umweht von Frühlingsluft, und ich war wieder am Flussufer, beinahe dreißig Jahre zuvor. Aber diesmal hielt ich einen glitzernden Revolver in der Hand, mit dem ich auf Banny zielte. Diesmal würde ich alles verhindern können – ihn stoppen, mich stoppen. Doch obwohl ich die Waffe auf ihn gerichtet hatte, kam er weiter auf mich zu, als ich den Abzug betätigte. Die Patronen (*Bafronen, Bafronen!*) rutschten einfach aus dem Lauf und plumpsten zu Boden. Ohne Schaden anzurichten, rollten sie klackernd über den Beton. Egal, es war warm und sonnig. Ich fühlte mich betrunken, trunken vor Glück. Und dann wurde mir bewusst …

… dass ich gerade an Unterkühlung starb.

Ich klappte im Schnee zusammen. Walt fiel auf mich, sein kleiner Körper unter der Jacke war das Einzige, was mir Wärme spendete. Plötzlich spürte ich den unwiderstehlichen Drang, mich einfach in den Schnee zu rollen, mich einzugraben, das weiße Laken über mich zu ziehen und in einen tiefen Schlaf zu fallen. Ich hatte aufgehört zu zittern. Ich lag flach auf dem Rücken, starrte hinauf in die tanzenden Schneeflocken und zog meinen Sohn zu mir heran. Walts Lippen waren blau, seine Haut beinahe durchsichtig, die Augen leicht geöffnet und glasig – tot. *Komm schon, Walt. Los doch, kleiner Mann. Nimm meine Hand. Du wirst nichts spüren. Lass uns gehen. Lass uns zu Mommy gehen.*

Und dann erschien Craig Dochertys Gesicht über uns am Himmel: Gewaltig, Furcht einflößend und grinsend kam es auf uns herab. Da waren keine Augen, nur große Knäuel rosafarbener Würmer, die sich feucht glänzend in den leeren Höhlen wanden und wie Tentakel nach uns griffen. Ein winziger Krebs krabbelte aus seiner Nase in seinen Mund, der sich lachend öffnete.

Nein. Den Teufel werden wir tun, hier im Schnee zu sterben.

Ich stemmte mich auf die Beine, warf mir Walt wieder über die Schulter und setzte einen Fuß vor den anderen.

Nachdem ich frierend ein paar Hundert Meter weitergestolpert war, konnte ich es vor mir durch den Blizzard sehen. Anfangs war ich mir nicht einmal sicher, was es war. Ich hielt es zunächst für ein weiteres Trugbild, einen grausamen Trick des dräuenden Wahnsinns – bis ich die kalte Wand berührte. Es war unser Poolhaus. Durch das Schneegestöber konnte ich die matten gelben Lichter des Haupthauses erkennen. Wir mussten beinahe eine Meile gelaufen sein, die ganze Strecke bis zu unserem Grundstück. Ich drückte die Tür auf, und wir fielen durch eine fast ein Meter hohe Schneewehe ins Innere.

34

Auf dem rauen Betonboden im Werkstattbereich des Pool-
hauses ausgestreckt, kam ich langsam zu Atem, während meine Augen sich an die Dunkelheit gewöhnten.
Ich konnte die Umrisse verschiedener Maschinen und
Geräte um mich herum ausmachen: den großen Ben-
zinrasenmäher, das Schneemobil, den alten Gasgrill.
Das einzige Licht im Raum kam von einem kleinen grünen Quadrat in der Ecke knapp über dem Boden: die
Betriebsleuchte der Tiefkühltruhe. Da es nur im Sommer genutzt wurde, war das Gebäude unbeheizt. Aber
irgendwo dort drüben stand ein kleines elektrisches
Heizöfchen, das Danny manchmal benutzte, wenn er hier
draußen zu arbeiten hatte. Walt lag auf der Seite, sein
Atem ging flach, sein Kopf hing schlapp herab. Ich kroch
durch den Raum, holte den Heizofen, schloss ihn an und
schaltete ihn ein, worauf sich ein rotes zu dem grünen
Licht gesellte und heiße Luft über Walt hinwegstrich.

»Walt. Walt! Kannst du mich hören?«

»Mmm.«

»Wir sind im Poolhaus. Ich habe den Heizlüfter angemacht. Ich hole ein paar Handtücher.«

In der eiskalten Dunkelheit tastete ich mich durch
die Verbindungstür zur Umkleidekabine und fand ein

paar trockene Handtücher auf den Holzbänken. Auf dem Boden lagen, wie ich gehofft hatte, einige T-Shirts und eine von Walts alten Cargohosen. Die Sachen waren muffig und dreckig, aber trocken. Ich schloss die Außentür ab, die vom Pool in die Umkleidekabine führte. Dann lugte ich durch ein schmutziges, vereistes Fenster zum Haupthaus hinüber. Auf der Rückseite des Hauses – in dem Flur, an dem die Schlafzimmer lagen – brannte noch immer Licht. Abgesehen davon, Walt zu wärmen und abzutrocknen, hatte ich nur einen Gedanken: Ich musste in mein Büro, um die Pistole zu holen. Dann sah ich, wie etwas Rotes über den Flur huschte, und duckte mich unters Fenster.

Sie war in unserem Haus und wartete auf uns.

Vielleicht wartete sie auch darauf, dass der Sturm etwas abflaute. Oder auf das erste Tageslicht, sodass sie die Gegend mit dem Schneemobil absuchen konnte, um sicherzugehen, dass wir wirklich tot waren. Gebückt lief ich zurück zu Walt. Er zitterte wieder, was ein gutes Zeichen war. Ich sah mir seine Hand an, wobei ich ein Schluchzen unterdrücken musste. Der Verband war vereist und regelrecht an seiner Haut festgefroren, aber zumindest war so die Blutung gestoppt. Ich zog ihm die nassen Sachen aus und die trockenen an. Ich nahm Dannys uralte, verdreckte Wachsjacke vom Haken an der Wand, wickelte Walt darin ein und zog mir selbst die nasse North-Face-Jacke über. Meine Haut sträubte sich gegen den schmierigen, feuchten Stoff, in dem immer noch der Duft ihres süßlichen Parfüms hing.

»Ist das so besser?«, flüsterte ich.

»K... kalt.« Walt schlug die Augen auf und sah mich müde an.

»Bleib bitte so nah wie möglich an dem Öfchen. In Ordnung, Walt? Alles wird gut.«

»Was ist passiert? Ich ...« Er schien sich an etwas zu erinnern und hob seine Hand. Tränen schossen ihm in die Augen. »Mein Finger ...«

Ich musste mich enorm zusammenreißen, um nicht selbst loszuheulen. »Hör zu, Walt. Wir holen einen Arzt, und der bringt das wieder in Ordnung, alles klar? Die kriegen heutzutage alles hin. Aber jetzt müssen wir still sein.«

Er versteifte sich in meinen Armen. »Wo ist sie?«

»Sie ... sie ist in unserem Haus. Aber keine Angst. Die Polizei wird bald hier sein. Bleib einfach hier. Verhalt dich ruhig.«

»Geh nicht weg!«, flehte er mich an, als ich aufstehen wollte.

»Mach ich nicht, Walt. Ich muss nur etwas suchen, okay? Ich bin gleich da drüben.«

Er nickte, und ich kroch auf Knien zum Fenster.

Ich beobachtete das Haus, aber es war nichts von ihr zu sehen. Ich blickte auf meine Uhr – fast zwei Uhr nachts. Vermutlich würde es dämmern, bevor die Zentrale in Regina Funkkontakt mit dem Hubschrauber aufzunehmen versuchte. Es blieben also mindestens fünf bis sechs Stunden. Konnten wir uns einfach in einer Ecke verkriechen und auf Rettung warten? *Irgendwann wird sie die Nebengebäude absuchen.* Mein nächster Gedanke ergab sich automatisch aus dem vorherigen. *Früher oder später wird sie durch diese Tür kom-*

men, und du überlegst dir am besten ganz schnell, was du dann tun wirst.

Ich sah mich in der Werkstatt um: ein paar Gartenwerkzeuge, eine Harke, ein Spaten. Eine Kiste mit leeren Weinflaschen von einer Party im letzten Sommer. Nichts, womit man sich einer Pistole entgegenstellen wollte. Der Rasenmäher, das Schneemobil, ein Werkzeugregal. Meißel, Zangen, Schraubenschlüssel, ein Vorschlaghammer, den ich zuletzt benutzt hatte, um den Pfahl des Schwingball-Sets in den Rasen zu rammen. Eine Schachtel Streichhölzer neben dem Grill.

Die Streichhölzer brachten mich auf eine Idee.

Streichhölzer, Flaschen, Rasenmäher.

Ich bückte mich, schraubte den Deckel ab und roch am Tank des Rasenmähers. Mit einem scharfen Schlitzmeißel schnitt ich ein Stück Gartenschlauch von der großen, grünen Trommel. Ich schob es in den Tank, steckte das Ende in den Mund und saugte. Sofort hatte ich Benzin im Mund. Hustend und würgend musste ich an eine Sommernacht vor fast dreißig Jahren denken, in der ich so etwas zum letzten Mal gemacht hatte. Ich spuckte aus, steckte das Schlauchende in eine leere Weinflasche und ließ sie volllaufen. Dann riss ich einen Streifen von einem der Handtücher ab, tränkte ihn mit Benzin und stopfte ihn in den Hals der Flasche. Die ganze Zeit über lag Walt in der Ecke neben dem leise summenden Heizofen und beobachtete mich schweigend. Ich nahm die Zündholzschachtel, zog eine Kiste vor das kleine Fenster, steckte den Vorschlaghammer in meinen Gürtel und setzte mich. Für den Fall, dass etwas schiefging und es zum Schlimmsten kam, hoffte ich, dass der erste Schlag Walt betäuben und bereits der zweite oder dritte tödlich sein würde.

»Die Vergangenheit ist ein fremdes Land«, lautet ein steinaltes Klischee. Eine Zeit lang dachte ich, meine wäre sogar ein anderer Planet. *Ich war ein kleiner Junge, der etwas Schreckliches getan hat.* Aber die Vergangenheit ist kein fremdes Land. Sie ist allgegenwärtig. Sie war jetzt gerade da draußen, irgendwo im Schnee, mit einem Schlachtermesser und einem Revolver.

Ich wartete.

Es hörte auf zu schneien.

35

Vielleicht dreißig Minuten, nachdem der Schneesturm abgeflaut war, sah ich sie. Ein gelblich-weißer Lichtstrahl durchschnitt die Finsternis. Ich rückte näher an das Fenster heran und beobachtete, wie sie über unsere hintere Veranda ging. In ihrer roten Daunenjacke war sie gerade noch zu erkennen. Der Kegel ihrer Taschenlampe glitt über den Garten, holte die Umrisse der unter Schneewehen begrabenen Gartenmöbel aus der Dunkelheit, suchte die Nebengebäude ab: die Ställe, die Pergola, das Poolhaus. Ich ging in Deckung, als der Lichtstrahl sich die Außenmauer entlangtastete. Walt wimmerte vor Angst, als der Strahl durchs Fenster fiel und zitternd auf der Wand über unseren Köpfen verharrte. Dann bewegte er sich weiter, und ich riskierte einen Blick nach draußen. Sie ging in Richtung der Stallungen, dem Gebäude, das dem Haus am nächsten lag.

»Komm mit, Walt«, flüsterte ich.

Ich hob ihn hoch, trug ihn in den Umkleideraum und legte ihn auf den Boden neben der Tür, die ich zuvor abgeschlossen hatte, außer Sichtweite der Fenster. »Bleib einfach hier und sei ganz, ganz still. Schaffst du das?«

Er klammerte sich an meinen Kragen. »Nein! Geh nicht. Ich hab Angst.«

»Hör zu, Walt. Ich gehe nur nach nebenan, ich ... bitte, mein Großer. Du kriegst das hin.«

Der Strahl der Taschenlampe bewegte sich bereits von den Ställen weg und wieder auf uns zu.

Walt unterdrückte ein Schluchzen. Ich sah ihn an und streichelte ihm über die Wange. »Ich komme zurück und hole dich. Was immer auch geschieht ... rühr dich nicht vom Fleck. Ich liebe dich.« Ich küsste ihn auf die Stirn. Mit einem Wimmern ließ er mich gehen.

Ich kroch über den Boden der Werkstatt, unter dem Lichtstrahl hinweg, der durchs Fenster fiel und über die Wände irrlichterte. Ich kauerte mich zwischen die Maschinen, hinter das mit einer Plane bedeckte Schneemobil, vielleicht sechs Meter von der Tür entfernt, und machte mich bereit – die Weinflasche in der einen, das lange Streichholz in der anderen Hand. Ich hörte ein Klopfen am Fenster. Das Gesicht gegen die Scheibe gepresst, suchte sie den Raum mit der Taschenlampe ab. Ich drückte mich flacher auf den Betonboden. Der Lichtstrahl verschwand. Ein oder zwei Sekunden verstrichen, dann hörte ich den Türknauf quietschen. Für einen kurzen Moment war ich starr vor Angst – unfähig, einen klaren Gedanken zu fassen, unfähig, mich zu bewegen –, während sie an der Tür rüttelte. *Na los, du kannst das.* Ich setzte die Flasche ab. Die Tür öffnete sich exakt in dem Augenblick, als ich das Streichholz anriss.

Ein leiser Widerstand. Holz splitterte auf Sandpapier, als der Zündkopf zerbröselte.

Mir drehte sich der Magen um.

Du hast die verdammten Streichhölzer nicht ausprobiert.

Der Lichtstrahl tastete sich jetzt durch den Raum, während ich in der Schachtel kramte und dabei den halben Inhalt auf dem Boden verstreute. Ich riss ein neues Streichholz an – wieder eine Niete.

Und jetzt wirst du sterben.

Mit zitternden Fingern griff ich nach einem dritten Streichholz, hob den Blick und sah, wie sie den Kopf durch die Tür steckte, die Taschenlampe in der einen, den Revolver in der anderen Hand. Ich riss das Zündholz an und hielt es sofort an den benzingetränkten Lappen. Er fing Feuer. Eine helle, pinkfarbene Flamme schoss in die Luft und verbrannte meine Hand. Als sie sich mit ausgestreckter Waffe zu meinem Versteck umdrehte, sprang ich auf, den Arm bereits hinter die Schulter gezogen, wie ein Pitcher beim Werfen. Sie betätigte den Abzug im selben Moment, in dem ich laut schrie und ihr mit all meiner verbliebenen Kraft den Molotowcocktail entgegenschleuderte. Der Knall des Schusses in dem kleinen Betonhäuschen war ohrenbetäubend, und ich spürte einen Luftzug an der Wange, als die Kugel mich um Haaresbreite verfehlte. Die Flasche flog an ihrem Kopf vorbei und zersplitterte fauchend neben ihr an der Wand.

Brennendes Benzin ergoss sich über ihr Haar, ihre Daunenjacke brannte sofort lichterloh. Sie schrie auf, wedelte mit den Armen. Wieder löste sich ein Schuss und hinterließ ein Loch im Dach. Aber ich war bereits losgerannt, zurück in den Umkleideraum, wo ich mir

Walt griff und die andere Tür aufschloss, um in Richtung Haus zu sprinten.

Mit schmerzenden Beinen durch den Schnee stampfend, schaute ich zurück und sah sie aus der Tür taumeln. Ihr Oberkörper glich einer lebenden Fackel. Ihr schreckliches, hohes Kreischen erstarb schlagartig, als sie sich mit dem Gesicht voran in den Schnee warf. Ihre Beine zuckten und traten um sich. Ohne mich noch einmal umzudrehen, stürzte ich auf das Haus zu.

Wir kamen in den Hauswirtschaftsraum. Ich rannte weiter den Flur entlang, so schnell ich konnte, immer noch Walt über der Schulter, der mir im Adrenalinrausch federleicht erschien. Ich verschnaufte kurz und warf einen Blick in das Gästeschlafzimmer rechts von mir: Dort lag Officer Hudson rücklings auf dem sandfarbenen Teppich in ihrem eigenen Blut. Ihre Pupillen starrten ins Leere, ein lang gezogener Blutspritzer war auf der Wand über dem Bett. *Sie hat ihr im Schlaf die Kehle durchgeschnitten.* Walt schrie. »Nicht hinsehen«, sagte ich und hielt ihm die Augen zu. Sie war bis zur Hüfte entkleidet und trug nur einen schwarzen BH. Ich ging näher heran – nah genug, um zu sehen, dass ihr Holster leer und ihr Funkgerät verschwunden war. Ich verließ das Zimmer und rannte wieder los, den ganzen Weg bis zu meinem Büro, diesem Glaswürfel an der Seite des Hauses.

Ich fischte die Schlüssel aus der Ramones-Tasse, verstreute überall Kleingeld und Büroklammern. Mit zitternden Händen öffnete ich die Schublade und holte die Automatik heraus. Als meine Finger sich um den geriffelten Griff legten, überrollte mich eine Woge der Erleichterung.

»Daddy!«, schrie Walt hinter mir. »Sieh nur!«

Ich drehte mich um. Mein Blick folgte seinem ausgestreckten Zeigefinger zum Poolhaus, wo die Werkstatttür, an deren Rahmen immer noch die Flammen leckten, im Wind hin und her schwang, und weiter zu der Stelle, wo sie in den Schnee gefallen war.

Sie war verschwunden.

Das Licht ging aus.

36

Ich entsicherte die Pistole. »Bleib hier«, sagte ich zu Walt, »unter dem Schreibtisch.«

Ich robbte den Flur entlang bis ins offene Wohnzimmer und schob mich auf dem glatten, polierten Parkett langsam vorwärts, die Waffe beidhändig vor mir ausgestreckt. Das Haus um mich herum lag in völliger Finsternis. Hinter uns gab es keine nach draußen führenden Fenster oder Türen, die sich öffnen ließen. Um zu uns zu gelangen, musste sie den riesigen Wohnbereich durchqueren – fünfzehn Meter ohne Deckung. Sie würde also entweder durch den Korridor kommen, der runter zu den Schlafzimmern und dem Keller führte, oder über die kurze Treppe zur Küche. Durch die gläserne Front fiel gerade genug Mondlicht herein, um etwas sehen zu können. Meine Hände zitterten, als ich die Pistole nervös von einem Zugang zum anderen schwenkte. Ich würde warten, bis sie den Raum betreten hatte, und dann das ganze verdammte Magazin in sie hineinjagen.

Von oben hörte ich ein entferntes, gequältes Jaulen, wie ein unterdrückter Schmerzensschrei. Ich versuchte, ruhig zu atmen, spürte mein Herz gegen das Parkett hämmern. Minuten verstrichen in völliger Stille.

Dann öffnete sich oberhalb der Treppe die Küchentür, und da war sie. Zögernd kam sie die Stufen hinunter. Mit der linken Hand stützte sie sich an der Wand ab, in der rechten hielt sie immer noch den Revolver. Im Halbdunkel konnte ich erkennen, dass ihr halber Kopf weiß war. Sie sah aus wie ein Wattestäbchen. Nun begriff ich auch die Ursache des Schreis: Sie hatte ihr verbranntes Gesicht verarztet, es mit Mull verbunden, vielleicht ein Antiseptikum aufgetragen. Als Walts Babysitterin wusste sie, wo alles zu finden war. Ich ließ sie bis zum Fuß der Treppe gehen und ein paar Schritte in den Raum hinein machen, bis sie noch etwa zehn Meter von der Stelle entfernt war, wo ich hinter der Couch lag. Meine Waffe war nun exakt auf ihre Brust gerichtet. Es herrschte Totenstille, als ich die Waffe entsicherte und sah, wie sie augenblicklich erstarrte.

»Legen Sie die Waffe weg«, hörte ich mich sagen.

Sie hob die Hände, Handflächen nach außen, die Finger von der Waffe abgespreizt. »Auf den Boden damit.«

»Nicht schießen, William, ich leere das Magazin.« Mit einer Hand ließ sie die Trommel des Revolvers herausschnappen. Ich hörte die Patronen zu Boden klackern und über das Parkett rollen. »Ich werde mich jetzt setzen«, sagte sie, »ich fühle mich etwas schwach.«

Ich stand auf, als sie sich auf die Sofakante hockte. Sie hatte die linke Seite ihres Gesichts bandagiert. Ihr Haar war übel versengt. »Wie sehe ich aus?«, fragte sie seelenruhig und blickte mich erwartungsvoll an. Ich hielt weiterhin die Waffe auf sie gerichtet, mit links auf eine Stuhllehne gestützt, da meine Beine unter mir wegzusacken drohten. Wie geistesabwesend summte sie nun ein Lied vor sich hin. »Kann sein, dass ich etwas konfus werde«, sagte sie. »Ich habe ein paar von den Vicodin-Tabletten deiner Frau geschluckt, falls du verstehst. Gegen die Schmerzen. Ich habe seit Jahren keine verschreibungspflichtigen Medikamente mehr genommen. Mir scheint, sie sind ziemlich stark.«

»Walt?«, rief ich den Flur hinunter.

»Daddy!«

»Alles in Ordnung! Bleib bitte, wo du bist.«

»Ah. Ganz der gute Vater«, sagte sie.

»Wie konnten Sie ihnen das nur antun? Sammy ... und Walt ... Sie kannten sie ...«

»Du kanntest Craig.«

»ICH WAR NUR EIN KIND!«

Sie ließ meinen Schrei verhallen. »Du wirst diese Momente für den Rest deines Lebens vor Augen haben. Du wirst sie nie wieder aus dem Kopf kriegen. Aber ich frage mich, was schlimmer ist: genau zu wissen, was passiert ist, oder dir Nacht für Nacht dein eigenes Schreckensszenario auszumalen? Ich habe nie genau herausfinden können, was Craig zugestoßen ist. Ich musste es mir vorstellen ... Es jede Nacht von Neuem durchspielen. Und darüber, William, wird man allmählich wahnsinnig!«

»Wie haben Sie mich nach so langer Zeit gefunden?«

»Du erinnerst dich doch an Mr. Cardew, oder?«

37

Vor all den Jahren hatte es rund um die Entlassung von Junge C – William Anderson, der inzwischen längst ein junger Mann mit neuem Namen und neuer Identität war – ein ziemliches Rauschen im Blätterwald gegeben. Vom Prozess konntest du dich noch gut an ihn erinnern. Einige Zeitungen hatten versucht, dir eine Stellungnahme zu seiner Entlassung zu entlocken. Aber dafür warst du zu diesem Zeitpunkt viel zu sehr neben der Spur gewesen.

Deine Nachforschungen begannen damit, dass du jeden Tag in die Mitchell-Bibliothek nach Glasgow fuhrst. Immer wenn der leuchtend orangefarbene Zug über die Eisenbahnbrücke mit Blick auf das Wehr ratterte, an dem Craig gestorben war, sprachst du ein Gebet für ihn. Im Lesesaal hattest du am Mikrofiche-Lesegerät gesessen, an dem großen Rad gedreht und jeden Artikel, jedes Foto studiert. Es gab verschiedene Fotos von Andersons Entlassung und den diversen Gefängnisverlegungen: eine Gestalt mit einer Decke über dem Kopf, die aus einem Polizeiwagen stieg und an den Fotografen vorbei in das Gerichtsgebäude geschleust wurde, im Hintergrund der wütende Mob. Eine Person tauchte gleich auf mehreren Fotos auf. Mit einem Ausdruck von Verärgerung im Gesicht musterte der Mann die Meute der Fotografen, die nur darauf wartete, endlich zum Schuss zu kommen.

Stundenlang hattest du sein Gesicht aufmerksam studiert und dir jede Linie, jede Falte darin gemerkt. Er sah nicht wie ein Polizeibeamter aus. Nach längerer Betrachtung schien seine Miene auch weniger Verärgerung, sondern vielmehr Angst und Besorgnis auszudrücken. Er hatte seinen Arm beschützend um die geduckte Gestalt unter der Decke gelegt. Irgendwann gelangtest du zu der Überzeugung, dass es sich bei ihm um so etwas wie einen Sozialarbeiter handeln musste. Jemand, der Mitleid, vielleicht sogar Verständnis für dieses Monster aufbringen konnte – jenes Monster, das seiner eigenen Aussage zufolge dabei zugesehen hatte, wie sein Freund deinem Sohn eine abgebrochene Angelrute ins Rektum stieß.

Du dachtest nach: Wenn er als Sozialarbeiter an so einem Fall gearbeitet hatte … war es dann möglich, dass er jetzt andere betreute? Wo ließe sich so eine Person finden?

Höchstwahrscheinlich im Umfeld des Gerichtsgebäudes von Glasgow.

2002, an Craigs zwanzigstem Todestag, war es Zeit für deinen neuen Tagesablauf. Einen Leinenbeutel mit Sandwiches, Getränke und Büchern (Krankenpflege, Folter) über der Schulter, fuhrst du wieder mit der Bahn nach Glasgow. Vom Hauptbahnhof gingst du über die Jamaica Street am Fluss entlang über die Brücke zum Gericht. Von einer Bank aus konntest du beobachten, wer das Gebäude betrat und verließ: Anwälte, Polizeibeamte, Angeklagte und deren Angehörige – erbärmlich anzusehen in ihren ungepflegten, verknitterten Sportswear-Klamotten, verloren im Qualm hastig gerauchter Zigaretten.

Fast zwei Jahre lang lagst du auf der Lauer, mit deinen Büchern auf den Knien.

Deinen Körper wieder auf Vordermann zu bringen, war sehr viel einfacher gewesen, als deinen Verstand wieder hinzukriegen. Durch das Trinken hattest du zwanzig Kilo zugenommen, einen fetten Bauch und einen schlaffen Hintern. Deine Lunge war von unzähligen Päckchen Embassy Regal ramponiert – der Marke, die Stephen vor Jahren mal geraucht hatte. Die ersten Joggingversuche waren der reinste Witz gewesen. Du schafftest gerade mal vier- oder fünfhundert Meter, bevor du keuchend und schluchzend zusammenbrachst. Aber du hattest nicht aufgegeben und es jeden Tag ein wenig weiter geschafft. Offenbar besaßt du wirklich ein suchtgefährdetes Wesen, denn du hattest dich recht schnell auf drei, dann vier, dann sechs Meilen am Tag gesteigert. Von deiner Wohnung aus liefst du die ganze Harbour Street bis zur Küste runter, dann nach rechts über den festen, feuchten Sand an der Brandung entlang bis nach Barassie und zurück. Jeden Tag drei Meilen über den Strand. Der Wind peitschte dir ins Gesicht, Gischt und Schweiß brannten dir in den Augen. Du wurdest zappelig und gereizt, wenn du morgens um sieben noch nicht auf dem Weg zum Strand warst. An manchen Tagen liefst du sogar zweimal, einmal morgens und einmal gegen sechs Uhr abends. Immer dann, wenn dich diese innere Unruhe überkam. Wenn du in der Wohnung auf und ab liefst, in den Kühlschrank sahst und wusstest, dass dein Körper nach einem Drink verlangte, wieder in seine alten Gewohnheiten verfallen wollte.

Dein Übergewicht schmolz dahin, und du konntest spüren, wie deine Kraft und deine Gelenkigkeit allmählich zurückkehrten.

In der Stadt war gerade das erste Fitnessstudio eröffnet worden, und du hattest damit begonnen, Gewichte zu stemmen, dich auf der Rudermaschine zu quälen, deine Bauch-, Brust- und Oberschenkelmuskeln zu trainieren. Deine Arme und dein Oberkörper wurden kräftiger und kräftiger, bis du dich an den Tauen im Fitnesscenter mit Leichtigkeit bis zur Decke hangeln konntest. Dort oben, zehn Meter über dem Boden, wenn dein Kopf an die Decke stieß und dein Bizeps sich spannte, warst du zufrieden. Dir gefiel die Tatsache, dass du am Leben warst und das Seil hinaufklettern konntest, dass du über ihm throntest, statt an seinem unteren Ende zu baumeln.

Du hattest dich bei einem Taekwondo-Kurs im Vergnügungszentrum angemeldet, dem Magnum, wo du mit Craig ein-, zweimal eislaufen warst. Damals hatte es dir vor der Eisbahn gegraut. Vor all den bösartigen, finster dreinblickenden Jungs, die dort herumflitzten. Vor der Vorstellung, Craig könnte dort hinfallen, seine Finger auf dem nassen Eis gespreizt, während die scharfen Kufen auf ihn zurasten. Und dir war ein Stein vom Herzen gefallen, als er gesagt hatte, dass es ihm dort nicht gefiele und er nicht mehr hingehen wolle. In deinem Selbstverteidigungskurs brachte man dir die verschiedenen Schlag- und Abwehr-, aber vor allem die besonders effektiven Tritt-Techniken bei. Dein Lehrer Keith nannte dich ein Naturtalent.

Bis dahin hättest du nicht wirklich sagen können, wofür du das alles tatest. Du wolltest einfach nur vorbereitet sein.

Dann hattest du einen Abendkurs belegt: Grundwissen in Erster Hilfe. Du wurdest im Behandeln von Traumata und in lebenserhaltenden Maßnahmen geschult.

Du warst dem Schützenverein beigetreten. Hattest auf dem Schießstand des Freizeitzentrums bäuchlings auf einer Matte gelegen und mit dem alten Repetiergewehr des Klubs Salve um Salve abgefeuert. Hattest dir das nötigste Wissen über modernere Schusswaffen angeeignet. Du warst dir nicht sicher, welche Fähigkeiten du benötigen würdest, falls der Tag jemals kommen sollte.

Im Spätherbst 2004 war es dann endlich so weit. Du hattest kalte Ohren, ein Tautropfen hing an deiner Nasenspitze, und der Wind wirbelte tote Blätter durch die Luft, als der silberhaarige Mann von den Fotos im Gespräch mit zwei Polizisten die Treppen des Gerichts herunterkam. Sie gingen ganz nah an deiner Bank vorbei (auf deinen Knien lag eine Enzyklopädie der mittelalterlichen Folter, aufgeschlagen auf der Seite über das Rädern). So nah, dass du die Stimme des Mannes hören – Arbeiterklasse, aus Glasgow stammend – und sehen konntest, wie er eine Capstan Full Strength ohne Filter aus der Packung zog und sich diese mit einem geübten Streichholzschnipsen ansteckte, seine Finger so gelb wie ein Telefonbuch. Er war gealtert, inzwischen vermutlich Mitte sechzig, aber es bestand kein Zweifel, dass er es war. Er ging zur U-Bahn-Station, und du folgtest ihm.

Er fuhr bis Cowcaddens, wo er nach einem kurzen Fußweg die Polizeiwache betrat. Durch die Glastür konntest du beobachten, wie er sich eintrug. Es war halb sechs und bereits dunkel, als er die Wache wieder verließ und danach in den Zug nach Rutherglen stieg. Du sahst, wie er in einem Mietshaus in der Nähe des Bahnhofs verschwand. Du hattest dich so nah an die Wohnung im Erdgeschoss herangewagt, bis du das kleine Messingschild an der Tür lesen konntest: P. CARDEW.

Die ganze Zeit schlug dir das Herz bis zum Hals.

Tagelang dachtest du darüber nach und sahst dabei allmählich ein, dass du deine Geduld noch weitaus länger würdest strapazieren müssen. Du warst dir sicher, dass dieser Mann Informationen über den Jungen besaß, der dabei geholfen hatte, deinen Sohn zu ermorden. Alles, was du brauchtest, waren ein Name und eine Stadt. Sollte P. Cardew etwas Bedauerliches zustoßen, so war allerdings nicht auszuschließen, dass dies Auswirkungen auf die neue Identität hätte, die man William Anderson gegeben hatte. Doch P. Cardew war alt. Sicher würde er in wenigen Jahren in Rente gehen. Mehr Zeit wäre verstrichen. Das Ganze würde weniger Aufmerksamkeit erregen.

Letztendlich dauerte es weitere vier Jahre. Du hattest ungeahnte Geduldsreserven entdeckt. Hattest beobachtet, gewartet und ihn studiert. Er lebte allein, war Junggeselle. (Das war gut.) Er rauchte und trank zu viel. (Das war schlecht.) Deine größte Angst war damals, dass er sterben könnte, bevor die Zeit gekommen war. An einem Schlaganfall oder einem Herzinfarkt aufgrund der unzähligen Zigaretten oder der Flasche Whisky, die er sich viermal die Woche im Schnapsladen auf der Highstreet holte. Dann kam der Sommer 2008. Mit einer trostlosen, kleinen Feier in einem Pub in Cowcaddens beging er seine Pensionierung. Einmal hatte er dich sogar angelächelt, als er mit unsicherem Schritt an deinem Tisch vorbei zur Toilette gewankt war.

Zur Sicherheit wartetest du weitere sechs Monate, in denen du traurig mit ansahst, wie es nach seinem Ruhestand stetig mit ihm bergab ging. Seine Besuche im Pub fanden immer früher statt, das gemeinsame Mittagessen mit seinen ehemaligen Kollegen immer seltener. Bei seinen gelegentlichen Besuchen in der Mitchell-Bibliothek, deinem alten Jagdrevier, wo er im großen Lesesaal saß, hauptsächlich Bücher zur Sozialgeschichte Glasgows schmökernd, sank ihm immer wieder das Kinn auf die Brust. Von den Studenten mit süffisantem Grinsen und Kopfschütteln bedacht, nickte er geräuschvoll ein.

Schließlich konntest du nicht länger warten. Anfang Mai 2009, fast genau siebenundzwanzig Jahre nach Craigs Tod, hattest du an seiner Tür geklingelt. Durch die dicken Gläser seiner Brille sah er dich freundlich an. Nach dem Geruch aus der traurigen kleinen Wohnung hinter ihm zu urteilen, stand gerade sein Essen auf dem Herd. Er sagte: »Was kann ich für Sie tun, meine Liebe?«

Du hattest ihm die chemische Keule genau in den Mund gesprüht und ihn rückwärts in den Flur gestoßen.

Er griff nach seiner Kehle und wollte um Hilfe rufen, aber das Spray schnürte ihm den Hals zu. Das Brennen würde abklingen. Es war wichtig, dass er noch imstande war zu reden. Ohne einen Funken Angst und genau so, wie du es unzählige Male geprobt hattest, schlugst du die Tür hinter ihm zu, tratst ihm die Beine weg, gingst blitzschnell auf die Knie, um ihn abzufangen, damit er nicht mit dem Kopf auf dem Boden aufschlug, und zogst das Messer hervor. Die Klinge an seiner Halsschlagader, sagtest du: »Wenn Sie tun, was ich sage, dann geschieht Ihnen nichts.«

Diese Angst, die Pein und die Verwirrung in seinen Augen, als du den schweren Rucksack von den Schultern genommen, auf dem Boden abgesetzt und die Autobatterie herausgeholt hast.

Doch dieser 66-jährige, alte Mann war stärker als erwartet.

Mehrere Stunden hielt er durch. Ob nun aus echter Zuneigung für William Anderson oder aufgrund irgendeines persönlichen Ehrenkodex, konntest du nicht beurteilen. Am Ende hattest du die Voltzahl so weit erhöht, wie du es gerade noch riskieren wolltest. Aus seinem Haar und seiner Nase stieg Rauch auf. Der Knebel konnte seine Schreie kaum noch unterdrücken, und du musstest den Fernseher laut aufdrehen, um sie zu übertönen. Du warst dankbar für die dicken Wände dieser alten viktorianischen Sandsteinhäuser. Jedes Mal, wenn seine Pupillen in den Augenhöhlen verschwanden, hattest du Angst davor, sie würden nie wieder zum Vorschein kommen. Schließlich stieß er zwischen Schluchzen, Keuchen und Würgen vier kleine Wörtchen hervor. Die süßesten vier Wörter, die du seit vielen Jahren gehört hattest. Beinahe so süß wie »Ich liebe dich, Mommy«.

»Donald. Miller. Toronto. University.«

Du hattest dich bei P. Cardew bedankt und dann ein Liedchen gesummt, um sein Flehen und Betteln auszublenden. Ihm war keine Kraft mehr geblieben, sich zu widersetzen. Also zogst du ihn über den Flur ins Schlafzimmer, vorbei an abgewohnten Möbeln aus dunklem Holz. Auf dem Bett lag eine grüne Tagesdecke, auf dem Nachttischchen standen ein Aschenbecher und eine Fotografie seiner Neffen und Nichten.

Nachdem er dankbar den Becher Wasser mit einer Handvoll Valium-Tabletten ausgetrunken hatte, sank er mit offenem Mund entkräftet aufs Kissen. Du hattest die Wohnung gesäubert und akribisch jede Spur deiner Anwesenheit beseitigt. Dann hattest du eine seiner Capstan Full Strength angezündet und sie ihm zwischen die Finger gesteckt. Er schlief bereits tief und fest, als die filterlose Zigarette auf die Tagesdecke sank, auf der sich ein dunkler, brauner Fleck ausbreitete, der erst zu qualmen und dann zu brennen anfing.

Von einer Ecke des Zimmers aus sahst du dabei zu, wie erst das Bett und dann der halbe Raum in Flammen aufging. Er wachte nie wieder auf.

Als du das Gartentürchen ins Schloss zogst, glühte hinter den Gardinen des Zimmers ein sanfter, orangefarbener Schimmer, der für einen zufällig vorbeikommenden Passanten wie der Schein eines hübschen Kaminfeuers gewirkt haben musste.

Zwei Tage später, am Flughafen von Glasgow, konntest du die Schlagzeile lesen: MANN AUS RUTHERGLEN STIRBT BEI WOHNUNGSBRAND.

Du überflogst den Artikel (»Paul Cardew, 66, kürzlich pensioniert … Feuerwehr in Strathclyde … Gefahren des Rauchens im Bett«), trankst deinen Kaffee aus und bestiegst den Flieger nach Toronto.

Danach wurde alles sehr viel einfacher. Auch dank deines Schauspieltalents. Es war ein Leichtes, die Dame im Verwaltungsbüro der Universität von Toronto zu umgarnen. Und nachdem sie in den Unterlagen nachgesehen hatte, konnte sie dir mitteilen, dass Donald Miller, dein Neffe aus Schottland — »der kleine Donnie« —, dort tatsächlich 1996 sein Magisterstudium absolviert hatte. Wenn du ein Momentchen Zeit hättest, dann würde sie kurz nachsehen, an welche Adresse der Ehemaligen-Rundbrief verschickt wurde – und, o ja, da haben wir's, ein Apartment in Regina, Saskatchewan. Die Adresse sei leider ein paar Jahre alt, es würden ja nur sehr wenige Studenten mit ihnen in Verbindung bleiben.

Zwei Tage später in Regina konntest du in keinem der Telefonbücher einen Donald Miller finden. Es war keine große Stadt, aber einfach herumzulaufen und zu fragen, hätte wohl kaum etwas gebracht. Dir fehlte eine vernünftige Idee, wie du die Suche angehen solltest. Die ersten paar Wochen liefst du dann tatsächlich durch die Straßen, in der Hoffnung, du würdest vielleicht im Gesicht eines der erwachsenen Passanten das des zahnlückigen Dreizehnjährigen entdecken. Aber eigentlich war dir klar, dass du ihn niemals wiedererkennen würdest. Du gingst in die Stadtbibliothek und warfst einen Blick ins Wählerverzeichnis. Auch das war nicht von Erfolg gekrönt. Aus Wochen wurden Monate, und du warst bereits auf bestem Wege, die Hoffnung zu verlieren, als das Schicksal dir völlig unerwartet die entscheidende Karte zuspielte. Eines Morgens saßt du in einem Café und schlugst eine Ausgabe des *Regina Advertiser* auf, die jemand neben dir liegengelassen hatte. Beim Überfliegen der Immobilienseiten und Lokalnachrichten fiel dein Blick erst auf eine Kolumne mit dem Titel *Miller's Tipps*, dann auf das briefmarkengroße Foto neben der Überschrift – ein schüchtern lächelnder Mann Anfang vierzig – und schließlich auf die Autorenzeile am Fuß der Seite: »Donald Miller«.

Du hattest mehrere Minuten dagesessen und flach durch die Nase geatmet. Es gab keinen Hinweis auf eine Verbindung zwischen diesem Mann und dem Jungen auf dem Zeitungstitel von vor fast dreißig Jahren. Es war gut möglich, dass es sich hier um einen völlig anderen Donald Miller handelte. Aber du wusstest Bescheid. Du hattest es im Blut und in den Knochen, dass er es war.

Auf einer Bank im Stadtzentrum, gegenüber der Redaktion des *Advertiser*, hattest du von nun an jeden Tag dein Sandwich gegessen und dein Buch gelesen, bis du nach einer Woche beobachten konntest, wie der Mann auf dem Foto das Gebäude verließ und mit einer attraktiven, gut gekleideten Frau sprach, die vermutlich ein klein wenig älter war als er. Sie standen neben einem Kirschbaum in der Sonne und unterhielten sich. Du warst quer über den Platz geschlendert und so nah an ihnen vorbeigegangen, dass du ihre Stimmen hören konntest. Es gab keinen Zweifel. Er hatte zwar an seinem Akzent gearbeitet, aber es war immer noch da, klar und vernehmlich: das rollende Ayrshire-»R«.

Dein neuer Tagesablauf bestand im Grunde aus den gleichen Routinen, die du dir schon während deiner Tage in Glasgow mit dem liebenswürdigen Mr. Cardew zu eigen gemacht hattest.

Beobachten. Warten. Planen.

Wie fassungslos du angesichts seiner Lebensumstände warst: das riesige Haus aus Glas und Holz mit seinem Pool und den Nebengebäuden, dem SUV in der Auffahrt und der Solaranlage auf dem Dach. Die Familienausflüge zu jenem Anwesen, das, wie du bald herausfinden solltest, seinen Schwiegereltern gehörte. Und dann diese Freude, diese unvergleichliche Freude, als du zum ersten Mal den Jungen sahst, seinen Sohn, wie er ausgelassen auf der Sonnenterrasse herumturnte. Du hattest auf einem Hügelrücken etwa eine halbe Meile entfernt geparkt, ausgerüstet mit einem sehr starken Fernglas und einer Karte, die du auf dem Autodach ausgebreitet hattest, quasi als Ausrede für den Fall, dass neugierige Passanten unbequeme Fragen stellen sollten.

Die ganze Zeit über hattest du dich gefragt, was du eigentlich mit ihm anstellen würdest. Wäre er alleinstehend gewesen, hättest du ihn sehr wahrscheinlich einfach entführt, so lange gefoltert, wie du ihn am Leben halten konntest, und schließlich getötet. Jetzt, als dir bewusst war, was er alles zu verlieren hatte, bot sich ein völlig anderer Plan an.

Nimm ihm alles, was ihm lieb und teuer ist.

Lass ihn dabei zusehen.

Lass ihn am Leben.

Das Schicksal sollte noch einen letzten Gefallen für dich in petto haben — eine einmalige Gelegenheit, direkt vor deiner Nase, die dir allerdings in deinem blinden Eifer lange Zeit nicht auffiel. Erst als du eines Tages während einer deiner zahlreichen Ausflüge nach links in die Zufahrt eines Farmhauses geschaut hattest, das knapp eine halbe Meile vom Ziel entfernt lag und seinen Bewohner damit faktisch zum nächsten Nachbarn der Millers machte, war dir zum ersten Mal das gelb-rote Maklerschild ins Auge gefallen.

Zu VERKAUFEN.

Du warst so schnell nach Regina zurückgefahren, dass du zweimal fast einen Unfall gebaut hättest. Schon während dieser Fahrt hattest du dir deine Geschichte zurechtgelegt. Der Georgia-Dialekt ging dir leicht von der Zunge. Schon damals, in einem anderen Leben, als ihr im Kulturzentrum von Ardgirvan *Endstation Sehnsucht* aufgeführt hattet, wurdest du dafür mit Komplimenten überschüttet. Du warst dir sicher, dass du ihn über lange Strecken einer Unterhaltung durchhalten könntest, ohne dich zu verraten. Um ganz sicherzugehen, würdest du üben.

Du warst im Ruhestand. Dein Mann war kürzlich verstorben. Du wolltest Landschaften malen – die Aussicht war ideal dafür. Nein, es störte dich nicht, dass das Haus ein wenig heruntergekommen war. Das störte dich überhaupt nicht. Als du gefragt hattest, ob es möglich sei, einen Jahresvertrag mit Option auf Verlängerung abzuschließen und die Miete für das erste Jahr im Voraus zu zahlen, war der Makler fast aus den Latschen gekippt und sofort losgerannt, um die Schlüssel zu holen und dich herumzuführen.

Dir war richtiggehend übel vor lauter Nervosität, als du an jenem Samstagmorgen zum ersten Mal zu den Millers hinübergingst. Ob dein Akzent dich verraten würde? War es möglich, dass er dich erkannte? Selbst nach fast dreißig Jahren, mit zehn Kilo mehr auf den Rippen und trotz einer anderen Haarfarbe? Letztendlich war es seine Frau, die dir öffnete, um die selbst gemachte Marmelade entgegenzunehmen. Bei frisch aufgebrühtem Kaffee gabst du in der riesengroßen, modernen Küche eine ausgeklügeltere Version der Geschichte zum Besten, die du schon dem Makler aufgetischt hattest. Du zeigtest dich begeistert von dem Haus, spartest nicht mit »Ohs« und »Ahs«. Erst als du gerade gehen wolltest, kam schließlich ihr Mann mit dem Kind nach Hause.

»Eye-reen«, sagtest du und strecktest ihm mit gespielter Scheu die Hand entgegen. Eine gewisse Schüchternheit würde deiner Rolle sicher gut zu Gesicht stehen.

»Donnie«, log er, ohne mit der Wimper zu zucken, und erwiderte die Begrüßung. »Nett, Sie kennenzulernen, Irene. Das hier ist unser Sohn Walt.«

Du hattest dich zu ihm herabgebeugt und den kleinen Engel angelächelt, der sich spitzbübisch grinsend hinter dem Bein seines Vaters versteckte.

Auf dem Heimweg schwebtest du förmlich. Endlich hattest du es geschafft. Jetzt brauchte es nur noch Geduld und planerisches Geschick.

Zwei deiner stärksten Eigenschaften.

38

Als sie zum Ende ihrer Geschichte kam, wirkte sie irgendwie entrückt und schläfrig, als wäre sie im Geiste ganz weit weg. »Warum haben Sie so lange gewartet?«, fragte ich. Ich setzte mich jetzt ebenfalls, in einen Lehnstuhl ihr gegenüber, die Pistole immer noch auf ihre Brust gerichtet.

»Ich wollte dich eine Weile beobachten und sehen, was aus dir geworden ist.«

»Und was ist aus mir geworden?«

Sie zuckte mit den Schultern. »Ein ehrbarer Mensch, nehme ich an. Aber was kümmert mich das? Es ändert überhaupt nichts.« Sie ließ den Kopf hängen und massierte sich vorsichtig die bandagierte linke Schläfe. »Tja«, seufzte sie, »wie spät ist es jetzt, William?«

Ohne die Waffe zu senken, schaute ich auf meine Uhr. »Fast drei.«

»Wird Zeit, dass wir es allmählich zu Ende bringen.«

Sie griff in ihren Stiefel und zog etwas Glitzerndes hervor. Mein zwanzig Zentimeter langes japanisches Chefmesser.

Ich stand auf. »Wenn Sie das nicht sofort weglegen, werde ich Sie erschießen.«

»Warum hast du mich eigentlich noch nicht getötet? Nach allem, was ich deiner Frau und deinem Sohn angetan habe?« Sie wirkte aufrichtig verwundert.

»Wenn Sie ...«

Sie versuchte aufzustehen.

»WEG MIT DEM VERDAMMTEN MESSER!«

Wackelig kam sie auf die Beine. Ich zielte mit der Waffe auf ihren Kopf. Sie war keine zwei Meter von mir entfernt. Ich drückte ab.

Klick.

Sie blickte mich an – die Augen mit einem Mal glasklar – und lächelte. »Glaubst du wirklich, ich hätte nicht jeden Tag dagesessen und dich mit meinem Fernglas in deinem kleinen Büro beobachtet?«

Klick.

Meine Beine wurden zu Butter.

»Dummer Junge.«

Ich hob die Pistole, um sie ihr über den Schädel zu ziehen, als sie sich unfassbar schnell auf mich stürzte, mich mit einem Fausthieb in den Stuhl zurückwarf, das Messer in meinen linken Oberschenkel stieß und es herumdrehte. Ich heulte auf und versuchte, noch einmal mit der Pistole nach ihr zu schlagen. Aber sie packte mein Handgelenk mit eisernem Griff und drehte das Messer weiter. Ich fühlte, wie es über den Knochen kratzte, und musste alle Kraft zusammennehmen, um nicht das Bewusstsein zu verlieren. Ich schubste sie zurück und schlug sie ins Gesicht, rammte meine Faust mitten in das durchnässte Gitterwerk der Bandagen. Jetzt schrie sie auf, taumelte zurück, stolperte zu Boden und ließ das Messer los, das federnd in meinem Schenkel stecken blieb, gute zehn Zentimeter tief. Ich konnte Walt vom Flur her schreien hören, als ich mich auf sie warf. Doch sie trat mir die Füße weg, und ich stürzte zu Boden. Mein linkes Bein schlug zuerst auf, der Griff des Messers ...

Mein Schrei gellte durchs Haus.

Weißes Licht explodierte vor meinen Augen, als die Klinge sich durch meinen ganzen Oberschenkel bohrte, durch Knochen und Muskeln, bevor sie auf der anderen Seite wieder austrat. Mir schwanden die Sinne. Schattenhaft sah ich, wie sie sich über mich beugte, etwas Schweres vom Tisch nahm und es über den Kopf hob. Ich spürte den Luftzug, hörte ein summendes Geräusch und fühlte nichts mehr.

39

Als ich wieder zu mir kam, lag ich auf dem Boden des Freizeitraums. Ich war geknebelt, meine Handgelenke in meinem Kreuz an die Füße gefesselt. Sie hatte das Messer aus meinem Oberschenkel herausgezogen und mein Bein knapp oberhalb der Wunde abgebunden. Meine Jeans war blutdurchtränkt und der Schmerz entsetzlich. Von ihren Stiefeln stieg mir der Geruch von nassem Leder in die Nase, als sie mit ihrer Arzttasche an mir vorbei zum Billardtisch ging. Ich hob den Kopf und sah Walt.

Er lag mit ausgestreckten Gliedern auf dem Tisch und weinte. Sein Gesicht war mir zugewandt. Er war ebenfalls gefesselt und geknebelt. Seine Augen flehten mich an, ihm zu helfen.

»Sag mir, William.« Sie sprach ruhig, fast im Plauderton. »Was weißt du über Folter? Ich würde sagen, dass ich einigermaßen belesen bin, was dieses Thema angeht. Es hat mich durchhalten lassen, vor all den Jahren, als alles so hoffnungslos schien. Hat mich inspiriert, könnte man sagen. Als ich deinen Mr. Cardew beschattet habe, saß ich stundenlang in der Mitchell-Bibliothek und habe gelesen. Über die chinesischen, russischen und mittelalterlichen Praktiken. Welche Vorteile sie gegenüber zeitgenössischen Methoden haben.«

Ich hörte ein Geräusch. Es schien aus dem Bauch der ledernen Arzttasche zu kommen, als würde etwas gegen Glas stoßen. »Manchmal glaube ich, es war das Einzige, was mich bei Verstand gehalten hat. Du solltest dich glücklich schätzen, dass uns so wenig Zeit bleibt. Wenn doch nur alles ein wenig glatter gelaufen wäre.« Während sie sprach, ging sie um den Tisch herum, überprüfte Walts Fesseln und zog sie strammer. »Das hätte uns einige großartige Möglichkeiten eröffnet. Scaphismus zum Beispiel. Hast du je von Scaphismus gehört?«

Das große Messer in der Hand, setzte sie sich auf die Kante des Billardtischs und sprach weiter – nun offenbar in erster Linie an Walt gerichtet, der hinter ihr weinend an seinen Fesseln zerrte. »Es stammt von dem griechischen Wort ›scaphe‹ ab, was so viel wie ›aushöhlen‹ bedeutet, wurde aber hauptsächlich im antiken Persien praktiziert. Die waren ganz schön gerissen, diese Perser. Sie brachten dich im Sommer ans Flussufer und steckten dich gefesselt in einen ausgehöhlten Baumstamm, sodass dein Kopf an einem und die Füße am anderen Ende herausschauten. Dann ließen sie dich im flachen Wasser zwischen den Schilfrohrhalmen treiben, während sie dich ein paar Tage lang mästeten. Sie gaben dir so viel Milch und Honig zu trinken, dass du Durchfall bekamst. Irgendwann war der ganze Baumstamm voll mit stinkenden Ausscheidungen. Wenn sie dich überhaupt nicht ausstehen konnten, rieben sie dir Gesicht und Füße mit Honig ein. Und überließen dich dann dir selbst. Obwohl, nicht so ganz. Sie blieben, um zuzusehen und dich weiter zu füttern. Manchmal versammelten sich wahre Menschenmengen am Ufer, die johlten und klatschten, während du in der brütenden Sonne im brackigen Wasser dümpeltest. Natürlich hatte man dich vorher gründlich zusammengeschlagen, sodass dir die eigenen Ausscheidungen nicht nur in Mund und Augen, sondern auch in die schwärenden Wunden drangen. Dann kamen die Insekten. Fliegen und Moskitos. Ameisen, Wespen, Käfer und was sonst noch alles. Riesige Libellen. Pferdebremsen, so groß wie Schwalben. Sie stachen dich, bissen dich, fraßen dich und legten ihre Eier in dir ab. Die Perser gaben dir weiter Essen und Wasser, strichen dich weiter mit Honig ein. Sie wollten nicht, dass du verhungerst oder verdurstest. Sie wollten zusehen, wie die Wolke der Insekten immer weiter anwuchs, wie sie größer und größer wurde: größer als ein Auto, so groß wie ein Bus, wie ein Wal. Wie diese Wolke dich allmählich verschlang, während du Tag und Nacht wie am Spieß brülltest, weil inzwischen klumpenweise Maden und Larven unter deiner Haut hervorkrochen. Weil dein Gesicht sich in eine große, geschwollene Masse aus Beulen, Bissen und eiternden Wunden verwandelte. Weißt du, dass es verbriefte Fälle gibt, in denen Menschen das siebzehn Tage lang durchgehalten haben, bevor sie an einem septischen Schock starben? *Siebzehn Tage.*« Sie seufzte. »Leider haben wir nicht so viel Zeit. Also habe ich mir für unseren kleinen Walt hier so eine Art Kurzfassung ausgedacht.«

Sie ging zu ihrer Tasche. *Bitte, Gott, nein.*

»Ich glaube, was wir Menschen als Fleischfresser an der Spitze der Nahrungskette am meisten verabscheuen, ist die Vorstellung, dass jemand von *unserem* Fleisch frisst. Sich *durch* unser Fleisch frisst.«

Sie griff mit beiden Händen in die Tasche und nahm ein großes Einmachglas mit Schraubdeckel heraus, wie man sie manchmal in altmodischen Süßwarenläden sieht. Im Deckel waren Luftlöcher.

In dem Glas befand sich eine fette, schwarze Ratte.

Das Tier war riesig. Es füllte das Glas nahezu völlig aus. Sein langer, rosiger Schwanz ringelte sich feucht glänzend einmal um den Boden. Sie stellte das Glas auf die Bande des Billardtischs. Die Ratte warf sich gegen das Glas, aufgebracht, verwirrt, die ekligen gelben Zähne entblößt. Walt schrie in seinen Knebel und warf den Kopf von einer Seite auf die andere.

»Ich habe sie wochenlang hungern lassen.«

Ich spürte, wie ich allmählich den Verstand verlor.

»Sag mir, William ...« Sie kam zu mir, kniete sich neben mich und nahm mir den Knebel aus dem Mund.

»Bitte«, flehte ich sie an.

»Was ist an diesem Tag wirklich passiert? Was hast du ausgelassen? Ich hatte fast dreißig Jahre Zeit für Spekulationen. Wenn du ehrlich zu mir bist, lasse ich mich vielleicht davon überzeugen, dieses Glas wieder in die Tasche zu stecken, und gewähre Walt einen halbwegs schnellen Tod.«

Von Walt kam kein Laut. Er wurde leichenblass.

»Ich habe es Ihnen doch gesagt.« Ich weinte. »Es war Banny. Er ...«

»Bist du dir sicher?«

»Bitte ...«

Es war an der Zeit, zurückzukehren. Zurück zum Flussufer.

40

Docherty ging auf Banny los.

Vom ersten Moment an war klar, dass er in seinem ganzen Leben noch nie jemanden verprügelt hatte. Mit gesenktem Kopf schlug er blindlings drauflos. Banny, ein langjähriger Veteran von Schulhofraufereien und Straßenkämpfen, trat einfach zwei Schritte zurück und steckte ein paar schwache Schläge gegen den Arm ein, bevor er Docherty an den Haaren packte und dessen Kopf langsam zu Boden zog.

»Aua! Aua!«, quiekte der Professor.

Banny trat Docherty mit Wucht ins Gesicht, einmal, zweimal, dreimal. Dann ließ er ihn los. Der Professor stolperte rückwärts und fiel zu Boden. Blut lief ihm aus Mund und Nase. Trotzdem bemühte er sich, wieder hochzukommen. Mit zitternden Beinen stand er da.

»KOMM DOCH HER!«, brüllte Banny.

Es war wie ein Traum, wie ein Albtraum, ein Video. Einer dieser Horrorfilme, die wir uns an diesen nicht enden wollenden Nachmittagen nach der Schule ansahen. Die Vorhänge im Wohnzimmer des schäbigen, kleinen Hauses zugezogen, der flimmernde Fernseher das einzige Licht im Raum. Die Dinge passierten nun rasend schnell, wie im Zeitraffer, und doch schien es Ewigkeiten zu dauern. Slow

Motion. Standbild. Banny, der Docherty mit dessen Angel auspeitschte. Schreie, die ich nicht hören konnte. Tommy – das Kinn in schrecklicher Entschlossenheit nach vorn geschoben –, der immer wieder mit dem Fuß ausholte, echtes Blut auf seinen ochsenblutroten Doc-Martens-Stiefeln. Die Sonne strahlte von einem wolkenlosen Himmel auf das Verbrechen herab, am Flussufer war in beide Richtungen meilenweit keine Menschenseele zu sehen, die Büsche und das Wehrhäuschen die einzigen Zeugen. Docherty wurde die Hose runtergezogen, dann seine Unterhose. Mit blutigen, zitternden Händen klammerte er sich an seinen letzten Fetzen Würde (»Nein, nein, nein, bitte, nein ...«). Dann hob sich die bronzefarbene Rute in den blauen Himmel, die Sonne glitzerte auf dem Grafitschaft, als dieser pfeifend die Luft durchschnitt, einen silbernen Faden hinter sich herziehend. Die roten Spritzer auf seinen Schenkeln, seinem Hintern, das Blut. Immer mehr Blut. Sein Gesicht – dieses Gesicht, das ich immer noch jede Nacht vor mir sehe, wenn ich mit dem Schlaf ringe –, in dem Dreck und Steinchen klebten, blut- und tränenverschmiert, wie es flehend zu mir aufblickte. Tommy, der auf seinem Rücken kniete. Banny auf seinen Beinen, die zerbrochene Angelrute mit der Faust in Richtung seines ...

Ein gellender Schrei.

Das war jetzt weit genug gegangen, zu weit, viel zu weit. Aber es sollte noch weitergehen, das Ende war noch längst nicht erreicht. Tommy trat nun auf Dochertys Kopf, hüpfte, stolperte, fiel hin, lachte. Dann kletterte ich auf das Mäuerchen über Docherty, und Banny feuerte mich an: »Los schon, Willie! Mach es!« Und ich sprang, meine schwarze Silhouette von Sonnenlicht umrahmt.

Die Arme ausgestreckt, mit den Füßen voran, wie in einen Pool (VOM BECKENRAND SPRINGEN VERBOTEN). Wie ein grausamer Raubvogel im Sturzflug, meine Füße die Krallen, tiefer und tiefer, geradewegs auf Dochertys Kopf zu. Der Professor winselte, versuchte davonzukriechen, die glitzernde Rute zitterte im Rhythmus seiner Schluchzer. Mein Gesicht, voller Schadenfreude. Der Aufprall ...

Ich stand auf, trat zur Seite, strich meine Harrington glatt, klopfte mir den Staub von der Jacke und wischte mir das Haar aus der Stirn.

Zurück in der Echtzeit durchbrach das Kreischen einer Möwe die Stille. Weiß auf grau flog sie tief über den Fluss, so schnell, dass ich die Bewegung nur aus dem Augenwinkel wahrnahm. Tommy war der Erste, der sprach.

»Docherty! Steh auf, du Pisser!«

Im Physikunterricht hatte man uns zwar erzählt, dass die Geschwindigkeit fallender Körper irgendwie mit Masse, Zeit und Gravität zusammenhing, mit ungebremsten Kräften und unbeweglichen Objekten. Aber der Einzige hier, der zugehört haben dürfte und einem die entsprechende Gleichung hätte erklären können, sagte nichts mehr. Er würde nie mehr etwas sagen.

Aus seinem Ohr ergoss sich ein einzelnes Rinnsal — schwarz und dickflüssig wie Melasse. Mund und Augen waren geöffnet. Der Mund sah aus, als wollte er das Wörtchen »Nein« formen, die Augen starrten nur ausdruckslos in den leeren, blauen Himmel.

Ich übernahm das Kommando.

Ich war cleverer als sie.

Niemand hatte etwas gesehen.

Unser Wort war genauso viel wert wie das jedes Arschlochs, das es wagen würde, das Gegenteil zu behaupten.

Ich wies die anderen an, ihm *keine* Steine in die Taschen zu stecken. Das würde Verdacht wecken. Wir rollten ihn an die Kante des Wehrs und stießen ihn ins Wasser. Es würde aussehen, als wäre er von der Böschung gestürzt und hätte sich den Kopf aufgeschlagen. Vielleicht würde die Strömung ihn sogar ins Meer hinaus befördern. Mit dem Gesicht nach unten trieb er knapp unter der Oberfläche davon, nur in seinem Parka fing sich etwas Luft und hob den grünen Stoff ein winziges Stück aus dem Wasser.

Ich war ein kleiner Junge, der etwas sehr Böses getan hatte.

Im Gerichtssaal saßen wir trotzig und gelangweilt auf der Anklagebank.

Ich kam mit den Kinderpsychologen besser klar als Banny oder der »schwachsinnige« Tommy. Wir waren alle verdorben. Aber Banny war eindeutig der Rädelsführer. Sein Ruf in der Schule. Die Aussagen der Lehrer und Sozialarbeiter. Er versuchte, mich anzuschwärzen: »Stimmt, ich habe ihn geschlagen, aber er ist ihm auf den Kopf gesprungen.« Wir seien allesamt manipulative Lügner, sagten sie. Wir schoben uns gegenseitig die Schuld zu. Die wahre Geschichte kam nie ans Tageslicht. Banny war's. Tommy war's. Ich war's. Wer konnte das schon beurteilen? »Weiß nich' mehr.« – »Nee. Ehrlich, Alter.« – »Keinen Schimmer.« – »Sein Fehler, nich' meiner.« – »Hab ich nich' gewollt, ham wir alle nich'.«

Und dann die Geschichte im Zelt. O ja. Wie du dich Banny entgegengedrückt, dich an ihm gerieben hattest – dann

ein Schaudern, tanzende Sterne, die plötzliche Feuchtig-
keit unten im Schlafsack ...

In deinem Kopf geriet über all die Jahre einiges gründlich durcheinander.

Ich schwöre, ich hatte Bannys Silhouette vor dem blauen
Himmel gesehen, als er sprang. Die Ledersohlen der Loafer
auf Dochertys Kopf. »Weiß nich' mehr. Ehrlich. Banny war's.
Banny ...«

Ich war's.

41

Sie hatte zugehört, ohne etwas zu sagen – ohne jene Worte zu unterbrechen, die ich bisher gegenüber niemandem ausgesprochen hatte. Das einzige Geräusch im Raum kam von der Ratte, die leise am Glas kratzte und schabte. Walt lag bewusstlos auf dem Billardtisch. Er sah seltsam friedlich aus.

Nach langem Schweigen sagte sie: »Danke für deine Aufrichtigkeit.«

»Bitte lassen Sie ihn gehen.« Ich schluchzte. »Töten Sie mich.«

Ich hatte mir mein ganzes Glück nur erschlichen und mein Anrecht auf ein normales Leben vor dreißig Jahren am Flussufer verwirkt. Tommy war in der Gefängnisdusche verblutet, Banny rottete in seiner Zelle vor sich hin. Warum sollte ich etwas Besseres verdient haben?

Sie ging hinüber zum Tisch, nahm das Glas und drehte es auf den Kopf. Mit einem metallischen Geräusch landete die Ratte auf dem Deckel. Ihr Schwanz, gut dreißig Zentimeter lang, baumelte durch eines der Luftlöcher. Ihre Krallen schabten über das Blech. Ich schrie. Gill Docherty griff nach dem Skalpell. Der Nager wirbelte in dem Glas herum, gab ein scheußliches Quieken von sich, hüpfte auf und ab, kratzte an dem Deckel und steckte seine schwarzen Krallen durch die Löcher. Sie umfasste den Deckel und schraubte ihn langsam auf. Die Ratte drehte sich mit – wie auf einem grotesken Karussell.

Walt bewegte sich, als würde er selbst im Schlaf ahnen, was ihm bevorstand.

Ich bohrte meine Zähne in die Unterseite meiner Zunge, der Geschmack von Blut erfüllte meinen Mund. Konnte mir das gelingen? Mir die Zunge an der Wurzel abzubeißen, einmal tief Luft zu holen und gnädig an einer Fontäne meines eigenen Blutes zu ersticken? Ich hörte ein leises, gleichmäßiges Knattern in meinem Kopf. War es das, was mit einem geschah, wenn man verrückt wurde?

Dann fingen die Wände an zu wackeln, und sie erstarrte.

Offenbar vernahm sie das seltsame Knattern ebenfalls.

Mein Herz setzte aus, als ich das Geräusch erkannte, das ich diese Nacht zum zweiten Mal hörte.

Der Rotor eines Hubschraubers.

Sie rannte zu den Fenstern. Sechs Stück entlang der gesamten Länge des Freizeitraums, innen auf Kopfhöhe, nach außen hin ebenerdig. Im Prinzip waren es bloß rechteckige Schlitze, zu schmal, als dass ein Mensch hindurchgepasst hätte. Einen Moment lang schien sich das Geräusch wieder zu entfernen, kam dann aber sehr viel lauter zurück. Von dort, wo ich zusammengeschnürt am Boden lag, sah ich, wie ein weißer Lichtstrahl den Nachthimmel durchschnitt und den Boden abtastete.

Sie knallte das Glas zurück auf den Tisch, ergriff den Revolver und überprüfte die Trommel. Scheinbar uneins mit sich selbst, visierte sie mit ihrem gesunden Auge abwechselnd Walt und die Fenster an, während das Rotorgeräusch dröhnend laut wurde. Würde sie meinen Sohn einfach erschießen?

»Bitte«, stammelte ich, »das muss die Polizei sein. Vermutlich, weil die anderen sich nicht zurückgemeldet haben. Setzen Sie dem ein Ende, ich … ich werde ni…«

Sie trat mir mit voller Wucht ins Gesicht. Ich fühlte, wie mir das Blut aus der Nase lief. Verschwommen sah ich, wie sie aus dem Raum rannte.

»Walt, Walt …«, flüsterte ich meinem Sohn zu, der jetzt unter Tränen in seinen Knebel schrie. Seine Nasenflügel bebten, als er an den Fesseln zerrte – in einem hoffnungslosen Versuch, Abstand zu der Ratte zu gewinnen, die nur Zentimeter von seinen Knöcheln entfernt am Glas kratzte und kurz davorstand, ihr Gefängnis umzukippen.

»Das ist die Polizei. Das muss sie sein. Sie …«

In diesem Augenblick konnte ich den Helikopter durchs Fenster sehen, der ungefähr zehn Meter über dem Boden schwebte. Der Wind warf ihn von einer Seite auf die andere, der Schnee war offenbar zu tief für eine Landung. Die Seitentür wurde aufgeschoben und eine Strickleiter herabgelassen. Sie schwang durch den Lichtkegel, schaukelte hin und her, die letzte Sprosse etwa drei Meter über dem Boden baumelnd. Walt und ich sahen zu, wie ein Mann an ihr herabkletterte. Einen Moment lang hing er am Ende der Leiter und ließ sich dann neben dem ersten Hubschrauber in den Schnee fallen. Ein zweiter tat es ihm gleich. Sobald sie sicher am Boden waren, stieg der Helikopter wieder in den schwarzen Himmel auf. Fast gleichzeitig wurde nah am Haus eine automatische Waffe abgefeuert. Wir konnten die Männer rufen hören. Es fielen einzelne Schüsse, erwidert von einer weiteren Garbe der Automatik – eine Schießerei brach aus. Etwas schrammte an der Kellermauer vorbei. Zwei der Fenster barsten nach innen, Glassplitter regneten auf uns herab, und kalte Luft wehte herein.

42

Die Schießerei hatte aufgehört. Walt schluchzte immer noch leise. Dann hörte ich draußen gedämpfte Stimmen, nah bei den zerbrochenen Fenstern. Als ich gerade um Hilfe schreien wollte, brach ganz in der Nähe ein ohrenbetäubendes Feuerwerk von Automatiksalven los. Unzählige Kugeln schlugen ins Holz und in die Außenwand ein. Jemand schrie auf, Schritte hasteten durch den Schnee, dann herrschte abermals Stille.

Minuten verstrichen. Ich lag immer noch zusammengeschnürt auf dem Boden, Walt war auf den Billardtisch gefesselt. Als ich versuchte, mich zu bewegen, fuhr ein schwindelerregender Schmerz durch mein linkes Bein. Ich fühlte, wie frisches, warmes Blut aus der Wunde meine Hose durchnässte.

Ich hörte ein schabendes Geräusch.

Der Türknauf drehte sich.

Unter unermesslichen Anstrengungen hob ich den Kopf. Schwer atmend und mit Augen wie Tennisbällen blickte ich zur Tür. Dort stand der alte Sam, in seiner rechten Hand eine Pistole. Völlig entsetzt starrte er uns an.

»Himmelherrgott«, flüsterte er.

Sehr viel später sollte ich von dem Privatjet erfahren, den er von einem Filmproduzenten auf Maui gechartert hatte. Eine nagelneue Gulfstream G650, die Einzige auf der Insel, mit einer Reichweite von siebentausend nautischen Meilen, imstande, in nur acht Stunden die gesamte Strecke vom mittleren Pazifik bis Kanada zu fliegen, ohne auftanken zu müssen. Von dem Hubschrauberpiloten, dem Sam eine gigantische Summe gezahlt hatte, um ihn trotz des Sturms hier rauszufliegen. Wenn Geld keine Rolle spielt, ist selbst das Unmögliche möglich.

»Sam«, sagte ich, während er zum Billardtisch stürzte. Er hob das Messer auf, das auf der Bande lag, durchtrennte Walts Fesseln und zog ihm den Knebel heraus, worauf ihm sein Enkelsohn weinend in die Arme fiel. »Opa, Opa«, sagte er wieder und wieder. »Alles ist gut, Junge«, erwiderte Sam. »Ich bin ja da.« Er machte sich daran, auch mich zu befreien, den linken Arm zuerst. Walt klammerte sich an ihn, zitternd und schluchzend vergrub er sein Gesicht in der Taille seines Großvaters. Als ich meine Beine streckte, schrie ich vor Schmerz auf. »Ganz ruhig«, sagte Sam. »Mike ist hier. Er ist draußen.« Er beugte sich über mich, um mir aufzuhelfen.

»Ist sie tot?«, fragte ich.

»Sie?« Seine Stirn legte sich in Falten.

Jesus.

Hinter ihm bewegte sich etwas, ein Schatten huschte vorbei. Noch bevor ich schreien konnte, erschien ein Arm und legte sich um seine Stirn. Sam wollte nach der Waffe greifen, aber es war zu spät. Ein weiterer

Arm schoss vor. Sie ragte jetzt hinter ihm auf, ihr Gesicht eine furchterregende Maske grausamer Entschlossenheit, und schnitt ihm mit dem Skalpell die Kehle durch. Ich zog Walt an meine Brust, als das Blut seines Großvaters über uns spritzte. Es schien eine Ewigkeit zu dauern. Sie, die ihn von hinten umklammert hielt. Sams Zucken und Treten, während er verblutete, sein überraschter Gesichtsausdruck, wie er die Augen verdrehte, bis seine Pupillen endgültig in den Höhlen verschwanden. Walt, der sein tränennasses Gesicht an mich presste. Schließlich ließ sie das Skalpell sinken, und Sam sackte zu Boden. Sie zog den Revolver aus dem Hosenbund und drückte Walt den Lauf ins Kreuz.

»Keine Zeit mehr, William«, sagte sie mit einem traurigen Lächeln.

Bam! Bam! Bam! Drei Schüsse fielen in schneller Folge. Sie stolperte rückwärts. Nach Atem ringend griff sie sich an die Brust, ließ die Waffe fallen und taumelte zur Tür. Zwei weitere Schüsse schlugen im Türrahmen ein, große Holzsplitter flogen durch die Luft. Sie stürzte in den Flur und verschwand. Ich drehte mich um und sah die Arme eines Mannes durch eins der zerbrochenen Fenster ragen. Mit beiden Händen hielt er einen Revolver. »Mike!«, rief ich.

»Bleib da unten, Donnie. Ich komme hier nicht durch. Ich gehe durchs Haus, um euch zu holen. In Ordnung?«

»Nein! Sie ist ...«

»Donnie, ich hab ihr gerade drei Kugeln in die Brust gejagt. Sie ist tot, alles klar?«

Er verschwand. Ich legte die Arme schützend um Walt, der beide Hände gegen die Ohren presste, und setzte mich auf.

»Wo ist Opa?«, fragte Walt.

»Dein Großvater schafft das, er ist stark«, beruhigte ich ihn. Ich hatte sein Gesicht fest an meinen Hals gepresst und hielt ihn so, dass er die Blutlache unter dem Kopf seines Großvaters nicht sehen konnte. »Nicht hinsehen«, knurrte ich unter Schmerzen, als ich mich auf die Füße stemmte, indem ich mich auf die Armlehne des Sessels stützte und uns in die Höhe hievte. Ich konnte nur das rechte Bein belasten, das linke war fast taub vor Schmerz. Ich humpelte ins Halbdunkel auf die offene Tür zu.

Der Korridor war verwaist. Sie war verschwunden.

Mein Blick wanderte den langen dunklen Flur entlang. Nichts.

Officer Hudsons schwarzer BH – die Blutlache unter ihrer nackten Haut.

Klopf, klopf.

Die Angst kehrte zurück.

Die Tür war der einzige Zugang vom Freizeitraum zum Rest des Hauses. Mit Walt auf meinem Arm schleppte ich mich zurück zum Fenster. Die untere Rahmenleiste des engen Schlitzes befand sich auf gleicher Höhe mit meinem Kinn, Glasscherben ragten daraus empor wie spitze Zähne. Etwa hundert Meter entfernt stand der Polizeihubschrauber mit durchlöcherter Cockpitscheibe. In der Ferne, irgendwo über dem Horizont, sah ich einen grauen Streifen im Schwarz der Nacht, einen ersten Vorboten der Dämmerung.

»Hör zu, Walt, hör mir gut zu«, flüsterte ich. »Du kannst durch das Fenster klettern, ich nicht. Ich möchte, dass du zu dem Hubschrauber hinüberrennst, hineinkletterst und dich dort einschließt. Verstanden?«

»NEIN!«

»Pssst, Walt. Bitte. Hör mir zu. Mike ist hier. Du kennst doch Onkel Mike, oder? Er wird sie aufhalten. Aber tu mir jetzt den Gefallen und versteck dich dort, in Ordnung?«

»Donnie? Walt?« Mikes Stimme kam irgendwo aus dem Haus.

»Siehst du?«, sagte ich. »Und jetzt beeil dich, Walt, bitte. Und achte auf das Glas.« Ich schob ihn zu dem Fensterschlitz hinauf. Er kroch hindurch und rannte los.

»Donnie?« Mikes Stimme war jetzt näher, irgendwo unten im Flur.

Ich schaute Walt nach, bis er den Helikopter erreicht hatte, die hintere Tür öffnete und hineinkletterte. Dann nahm ich Sams Pistole und überprüfte das Magazin: Es war bis obenhin voller glänzender Messingpatronen. Ich schob es zurück in den Griff und schleppte mich zur Tür. Dort ging ich in die Hocke und blickte den Korridor hinunter in die Richtung, aus der Mikes Stimme gekommen war.

»Mike! Sei vorsichtig. Sie ist nicht verletzt. Sie hat eine kugelsichere Weste an.«

»Hilfe ist unterwegs.« Seine Stimme hallte geisterhaft den langen Flur entlang. »Bist du bewaffnet?«

»Ja!«

»Bleib, wo du bist. Sie werden in ein paar Minuten hier sein.« Dann hob er die Stimme und rief in die

Leere des Hauses hinein: »Hören Sie, es ist vorbei. Kommen Sie raus und ergeben Sie sich.«

Ich drückte mich gegen die Wand und umklammerte die Waffe mit beiden Händen. Direkt auf der anderen Seite des Flurs befand sich die offene Tür zu einem der Gästezimmer. Der Raum hatte eine Verbindung zu einem Badezimmer, von wo wiederum eine Tür in ein weiteres Gästezimmer führte. Plötzlich glaubte ich, aus dem Augenwinkel einen Schatten vorbeihuschen zu sehen. Ich schrie, dann feuerte ich dreimal. Das Mündungsfeuer erhellte für Sekundenbruchteile den Korridor. Es hagelte Lichtblitze, wie von einem durchgedrehten Stroboskop. Der Rückstoß der Waffe riss mir fast die Schulter weg, und ich dachte, ich würde taub.

»Sie ist es, Mike! Sie kommt auf dich zu! Vorsicht, Mike!«

»Bleib, wo du bist, Donnie!«

Mit klingelnden Ohren lauschte ich angestrengt in die Dunkelheit, an die meine Augen sich nun langsam gewöhnten. Zu meiner Rechten erstreckte sich der Flur bis zu den vier Stufen, die rauf zum Wohnzimmer führten. Von dort war Mikes Stimme gekommen. Links von mir lag der Hauswirtschaftsraum mit seiner Verbindungstür zu der großen Garage.

Lange Sekunden verstrichen in völliger Stille. Schließlich hörte ich ein Geräusch, ziemlich weit weg, in Mikes Richtung. Etwas war zerbrochen oder umgekippt. Mike brüllte: »Stehen bleiben!«, dann gab es einen Knall, sofort gefolgt von einem weiteren – *Bam! Bam!* –, und etwas Schweres schlug auf dem Boden auf. Danach herrschte Stille.

An die Wand gepresst hielt ich die Waffe mit ausgestreckten Armen und zitternden Händen von mir
weg.

»Donnie?« Endlich, Mikes Stimme ertönte am Ende
des Korridors. »Bleib da. Ich checke, ob ich sie erledigt
hab.«

Das Parkett knarrte, als er sich bewegte. Ich robbte
auf den Ellbogen vorwärts – der Schmerz in meinem
Bein war von der Angst betäubt – und steckte den Kopf
in den Korridor, die Pistole vor mir ausgestreckt. Plötzlich ein gedämpfter Laut, so etwas wie ein Grunzen
oder Keuchen.

»Mike! Mike!«, rief ich in die Dunkelheit.

Ich hörte ein feuchtes Plätschern irgendwo weiter
hinten im Flur, als würde irgendwo Wasser austreten.
Vielleicht war bei der Schießerei eine der Leitungen ...

Das Haus erstrahlte in gleißendem Licht, einen Augenblick lang war ich völlig geblendet.

Dann sah ich sie oberhalb der kurzen Treppe aus
dem Schatten heraustreten, vielleicht zwanzig Meter
von mir entfernt.

Sie sah aus, als hätte sie in Blut gebadet.

Ich schrie.

Die Arme ausgestreckt, hielt sie mir in der einen Hand
das Schlachtermesser, in der anderen den chromblit-
zenden Revolver entgegen.

Weiter schreiend hob ich die Pistole, feuerte wie wild
drauflos und erkannte im Mündungsfeuer, wie sie sich
nach links wegduckte, während ich Wände und Decke
durchlöcherte. Ich schwenkte mit der Waffe herum, betätigte immer wieder den Abzug und durchsiebte die

Rigipswand, hinter der sie verschwunden war. Meine Ohren fiepten, dichter Korditrauch verschluckte mich. Ich drückte immer weiter ab, bis die Waffe in meinen Händen glühte. Als der Abzug schließlich nur noch wirkungslos klickte, warf ich die Pistole weg und rannte den Korridor hinunter.

43

Ich stürzte in den Hauswirtschaftsraum, wo ich keuchend zwischen Waschmaschine, Trockner und Wäschekörben stand und mein Bein umklammerte. Mein Blick fiel auf den Wäscheständer, Kartons mit Waschmittel und Entkalker, es roch nach Weichspüler – in ihrer Alltäglichkeit fast grotesk wirkende Ikonen der Hausarbeit. Als ich sie den Flur entlangkommen hörte, erstarrte ich. Ich war unbewaffnet, völlig wehrlos.

Ich öffnete die Tür zur Garage. In dem großen, von Neonlicht erhellten Raum mit seinen nackten Betonsteinwänden, den wir als zusätzlichen Abstellraum nutzten, war es deutlich kälter als im Haus. Ich schob den mickrigen Riegel vor und sah mich um. Ganz hinten stand eine Ansammlung von Umzugskartons, ein paar Kisten und diverse Möbel. Eine Werkbank voller Werkzeuge. Unter anderem eine Axt, mit der wir das Kaminholz hackten.

Ich ergriff die Axt und wollte gerade zum hinteren Ende der Garage laufen, als ich hörte, wie hinter mir die Tür zum Hauswirtschaftsraum eingetreten wurde. Ich bahnte mir einen Weg zwischen den Kartons und Kisten hindurch, duckte mich und hielt den Atem an. Sie kam die Stufen herab.

Ich war bloß zehn oder zwölf Meter von ihr entfernt und musste mich zusammenreißen, um bei ihrem Anblick im hellen Licht der Neonröhren nicht laut aufzuschreien. Das Blut. Sie war in Blut *getränkt*. Suchend schaute sie sich in der Garage um und wetzte dabei das Messer am Lauf des Revolvers, als wollte sie es schärfen. Ich hielt die Axt an meine Brust. Sie kam näher. Noch sechs Meter.

»*William … William.*« Der Singsang in ihrer Stimme war furchterregend. Drei Meter. »Vielleicht sollte ich einfach Walt suchen und es hinter mich bringen. Ich nehme an, du hast ihn weggeschickt, damit er sich im Hubschrauber versteckt …« Sie drehte sich von mir weg.

Ich holte aus. Als sie mit ausgestreckter Waffe herumwirbelte, traf ich sie mit dem Schaft am Arm. Der ohrenbetäubende Knall eines Schusses erschütterte die Betonsteinmauern.

Glühende Hitze.

Die Wucht des Geschosses zerfetzte mir den linken Oberschenkel. Auf seinem Weg durch die Messerwunde atomisierte es Gewebe und Knochen, mit einem gellenden Schrei stürzte ich auf den ölbefleckten Boden. Mir wurde kurz schwarz vor Augen, als sie sich auf mich schwang. Blut tropfte von ihrem Gesicht auf meins. Ich konnte spüren, wie sie mit dem Messer hantierte, an mir herumsäbelte und irgendetwas abschnitt.

Das war's also.

Als mein Blick wieder klar wurde, hielt sie einen langen Streifen meines Hemdes in der Hand. Sie band ihn oberhalb der Schusswunde um mein Bein und zog ihn fest. »Ich brauche dich lebend, William. Lebend.«

O Sam. O Walt. Es tut mir so leid. Ich konnte ihre Gesichter vor meinen Augen sehen.

»Also gut.« Sie hockte auf meinem Brustkorb. »Ich gehe jetzt und töte Walt. Mir bleibt wohl nichts anderes übrig, also werde ich ihn einfach abstechen. Eine Gnade, die ich dir nicht gewähre. Du sollst die Leiche deines Sohnes sehen. Danach stecke ich mir den Revolver in den Mund, und das war's dann.«

Der Revolver. Er lag neben ihrem Knie, nur Zentimeter von meiner rechten Hand entfernt. Ich schlug dagegen, und er schlitterte etwa einen Meter über den Boden. Sie hielt mir das Messer drohend vors Gesicht. »Sei nicht dumm.« Mit geöffneter Handfläche rammte ich meine Linke direkt in die Messerspitze und drückte mit Macht nach unten. Die Zwanzig-Zentimeter-Klinge bog sich und hebelte die Wunde weiter auf – zwei Zentimeter, fünf Zentimeter –, während die Spitze sich allmählich aus dem Handrücken schob. Ich spürte keinen Schmerz. Sie wirkte verdutzt, als ich mein gesundes Bein um ihre Taille schlang und sie fest umklammerte. Mit der Rechten ergriff ich ihr Handgelenk und drehte die Klinge zu ihr hin. Sie zerrte an dem Messer und versuchte, es herauszuziehen, doch ich ließ nicht nach, zog sie mit dem Bein an mich heran und drückte ihr das Messer mit beiden Händen entgegen. Der kalte Stahl schabte über die Knochen meiner linken Hand, ein schrecklicher, fremdartiger Schmerz. Blut lief den geriffelten Metallgriff hinab. Sie krallte sich mit der freien Hand in mein Gesicht, schlitzte mir mit den Nägeln die Wange auf. Als sie es wieder probierte, riss ich den Kopf hoch und bekam ihren Daumen zwischen die Zähne. Wie rasend biss ich zu, hörte sie schreien, schmeckte den Kupfergeschmack ihres Bluts in meinem Mund, und wir verknoteten uns wie zwei wahnsinnige Wrestler immer fester in einem absurd verschlungenen Kampf auf Leben und Tod. Der Schweiß lief mir in Strömen übers Gesicht. Ich drückte immer noch gegen das Messer, zog sie weiter an mich heran, wobei das rechte Bein höllisch schmerzte, während ich das linke überhaupt nicht mehr fühlte. Ich spürte, wie meine Zähne über Knochen schabten, als sie versuchte, ihren Daumen aus meinem Mund zu ziehen – die Spitze der Klinge war jetzt nur noch Zentimeter von ihrer Kehle entfernt. In einem Akt der Verzweiflung ließ sie plötzlich den Messergriff los und griff nach dem Revolver. Ich umfasste mit meiner Rechten ihren Hinterkopf, stemmte mich mit der Brust so fest wie möglich gegen den Griff des Messers, das immer noch meine linke Hand durchbohrte, und zog sie weiter zu mir herab. Die Klinge zeigte nun kerzengerade nach oben. Ich mobilisierte die allerletzten Reserven, und endlich schob sich die Spitze in das weiche Fleisch auf der Unterseite ihres Kinns.

Noch ein kräftiger Ruck, und ich hörte ein leises Krachen, als die Messerklinge sich von unten durch ihre Zungenwurzel in den Rachen bohrte.

»Mmmff. Urrr«, gurgelte sie.

Es folgte ein lauteres Krachen, als würde man eine Hummerschere knacken, und das Messer brach durch das Gaumenbein. Blut sprudelte aus ihrem Mund. Ich zog weiter, spürte, wie etwas nachgab, und sah tatsächlich, dass ihre Haut sich über den Messerrücken spannte, während die Klinge sich an ihrer Nase vorbei weiter aufwärts und tiefer in ihren Schädel schob, bis hinter die Augen, die kurz aufflackerten, als würden sie sehen wollen, was da drinnen passierte.

Dann bohrte sich ihr brennender Blick in meine Augen – erfüllt von dreißig Jahren Hass. Ich zog so fest ich konnte, und als ihr Kinn schließlich auf meiner durchbohrten Hand lag, spürte ich mit der rechten auf ihrem Hinterkopf, wie die Messerspitze von innen gegen die Schädeldecke stieß. Mit einem Seufzen erschauerte sie, und ihr Körper erschlaffte.

Während wir in dieser seltsamen Umarmung dalagen, wurde mir plötzlich bewusst, wie nass der Boden unter mir war. Die behelfsmäßige Aderpresse um meinen Oberschenkel war gerissen, und das Blut strömte aus dem, was von meinem linken Bein noch übrig war. Ich starrte in die Deckenlampen über mir. Der Lichtschein der Neonröhren schien heller zu werden und den ganzen Raum in weißes Rauschen zu tauchen.

»Es tut mir leid«, sagte ich.

Zu ihr? Zu Sammy? Zu Walt? Zu all den Menschen, die sie wegen meiner Tat umgebracht hatte? Ich wusste es nicht. Das weiße Rauschen nahm zu, legte sich wie warmer Schnee auf mich, wie der Schnee, der auch dieses Haus verschluckte, der diesen Teil der Welt wie ein Laken bedeckte. Und dann sah ich Sammy und Walt im Schnee, wie sie hinter Herby herrannten, lachten und Schneebälle warfen. Ich war irgendwo hinter ihnen, halb im Schatten, dort, wo ich einen Großteil meines Lebens verbracht hatte. Die Sonne schien warm auf uns herab, vom Schnee reflektiert als ein strahlendes

Gleißen. Immer heller, immer intensiver wurde das Licht, blendete alles andere aus, alles außer einem gleichmäßig knatternden Geräusch. Sammy und Walt blickten jetzt hoch in den Himmel, hielten die Hände vor ihre Augen, sahen etwas, was ich nicht sehen konnte. Denn alles ertrank jetzt in diesem gleißenden Licht. Sammy, Walt, Herby und die Landschaft verschwanden und verblassten wie eine Fotografie im Wasser. Alles wurde weiß, und ich verließ meinen Körper. Wurde ein Teil davon. Ich war glücklich zu gehen.

Es tut mir leid.

Leb wohl.

Walt.

Epilog

Coldwater, Florida

Zwei Gallonen. Gut sieben Liter. Manchmal werde ich daran erinnert, wenn ich den Wagen auftanke. Wenn ich mit der Zapfpistole in der Hand die Sekunden zähle, die ich brauche, um sieben Liter in den Tank zu pumpen, denke ich: *So viel haben sie mir gegeben.* Oder wenn ich im Supermarkt Milch kaufe. Ich stelle mir sieben dieser großen Milchflaschen vor, randvoll mit Blut.

Die Ärzte haben alles in ihrer Macht Stehende getan, um mein Bein zu retten, doch der Gewebeverlust war zu groß. Ich leide die meiste Zeit unter Schmerzen, aber dank der Tabletten und des Krückstocks komme ich halbwegs klar.

Viel schwieriger war es, Walt wieder hinzukriegen. Nachts schreit er oft nach seiner Mutter, wenn er aus diesen Träumen erwacht, die ihn noch immer heimsuchen. Den Verlust seines Fingers verkraftet er besser als den der weitaus weniger greifbaren Dinge, die Gill Docherty ihm genommen hat. Eine Zeit lang bekam er starke Beruhigungsmittel verschrieben, aber sie machten ihn müde und antriebslos. Wir haben sie allmählich abgesetzt, dafür liege ich jetzt nachts wach und laufe in sein Zimmer, wenn er wieder weinend aus einem seiner Albträume hochschreckt. Ich lege dann meine Arme um ihn und flüstere: »Alles ist gut, du bist in Sicherheit. Ich bin ja da. Daddy ist da.« Manchmal ertappe ich ihn dabei, wie er mich ansieht, und ich frage mich, ob er gerade daran denkt, was ich getan habe, an die Dinge, die er in jener Nacht gehört hat. Wir sprechen nicht darüber, nur in der Therapie.

Keiner von uns beiden war auf der Beerdigung. Sammy und ihr Vater wurden am selben Tag in der Familiengruft außerhalb von Regina beigesetzt. Es kam überall in den Nachrichten. Ich lag noch auf der Intensivstation, und Walt war völlig katatonisch. Monate später bat er mich, das Grab seiner Mutter sehen zu dürfen, also fuhr ich mit ihm dorthin. Er hat nicht geweint. Als könne er nicht begreifen, dass dort unter seinen Füßen die Knochen der Frau lagen, die ihn geliebt und großgezogen hatte. Ich versuchte, nicht daran zu denken, was da unten war. Das Video. Die Leichenhalle. Gill Docherty alias Irene Kramer tötete insgesamt neun Menschen. Dies sind ihre Namen:

PAUL CARDEW

SAMANTHA MYERS

SGT. RICHARD DANKO, REGINA PD

OFFICER SARA HUDSON, REGINA PD

SGT. MATT HELM, REGINA PD

JAN FRANKLIN

WILLIAM ROBERTSON

SAMUEL MYERS

MICHAEL RAWLS

Zusammen hinterlassen diese Menschen mehr als sechzig nahe Angehörige: Partner, Eltern, Kinder. Wer vermag all die schlaflosen Nächte, die Tränen, die Schreie zu zählen? Die endlosen Stunden, die sie ins Leere starren, sich das Ende ihrer Lieben, die letzten Momente ausmalen? Denn Mord ist eine Nagelbombe, die alles rundherum dem Erdboden gleichmacht, über Jahre hinweg Tod und Zerstörung verbreitet, weit über ihr Epizentrum hinaus.

Walt und ich besitzen eine Menge Geld – Sammys Vermögen, die Versicherung –, und rein theoretisch würde uns nach dem Tod von Walts Großmutter noch mehr zufallen. Aber Mrs. Myers versucht gerade, gerichtlich durchzusetzen, dass meine Ehe mit ihrer Tochter annulliert wird. Sie ist aufgebracht und hat einen doppelten Verlust erlitten. Sie will sicherstellen, dass Walt alles erbt, wenn er einundzwanzig ist, und dass ich nicht zu seinem Vormund bestellt werde, sollte sie vorher sterben. Es ist mir egal. Ich werde nichts dagegen unternehmen.

Wenn man zwar Geld, aber weder Job noch Freunde oder Familie besitzt, hat man reichlich Zeit, um nachzudenken. Was ist damals am Flussufer passiert, in diesen Momenten der Raserei, die den Verlust und Ruin so vieler Menschen nach sich ziehen sollten? »Was Fliegen sind den müß'gen Knaben«, hatte Mr. Cardew gesagt. Doch ich war nicht nur ein böser Junge gewesen. Ich war schlimmer als das, schlimmer als Tommy und schlimmer als der tyrannische Banny. Ich war der Lakai des Tyrannen. Mir war bewusst, dass etwas Schreckliches und Falsches geschah. Und dennoch versuchte ich, ihn zu beeindrucken, indem ich ihn übertrumpfte.

»Wenn alle von der Brücke springen, würdest du es dann auch tun?«, hieß es damals immer. Und die Antwort lautete: Ja. Von einer größeren Brücke. Einer höheren Brücke. Dem Steinmäuerchen, meine Silhouette von Sonnenlicht umrahmt, unter den schadenfrohen, beeindruckten Blicken meiner Freunde.

Beim vielen Lesen hier in der Sonne Floridas stolperte ich über eine Definition der Hölle – vielleicht bei Joyce? –, die besagt, dass der Sünder seine Zeit dort in Gesellschaft derjenigen verbringt, mit denen er seine schlimmsten Sünden verübt hat. Immer wenn ich an Sammy denke, wenn ich verzweifelt ein tröstendes Bild von ihr bemühe – ihr Gesicht, ihre Stimme, einen gemeinsamen Moment –, ist es ihr Beinahe-Namensvetter, der mich in den Windungen meines Verstandes erwartet. Mit seinem prahlerischen Gang, seinen Worten, seinem verächtlichen Spucken, während er sich die Harrington glatt streicht. Ja, es stimmt. Es wäre eine höllische Vorstellung, so viel Zeit in Bannys Gesellschaft verbringen zu müssen.

Walt ist jetzt fast elf. Beinahe so alt wie Craig, als wir ihn umgebracht haben. *Siehst du? Du kannst es immer noch nicht sagen. Als* wir *ihn umgebracht haben? Nein, als* du *ihn umgebracht hast.* In der Schule weiß niemand, wie er seinen kleinen Finger verloren hat, was ihm wirklich zugestoßen ist. Mein Sohn hat jetzt einen fingierten Lebenslauf. Eine Legende. Mein Vermächtnis an ihn. »*Und er sucht heim die Missetat der Väter über die Kinder ...*«

Gill Docherty. Es sind jene immer noch viel zu seltenen Momente, in denen Walt ganz ins Spiel vertieft ist, oder wenn sein Gesicht in kindlicher Freude erstrahlt, weil ich ihn mit etwas zum Naschen, einem unerwarteten Geschenk überrasche, in denen ich meine, sie halbwegs zu verstehen. Dann stelle ich mir vor, wie mein Junge nach Tagen aus dem Fluss gefischt wird, wie er mit gebrochenem Blick auf einer stählernen Pritsche liegt, und ich verspüre ihre Wut. Sie berauscht mich wie Wein, peitscht mich auf und setzt mich unter Hochspannung. Im Verstand eines jeden Vaters, einer jeden Mutter, befindet sich eine Tür, die man besser nicht öffnet. Denn den dunklen Raum dahinter hat man schneller betreten, als man glaubt. Man spielt seine Reaktion durch, und noch ehe man sich versieht, wägt man Messer gegen Pistole und Baseballschläger ab. Aber wem bietet sich schon die Möglichkeit, solche Überlegungen in die Tat umzusetzen? Hier auf dem Sofa oder unter den Palmen am Pool, einen starken Drink in der Hand und die Fantasie mit etwas Valium geschmiert, bin ich in meinen Büchern schon einigen dieser Menschen begegnet. Zum Beispiel dem deutschen Vater, dessen Söhne von russischen Truppen ermordet und dessen Töchter von ihnen vergewaltigt wurden, russischen Truppen, die schon bald selbst überrannt und in Gefangenschaft geraten waren. Ein Wehrmacht-Offizier hatte ihm in der Scheune ein wenig Zeit mit zweien der Täter gewährt. Die angebotene Pistole hatte er abgelehnt und die Männer stattdessen mit Scheren und Stuhlbeinen bearbeitet. Anders als der muslimische Vater, der um Gnade für die betrunkenen Männer bat, die seinen Sohn mit einem gestohlenen Auto überfahren hatten. Die persönlichen Reaktionen auf Gewalttaten sind so unterschiedlich wie die menschlichen Überzeugungen selbst.

Da ist dieses Zitat von George Orwell, das ich mir auf einem der gelben Zettel notiert habe, die immer auf meinem Schreibtisch bereitliegen:

»Genau genommen gibt es etwas wie Rache nicht. Rache ist eine Handlung, die man begehen möchte, wenn und weil man machtlos ist: Sobald aber dieses Gefühl des Unvermögens beseitigt wird, schwindet auch der Wunsch nach Rache.«

Das Zitat stammt aus dem Jahr 1945. Orwell war im von den Alliierten besetzten Europa Zeuge der Grausamkeiten gewesen, die an deutschen Kriegsgefangenen verübt wurden. Und trotz meiner eigenen Erfahrungen glaube ich, dass er im Großen und Ganzen recht hat. Die meisten Menschen würden sich abwenden, wenn man ihnen die Gelegenheit böte, jemanden aus reiner Vergeltung zu misshandeln oder zu foltern. Für die meisten von uns hat Rache keine lange Halbwertszeit.

Aber das gilt nicht für jeden.

Manche Menschen können dieses Gefühl über Jahre in ihrem Innern am Leben erhalten. Sie werden Äther auf ein Tuch kippen und geradewegs auf dich zugehen. Sie werden ihr Messer am Pistolenlauf wetzen, wenn sie im Dunkel nach dir suchen. Und wenn du dann um Hilfe rufst, nach deiner Mutter oder deinem Gott, wird dich niemand hören.

Ich erinnere mich an den Tag vor mehr als zwanzig Jahren, als Mr. Cardew mir die Taschenbuchausgabe der gesammelten Werke von Shakespeare gab. Es war der Tag, an dem ich das Abitur mit exakt dem Notenschnitt bestanden hatte, den ich brauchte, um in Lampeter studieren zu können. Ich war jetzt seit über einem Jahr Donnie, und keiner von uns beiden verhaspelte sich noch mit den Namen. William war tot. Wir hatten darüber gesprochen, was mich an der Universität erwarten würde, über das Übergangshaus, in dem ich für den Rest des Sommers leben würde, um mich zu akklimatisieren, bevor das Semester begann und ich ein Zimmer im Studentenwohnheim bezog. Er versprach mir, mich zu besuchen. »Sieh zu, dass du dich auf diesen Erstsemesterpartys nicht besinnungslos trinkst«, sagte er und lächelte, als er mir zum Abschied die Hand reichte. Ich schüttelte sie, dort in diesem traurigen Raum, wo in den letzten sieben Jahren so viel geschehen war, wo Wilfred Owens Gewehre gestottert hatten, wo der Wald von Birnam nach Dunsinane marschiert und Ted Hughes' Jaguar herumgestrichen war. Er ließ das Buch auf dem Tisch liegen, und nachdem er gegangen war, las ich die Widmung. »Nun geh und mach dich selbst stolz.«

Doch dafür hätte ich ihm die Wahrheit sagen müssen. Die Wahrheit, die er letztendlich nie erfahren hatte. Ich hätte ihm in die Augen sehen und es aussprechen müssen: *Ich war es. Ich habe es getan.* Doch das habe ich nur einem einzigen Menschen gegenüber jemals zugegeben. Immerhin hatte Gill Docherty die Wahrheit mehr als jeder andere verdient. Was mir für eine gewisse Zeit so etwas wie Frieden schenkte.

Am Ende des Flurs kann ich Cora in der Küche mit den Töpfen klappern hören. Der Duft eines würzigen

Eintopfs steigt mir in die Nase. Schon bald wird es sechs Uhr sein, dann kann ich mir einen Drink genehmigen. Nach der ganzen Geschichte hatte ich zunächst bereits tagsüber mit dem Trinken angefangen. Peu à peu gelang es mir dann, den Zeitpunkt für das erste Glas auf sechs Uhr hinauszuzögern. Es kam mir vertraut vor, als ich in einem Interview mit J. G. Ballard las, dass er anfangs den ganzen Tag getrunken hatte, um den Tod seiner Frau zu bewältigen und damit fertig zu werden, seine Kinder nun allein aufziehen zu müssen. Auch Ballard war es schließlich gelungen, damit bis um sechs zu warten. »War das hart für Sie?«, hatte der Interviewer ihn gefragt. »Hart?«, lautete Ballards Antwort. »Das war wie Stalingrad.«

Das Kreischen von Bremsen, gefolgt vom hydraulischen Zischen der Bustüren und Kindergeplapper, lässt mich von meinem Buch aufblicken. Ich stütze mich mit beiden Händen auf die Schreibtischplatte, hieve mich aus dem Stuhl, greife nach meinem Stock und humpele durch unser großes, kühles Haus zur Tür, um meinen Sohn zu begrüßen.